Depois da escuridão

OBRAS DO AUTOR PUBLICADAS PELA EDITORA RECORD

As areias do tempo
Um capricho dos deuses
O céu está caindo
Escrito nas estrelas
Um estranho no espelho
A herdeira
A ira dos anjos
Juízo final
Lembranças da meia-noite
Manhã, tarde & noite
Nada dura para sempre
A outra face
O outro lado da meia-noite
O plano perfeito
Quem tem medo de escuro?
O reverso da medalha
Se houver amanhã

Infantojuvenis
Conte-me seus sonhos
Corrida pela herança
O ditador
Os doze mandamentos
O estrangulador
O fantasma da meia-noite
A perseguição

Memórias
O outro lado de mim

Com Tilly Bagshawe
Um amanhã de vingança (sequência de
Em busca de um novo amanhã)
Anjo da escuridão
Depois da escuridão
Em busca de um novo amanhã (sequência de *Se houver amanhã*)
Sombras de um verão
A senhora do jogo (sequência de *O reverso da medalha*)
A viúva silenciosa
A fênix

SIDNEY SHELDON
e TILLY BAGSHAWE

Depois da escuridão

Tradução de
MICHELE GERHARDT MACCULLOCH

12ª edição

Editora RECORD
RIO DE JANEIRO • SÃO PAULO
2025

CIP-BRASIL. CATALOGAÇÃO NA FONTE
SINDICATO NACIONAL DOS EDITORES DE LIVROS, RJ

B134d
12ª ed.
Bagshawe, Tilly
   Depois da escuridão / Tilly Bagshawe; tradução de Michele Gerhardt MacCulloch – 12ª ed. – Rio de Janeiro: Record, 2025.

Tradução de: Sidney Sheldon's After the Darkness
ISBN 978-85-01-09099-7

1. Romance americano. I. Sheldon, Sidney. II. Título. III. Gerhardt, Michele.

10-3410

CDD: 813
CDU: 821.111(73)-3

Título original em inglês:
Sidney Sheldon's After the Darkness

Copyright © 2010 by Sidney Sheldon Family Limited Partnership

Todos os direitos reservados. Proibida a reprodução, no todo ou em parte, através de quaisquer meios.

Texto revisado segundo o Acordo Ortográfico da Língua Portuguesa de 1990.

Direitos exclusivos de publicação em língua portuguesa somente para o Brasil adquiridos pela
EDITORA RECORD LTDA.
Rua Argentina, 171 – Rio de Janeiro, RJ – 20921-380 – Tel.: (21) 2585-2000, que se reserva a propriedade literária desta tradução.

Impresso no Brasil

ISBN 978-85-01-09099-7

EDITORA AFILIADA

Seja um leitor preferencial Record.
Cadastre-se no site www.record.com.br e receba informações sobre nossos lançamentos e nossas promoções.

Atendimento e venda direta ao leitor:
sac@record.com.br

Para Kerstin e Louis Sparr.
Com amor.

*A cobiça, por falta de palavra melhor, é boa.
Ter cobiça é certo.
A cobiça funciona.
A cobiça esclarece, penetra e captura a
essência do espírito evolutivo.
A cobiça, em todas as suas formas — cobiça de vida, de
dinheiro, de amor, de conhecimento —, marcou o
surgimento da humanidade.*

GORDON GEKKO, EM *WALL STREET: PODER E COBIÇA*, 1987

PRÓLOGO

NOVA YORK, 15 DE DEZEMBRO DE 2009

O DIA DO ACERTO de contas tinha chegado.
Os deuses haviam exigido um sacrifício. Um sacrifício humano. No tempo da Roma Antiga, quando a cidade estava em guerra, líderes inimigos capturados eram estrangulados em rituais no campo de batalha em frente à estátua de Marte, o deus da guerra. Hordas de soldados comemoravam e gritavam não por justiça, mas por vingança. Por sangue.
Aqui não era a Roma Antiga. Era a Nova York atual, o coração pulsante da América civilizada. Mas Nova York também era uma cidade em guerra. Era uma cidade cheia de sofrimento, de pessoas furiosas que precisavam de alguém para culpar por sua dor. Hoje, o sacrifício humano aconteceria no Tribunal de Justiça Criminal de Manhattan. Mas não seria menos sangrento por isso.
Normalmente, as equipes de TV e hordas de espectadores abomináveis apareciam apenas para assistir aos julgamentos

de assassinos. Hoje, a ré, Grace Brookstein, não tinha matado ninguém. Não diretamente. Ainda assim, havia muitos nova-iorquinos que adorariam ver Grace Brookstein ser condenada à cadeira elétrica. O filho da puta do marido dela tinha enganado todos eles. Pior, ele tinha traído a justiça. Lenny Brookstein — *que apodreça no inferno* — tinha debochado dos deuses. Bem, agora os deuses precisavam ser satisfeitos.

O homem responsável por satisfazê-los — promotor Angelo Michele, representante do povo — olhou para o outro lado do tribunal, para sua vítima. A mulher sentada à mesa dos réus, as mãos calmamente cruzadas à sua frente, não parecia uma criminosa. Loura e frágil, com 20 e poucos anos, Grace Brookstein tinha as feições doces e angelicais de uma criança. Uma ginasta premiada em sua adolescência, ela ainda tinha o porte de uma bailarina, a coluna ereta como uma vara, mãos que gesticulavam com leveza e fluidez. Grace Brookstein era frágil. Delicada. Linda. Era o tipo de mulher que os homens instintivamente queriam proteger. Ou seria se não tivesse roubado 75 bilhões de dólares, na maior e mais catastrófica fraude da história dos Estados Unidos.

O colapso do Quorum, um fundo de hedge iniciado por Lenny Brookstein, do qual sua jovem esposa era sócia, fora um golpe mortal na já abalada economia do país. Juntos, os Brookstein arruinaram famílias, destruíram indústrias inteiras e deixaram o então poderoso centro financeiro de Nova York de joelhos. Eles roubaram mais do que Madoff, mas não era isso o que mais doía. Diferentemente de Madoff, os Brookstein não roubaram dos ricos, mas dos pobres. Suas vítimas eram pessoas comuns: idosos, pequenas instituições de caridade, trabalhadores, famílias de operários que lutavam para sobreviver. Pelo menos um jovem pai de família que ficou desempregado por causa do Quorum se matou, incapaz de suportar a vergonha de ver seus filhos jogados nas ruas. Em nenhum momento Grace Brookstein demonstrou o menor remorso.

É claro que havia aqueles que diziam que Grace Brookstein não era culpada dos crimes que a levaram ao tribunal. Que foi Lenny Brookstein, e não sua esposa, quem planejou a fraude do Quorum. O promotor Angelo Michele abominava essas pessoas. *Liberais de coração mole. Ela sabia de tudo. Tolos! Vocês acham que a esposa não sabia do que estava acontecendo? Ela sabia de tudo. Mas não se importava. Ela gastou os seus fundos de pensão, as economias que vocês fizeram durante toda a vida, o dinheiro da faculdade de seus filhos... Olhem para ela agora! Está vestida como uma mulher que não dá a mínima para o fato de vocês terem perdido suas casas.*

Durante o julgamento, a imprensa dera uma cobertura especial para as roupas de Grace Brookstein no tribunal. Hoje, para escutar o veredicto, ela escolhera um vestido branco Chanel (7.600 dólares), casaco de buclê combinando (5.200 dólares), sapatos de salto alto (1.200 dólares) e bolsa (18.600 dólares), ambos Louis Vuitton, e um lindo sobretudo de vison, feito à mão especialmente para ela em Paris, um presente de aniversário de casamento do marido. A primeira edição do dia do *New York Post* já estava nas bancas. Acima de uma fotografia de corpo inteiro de Grace Brookstein chegando ao tribunal, a manchete da primeira página dizia: QUE APROVEITEM ENQUANTO PODEM!

O promotor Angelo Michele pretendia acabar com os dias de luxo de Grace Brookstein. *Curta o seu casaco de pele, madame. Esta vai ser a última vez que vai usar um desses.*

Angelo Michele era um homem alto e magro de 40 e poucos anos. Usava um terno simples da Brooks Brothers e o cabelo escuro e grosso esticado para trás até brilhar no alto da cabeça como um capacete preto e reluzente. Angelo Michele era um homem ambicioso e um chefe temido — todos os promotores juniores morriam de medo dele —, mas era um bom filho. Seus pais eram donos de uma pizzaria no Brooklyn. Ou tinham sido donos até que Lenny Brookstein "perdera" as economias deles e os forçara a decretar falência. Graças a Deus, Angelo ganhava bem. Sem sua renda, os Michele estariam sem teto na velhice, sem nada, como tantos outros trabalhadores americanos. Na opinião de Angelo Michele, prisão era muito pouco para Grace Brookstein. Mas era um começo. E ele seria o homem que a colocaria lá.

Sentado ao lado de Grace na mesa do réu estava o homem que tinha a obrigação profissional de impedi-lo. Francis Hammond III, ou "Big Frank", como era conhecido pela comunidade jurídica de Nova York, era o homem mais baixo do tribunal. Com 1,60m, ele era pouco mais alto do que sua pequena cliente. Mas a inteligência de Frank Hammond era muito maior que a de seus oponentes, era a de um gigante. Um advogado de defesa brilhante com a mente de um mestre do xadrez e a moral de um lutador sórdido, Frank Hammond era a grande esperança de Grace Brookstein. A especialidade dele era jogar com os jurados — revelando medos, desejos e preconceitos que nem eles próprios sabiam que tinham — e tirar vantagem disso em prol de seus clientes. Apenas no ano anterior, Frank Hammond fora responsável pela absolvição de dois chefes da máfia assassinos e um ator molestador de menores. Todos os seus casos eram famosos, e sempre, no início do julgamento, acreditava-se que seus clientes seriam condenados. No início, Grace Brookstein contratara outro advogado para representá-la, mas seu amigo e confidente John Merrivale insistira que ela o dispensasse e contratasse Big Frank:

— Você é inocente, Grace. *Nós* sabemos disso. Mas o restante do mundo não. A mí-mídia quer vê-la enforcada e esquartejada. Frank Hammond é o único que pode virar esse jogo. Ele é um gênio.

Ninguém conseguia entender por que Big Frank permitia que Grace Brookstein aparecesse todo dia no tribunal com roupas tão escandalosas. As roupas dela pareciam feitas para enfurecer ainda mais a imprensa, sem mencionar o júri. Certamente um erro titânico?

Mas Frank Hammond não cometia erros. Angelo Michele sabia disso melhor do que ninguém.

A loucura dele tem uma lógica. Tem que ter. Eu só gostaria de saber qual é.

Ainda assim, isso não importava. Era o último dia do julgamento e Angelo Michele tinha certeza de que construíra um caso incontestável. Grace Brookstein cairia. Primeiro na cadeia. Depois no inferno.

GRACE BROOKSTEIN ACORDARA naquela manhã no quarto de hóspedes da casa dos Merrivale sentindo-se em paz. Sonhara com Lenny. Estavam na propriedade que tinham em Nantucket, que sempre fora a casa preferida de Grace dentre suas tantas mansões multimilionárias. Eles estavam caminhando pelo jardim de roseiras. Lenny segurava sua mão. Grace podia sentir o calor de sua pele, a aspereza familiar de suas mãos.

— *Vai ficar tudo bem, minha querida. Tenha fé, Gracie. Tudo vai dar certo.*

Ao entrar no tribunal naquela manhã, de braços dados com seu advogado, Grace sentira o ódio da multidão, centenas de pares de olhos perfurando suas costas. Escutara os xingamentos. *Piranha. Mentirosa. Ladra.* Mas agarrou-se à paz interior, à voz de Lenny dentro de sua cabeça.

Vai ficar tudo bem.

Tenha fé.

John Merrivale dissera a mesma coisa ao telefone na noite anterior. Graças a Deus, ela tinha John! Sem ele, Grace estaria completamente perdida. Todas as outras pessoas tinham-na abandonado na hora em que mais precisara, seus amigos, até as próprias irmãs. *Ratos em um navio afundando.* Foi John Merrivale quem forçou Grace a contratar Frank Hammond. E agora Frank Hammond a salvaria.

Grace assistiu com atenção às conclusões finais daquele pequeno homem impetuoso, andando de um lado para o outro na frente do júri como um galo em uma fazenda. Ela entendia apenas fragmentos do que Hammond estava dizendo. Os argumentos legais estavam acima de sua compreensão. Mas ela tinha certeza de que seu advogado conseguiria absolvê-la. Então, e só então, o trabalho dela começaria de verdade.

Sair livre do tribunal é só o começo. Ainda tenho que limpar o meu nome. E o de Lenny. Deus, como sinto saudades dele. Por que Deus o tirou de mim? Por que isso tudo tinha que acontecer?

Frank Hammond acabou de falar. Agora era a vez de Angelo Michele.

— Senhoras e senhores do júri. Nos últimos cinco dias, vocês escutaram muitos argumentos legais complexos, alguns deles de mim, outros do Sr. Frank Hammond. Infelizmente, tinha de ser assim. O tamanho da fraude no Quorum: 75 *bilhões* de dólares...

Angelo Michele fez uma pausa para deixar a grandeza do número ser absorvida. Mesmo depois de tantos meses de repetição, o tamanho do roubo dos Brookstein não deixava de chocar.

— ... mostra que, pela sua própria natureza, este caso é complicado. E o fato de grande parte desse dinheiro ainda estar desaparecido o torna ainda mais complicado. Lenny Brookstein era um homem perverso. Mas não era burro. Nem sua esposa, Grace Brookstein, é uma mulher burra. O rastro que deixaram no Quorum é tão complexo, tão impenetrável, que a verdade é que talvez nós nunca recuperemos esse dinheiro. Ou o que sobrou dele.

Angelo Michele olhou para Grace com puro ódio. Pelo menos duas juradas fizeram a mesma coisa.

— Mas, deixem-me dizer o que não é complicado neste caso. Cobiça.

Outra pausa.

— Arrogância.

E outra.

— Lenny e Grace Brookstein acreditavam que estavam acima da lei. Como muitos outros da classe deles, os banqueiros ricos de Wall Street que saquearam este nosso grande país, que pegaram o dinheiro dos contribuintes, o dinheiro de *vocês,* e o desperdiçaram sem a menor vergonha, os Brookstein acreditavam que as regras do reles povo não se aplicavam a eles. Olhem para a Sra. Brookstein, senhoras e senhores. Vocês veem uma mulher que compreende o que as pessoas simples deste país estão sofrendo? Veem uma mulher que se importa? Porque eu não vejo. Eu vejo uma mulher que nasceu na riqueza, se casou com a riqueza, uma mulher que considera riqueza, riqueza obscena, um direito divino seu.

Sentado no tribunal, John Merrivale sussurrou para sua esposa:

— Este não é um argumento le-legal. É uma caça às bruxas.

O promotor continuou:

— Grace Brookstein era sócia do Quorum. Com partes iguais. Ela não era apenas responsável pelas ações do fundo. Era moralmente responsável por elas. Não se deixem enganar. Grace Brookstein sabia o que seu marido estava fazendo. E ela o apoiou e encorajou durante todo o processo.

"Não deixem que a complexidade deste caso os engane, senhoras e senhores. Por trás dos jargões e da papelada, de todas as contas em outros países e transações de derivativos, o que aconteceu aqui foi muito simples. Grace Brookstein roubou. Ela roubou porque foi gananciosa. Roubou porque achou que poderia se livrar."

Ele olhou para Grace uma última vez.

— Ela ainda acha que pode se livrar. Cabe a vocês provar que ela está errada.

Grace Brookstein observou o promotor Angelo Michele se sentar. Fora uma performance e tanto, muito mais eloquente do que a de Frank Hammond. Parecia que o júri queria aplaudi-lo.

Se ele não quisesse me destruir, eu sentiria pena dele. Coitado, se esforçou tanto. E com tanta paixão! Talvez, se tivéssemos nos conhecido em outras circunstâncias, nos tornássemos amigos.

O consenso da mídia era de que o júri levaria pelo menos um dia para deliberar. A montanha de provas do caso era tão grande que não dava para imaginar que eles fossem mais rápidos. Mas eles voltaram para o tribunal em menos de uma hora. *Exatamente como Frank Hammond dissera que fariam.*

O juiz falou de forma solene:

— Chegaram a um veredicto?

O primeiro jurado, um homem negro de uns 50 anos, assentiu.

— Chegamos sim, meritíssimo.

— E vocês consideram a ré inocente ou culpada?

O porta-voz do júri olhou diretamente para Grace Brookstein. E sorriu.

LIVRO UM

Capítulo 1

NOVA YORK, SEIS MESES ANTES

— O QUE VOCÊ ACHA, GRACIE? O preto ou o azul?

Lenny Brookstein estava segurando dois ternos. Era véspera do Baile de Caridade do Quorum, o mais glamoroso baile de arrecadação de fundos de Nova York, e ele e Grace estavam se preparando para dormir.

— O preto — respondeu Grace, sem nem olhar. — É mais clássico.

Ela estava sentada em sua inestimável penteadeira de castanheira estilo Luís XVI, penteando seu longo cabelo louro. O robe de seda champanhe La Perla que Lenny comprara para ela na semana anterior se ajustava com perfeição ao seu corpo de ginasta, favorecendo cada curva. Lenny Brookstein pensou: *Sou um homem de sorte.* Depois, riu alto. *Sorte é pouco.*

LENNY BROOKSTEIN ERA, SEM a menor dúvida, o rei de Wall Street. Mas não nascera na nobreza. Hoje, todos os Estados Unidos reconheciam o homem troncudo de 58 anos: o cabelo grisalho, o nariz quebrado em uma briga de infância — que ele nunca mandou consertar (por que deveria? Ele venceu.) —, os olhos cor de âmbar brilhantes e inteligentes. Essas características formavam um rosto tão familiar para os americanos quanto o do Tio Sam ou do Ronald McDonald. De várias formas, Lenny Brookstein *era* os Estados Unidos. Ambicioso. Trabalhador. Generoso. Bondoso. Em nenhum outro lugar ele era mais amado do que ali, em Nova York, onde nascera.

Nem sempre fora assim.

Nascido Leonard Alvin Brookstein, quinto filho e segundo menino de Jacob e Rachel Brookstein, Lenny teve uma infância terrível. Mesmo depois de adulto, uma das poucas coisas que conseguia despertar a raiva raramente vista em Lenny Brookstein eram os livros e filmes que romantizavam a pobreza. Memórias da Miséria, era como ele os chamava. *Como esses caras se deliciam com isso?* Lenny Brookstein crescera na pobreza — pobreza esmagadora, destruidora da alma — e não havia nada de romântico ou nobre nisso. Não foi romântico quando seu pai chegou em casa bêbado e bateu na sua mãe até ela ficar inconsciente, na frente dele e dos irmãos. Ou quando sua amada irmã mais velha, Rosa, se jogou embaixo de um vagão de metrô depois que três rapazes da gangue do bairro imundo onde os Brookstein moravam estupraram-na quando ela voltava da escola uma noite. Não foi *nobre* quando Lenny e seus irmãos foram atacados na escola por comerem comida judaica "fedorenta". Ou quando a mãe de Lenny morreu de câncer na cervical aos 34 anos porque não podia sair do trabalho para ir ao médico tratar suas dores estomacais. A pobreza não uniu a família de Lenny Brookstein. Ela os separou. E depois, um por um, ela acabou com cada um deles. Todos, exceto Lenny.

Lenny largou a escola aos 16 anos e saiu de casa no mesmo ano. Nunca olhou para trás. Foi trabalhar em uma loja de penhores no Queens, emprego que lhe deu ainda mais provas, embora ele nem precisasse, de que os pobres não se "unem" nos momentos difíceis. Eles pulam uns no pescoço dos outros. Era difícil ver senhoras entregando objetos de grande valor sentimental — relógio de um marido morto, a colher de prata do batizado da filha — em troca de algumas notas imundas. O Sr. Grady, dono da loja de penhores, fizera uma cirurgia de ponte de safena um ano antes de Lenny ir trabalhar para ele. Era evidente que a cirurgia tirara toda a compaixão de seu coração.

Ele costumava dizer para Lenny:

— Valor não é o quanto uma coisa *custa*, rapaz. Isso é lenda. Valor é quanto alguém está disposto a pagar. Ou *ser pago*.

Lenny Brookstein não sentia o menor respeito pelo Sr. Grady, nem como pessoa nem como homem de negócios. Mas nunca se esqueceu da verdade dessas palavras. Depois, muito depois, elas se tornaram a base da fortuna de Lenny Brookstein e do sucesso sensacional do Quorum. Lenny Brookstein compreendia o que as pessoas simples e pobres estavam dispostas a aceitar. Compreendia que o conceito de "valor" de uma pessoa era diferente do de outra, e que o do mercado podia ser ainda outro.

Devo isso àquele velho cretino.

A ascensão de Lenny Brookstein de ajudante de uma loja de penhores a um bilionário respeitado no mundo inteiro se tornara uma lenda, parte do folclore do país. George Washington não contava mentiras. Lenny Brookstein não fazia um investimento ruim. Após uma bem-sucedida série de apostas em corridas de cavalos no final de sua adolescência (Jacob Brookstein, pai de Lenny, era um apostador inveterado), Lenny decidiu tentar a sorte no mercado de ações. Na Saratoga e Monticello, Lenny aprendeu a importância de desenvolver um sistema e mantê-lo. Em Wall Street, as pessoas chamam um sistema de "modelo", mas era a mesma coisa. Ao contrário de seu pai, Lenny também tinha disciplina para reduzir as perdas e seguir em frente quando precisava. No filme *Wall Street: poder e cobiça*, o personagem Gordon Gekko, de Michael Douglas, faz uma declaração polêmica: "A cobiça é boa." Lenny Brookstein discordava totalmente da afirmação. A cobiça não era boa. Pelo contrário, era a ruína de quase todo investidor malsucedido. A *disciplina* era boa. Encontrar o modelo certo e mantê-lo, embaixo de chuva e de sol. Esse era o segredo.

Lenny Brookstein já era multimilionário quando conheceu John Merrivale. Os dois não podiam ter menos em comum. Lenny fizera a própria riqueza, era autoconfiante, um exemplo de energia e alegria de viver. Nunca falava do seu passado porque nunca pensava nele. Seus brilhantes olhos âmbar estavam sempre fixos no futuro, no próximo negócio, na próxima oportunidade. John Merrivale vinha de uma classe mais alta, era tímido, racional e depressivo. Um jovem ruivo e magro, seu apelido era "Palito de Fósforo" na Harvard Business School, onde ele se formou como primeiro da turma, assim como seu pai e seu avô. Todo mundo, incluindo o próprio John Merrivale, esperava que ele fosse trabalhar em uma das melhores firmas de Wall Street, Gordon ou Morgan, e começar sua lenta mas previsível ascensão para o topo. Mas, então, Lenny Brookstein entrou na vida de John Merrivale como um meteoro e tudo mudou.

— Estou começando um fundo de hedge — disse Lenny para John na noite em que se conheceram, em uma festa oferecida por um amigo em comum. — Eu vou tomar as decisões sobre investimentos. Mas preciso de um sócio, alguém com um passado respeitado para me ajudar a trazer capital de fora. Alguém como você.

John Merrivale ficou lisonjeado. Ninguém nunca acreditara nele antes.

— Obrigado. Mas não sou de marketing. Co-confie em mim. Sou um pensador, não um ve-vendedor. — Ele corou. *Maldito gaguejo. Por que diabos não consigo me livrar disso?*

Lenny Brookstein pensou: *e ele também é gago. Eu não poderia inventar um cara como este. Ele é perfeito.*

Lenny disse para John:

— Escute. Vendedores se encontra em qualquer lugar. O que eu preciso é de alguém comedido e confiável. Alguém capaz de fazer com que um banqueiro suíço de 85 anos confie a ele a poupança de sua mãe. Eu não sou capaz disso. Eu sou muito... — Ele procurou a palavra certa. — Extravagante. Preciso de alguém que faça um gestor de fundos de pensão com aversão ao risco pensar: "Sabe de uma coisa? Este cara é honesto. E ele sabe o que está fazendo. Gosto mais dele do que daquele garoto arrogante da Morgan Stanley." Estou dizendo, John. É *você*.

Essa conversa acontecera 15 anos antes. Desde então, o Quorum crescera e se tornara o maior e mais lucrativo fundo de hedge de todos os tempos, seus tentáculos atingindo cada pedacinho da vida americana: imóveis, hipotecas, fábricas, serviços, tecnologia. Um entre seis nova-iorquinos — *um em seis* — trabalhava em uma empresa cujo balanço dependia do desempenho do Quorum. E o desempenho do Quorum *era* seguro. Mesmo agora, na pior crise econômica desde a década de 1930, com gigantes como o Lehman Brothers e Bear Stears quebrando, e o governo injetando bilhões em firmas que um dia foram intocáveis, como a AIG, o Quorum continuava gerando lucros modestos e consistentes. O mundo estava pegando fogo, Wall Street estava de joelhos. Mas Lenny Brookstein seguia com seu sistema, como sempre fizera. E os bons tempos continuavam.

Durante anos, Lenny Brookstein acreditou que tinha tudo o que queria. Comprara casas em todo o mundo, mas raramente deixava os Estados Unidos, dividindo seu tempo entre a mansão em Palm Beach, o apartamento na Quinta Avenida e a propriedade idílica em frente à praia, na ilha de Nantucket. Ele dava festas às quais todo mundo ia. Doava milhões de dólares para suas causas preferidas e sentia um entusiasmo interior. Comprou um iate de 30 pés, decorado por Terence Disdale, e um jatinho particular A340, no qual só viajara duas vezes. Às vezes, quando queria sexo, dormia com uma das modelos que estavam sempre à sua volta. Mas nunca tinha "namoradas". Estava sempre cercado de pessoas, muitas das quais gostava, mas não tinha "amigos" no sentido tradicional da palavra. Lenny Brookstein era amado por todos que o conheciam. Mas ele não gostava de "intimidade". Todo mundo sabia disso.

Até conhecer Grace Knowles.

Mais de trinta anos mais nova que Lenny Brookstein, Grace Knowles era a mais jovem das famosas irmãs Knowles, socialites nova-iorquinas, filhas do falecido Cooper Knowles, que trabalhava no setor imobiliário e, em seus tempos áureos, chegou a valer centenas de milhões de dólares. Embora nunca tenha sido tão rico quanto "o Donald", as pessoas gostavam muito mais de Cooper. Mesmo seus rivais nos negócios invariavelmente o descreviam como "sedutor", "um cavalheiro à moda antiga". Assim como suas irmãs mais velhas, Constance e Honor, Grace adorava o pai. Ela tinha 11 anos quando ele morreu, e sua morte deixou um vazio na vida dela que nada conseguia preencher.

A mãe de Grace se casou de novo — três vezes no total — e se mudou de vez para East Hampton, onde a vida das meninas continuou, da mesma forma que antes. Colégio, compras, festas, férias, mais compras. Connie e Honor eram bonitas, e várias dos melhores solteirões de Nova York corriam atrás delas. Entretanto, todos sabiam que Grace era a mais bonita das irmãs Knowles. Quando começou a competir como ginasta, aos 13 anos, em uma tentativa de se distrair do sofrimento contínuo deixado pela morte do pai, suas irmãs mais velhas ficaram secretamente aliviadas. Ginástica olímpica significava *muito* treino e *muitas* viagens para fora do estado. Quando elas estivessem casadas, em segurança, Grace poderia frequentar festas com elas novamente. Mas até lá, Connie e Honor encorajaram com todas as suas forças o romance da irmã mais nova com as barras paralelas.

Aos 18 anos, os dias de ginasta de Grace acabaram. Mas não tinha mais problema. Nessa época, Connie já estava casada com um lindo banqueiro de investimento chamado Michael Gray, que estava em ascensão no Lehman Brothers. E Honor tinha tirado a sorte grande ao se casar com Jack Warner, deputado republicano pelo vigésimo distrito de Nova York. Já havia especulações de que Jack se candidataria ao Senado e, talvez, um dia até à presidência. O casamento dos Warner apareceu nas colunas sociais de todos os jornais, e fotos da lua de mel foram publicadas em vários tabloides. Como a nova Caroline Kennedy, Honor podia se dar ao luxo de ser boazinha com a irmã mais nova. Foi Honor quem convidou Grace para a festa em que a caçula conheceu Lenny Brookstein.

Mais tarde, tanto Lenny quanto Grace descreveriam seu primeiro encontro como a famosa faísca. Grace tinha 18 anos, uma criança, sem nenhuma experiência fora do mundo cheio de mimos e pompa de sua existência em East Hampton. Até suas amigas ginastas eram ricas. Mesmo assim, havia algo de extraordinariamente não mimado nela. Lenny Brookstein tinha se acostumado ao que sua mãe chamava de mulheres "objetivas". Todas as garotas com quem Lenny já dormira queriam alguma coisa dele. Joias, dinheiro... alguma coisa. Grace Knowles era o oposto. Ela tinha uma qualidade que o próprio Lenny nunca tivera e desejava muito. Algo tão precioso e elusivo que ele quase desistira de acreditar que existia: *inocência*. Lenny Brookstein queria prender Grace Knowles. Proteger essa inocência com as próprias mãos. *Possuir* essa inocência.

Para Grace, a atração era ainda mais simples. Ela precisava de um pai. Alguém que a protegesse e a amasse pelo que ela era, da mesma forma que Cooper Knowles a amara quando ela era apenas uma menininha. A verdade era que Grace Knowles queria *voltar* a ser uma menininha. Voltar à época em que era total e completamente feliz. Lenny Brookstein lhe oferecia essa chance. Grace a agarrou com as duas mãos.

Eles se casaram em Nantucket seis semanas depois, na presença dos seiscentos amigos mais próximos de Lenny. John Merrivale foi o padrinho; e sua esposa, Caroline, e as irmãs de Grace foram as damas de honra. Na lua de mel em Mustique, uma noite Lenny virou-se para Grace, cheio de receio, e perguntou:

— E filhos? Nunca falamos sobre isso. Imagino que você vai querer ser mãe em algum momento.

Grace fitou pensativamente o oceano. A suave e prateada luz da lua brincava nas ondas. Finalmente, ela respondeu:

— Não muito. Claro, se *você* quiser filhos, ficarei feliz em lhe dar. Mas estou tão feliz como estamos! Não há nada faltando, Lenny. Você me entende?

Lenny Brookstein entendia.

Era um dos momentos mais felizes de sua vida.

— Você já sabe o que vai vestir? — Lenny tirou alguns papéis de sua pasta e colocou os óculos de leitura antes de se deitar na cama.

— Já — disse Grace. — Mas é segredo. Quero lhe fazer uma surpresa.

Naquela tarde, Grace passara três horas felizes ao lado de sua irmã Honor no ateliê de Valentino. Honor sempre tivera um senso de estilo sensacional, e as irmãs adoravam fazer compras juntas. O gerente fechara a loja especialmente para que elas pudessem experimentar os vestidos em paz.

— Estou me sentindo quase uma rebelde. — Grace riu. — Deixar uma coisa dessas para o último minuto.

— Eu sei! Completamente desleixada, Gracie.

O Baile do Quorum era o evento social da temporada. Sempre acontecia no início de junho e marcava o início do verão para a elite privilegiada de Manhattan, que se mudava em massa para East Hampton na semana seguinte. A maioria das mulheres que iria ao baile na noite seguinte no Plaza provavelmente começara a planejar seus vestidos meses antes, como generais antes de uma campanha militar, encomendando seda de Paris, diamantes de Israel, morrendo de fome durante semanas para secar a barriga.

É claro que naquele ano alguns gastos seriam cortados. Todo mundo estava falando sobre a economia e como as coisas andavam mal. Parecia que em Detroit o povo estava se agitando. Na Califórnia, milhares de sem-teto montaram barracas nas margens do rio American. As manchetes eram terríveis. Mas para Grace Brookstein e suas amigas, nada se comparava ao choque que sentiram no dia em que souberam que o Lehman Brothers tinha falido. A quebra do Lehman era uma tragédia bem mais próxima de casa. O próprio cunhado de Grace,

Michael Gray, vira seu patrimônio líquido se dizimar da noite para o dia. Pobre Connie. Era realmente horrível.

Lenny disse para Grace:

— Precisamos ter uma postura diferente este ano, Gracie. O Baile do Quorum deve acontecer pois as pessoas precisam do dinheiro que arrecadamos mais do que nunca.

— Eu sei, querido.

— Mas não podemos ostentar muito, isso é importante. Compaixão. Compaixão e comedimento. Essas devem ser as palavras de ordem.

Com a ajuda de Honor, Grace escolhera um vestido de seda preta, um Valentino *muito* comedido, praticamente sem nenhum bordado. E seus sapatos de salto Louboutin? *A própria simplicidade.* Ela mal podia esperar para Lenny vê-la.

Deitando-se na cama ao lado do marido, Grace apagou o abajur da mesinha de cabeceira.

— Só um segundo, doçura. — Lenny se esticou e acendeu a luz de novo. — Preciso que assine uns documentos para mim. Cadê? — Ele procurou nos papéis que cobriam o seu lado da cama. — Ah, aqui estão.

Ele entregou um documento a Grace. Ela pegou a caneta dele e estava prestes a assinar.

— Espere aí! — Lenny riu. — Você não vai ler primeiro?

— Não. Por que eu faria isso?

— Porque você não sabe o que está assinando, Gracie. Por isso. Seu pai nunca lhe disse para não assinar nada antes de ler?

Grace se inclinou e beijou-o.

— Disse sim. Mas *você* leu, não leu? Confio minha vida a você, Lenny, você sabe disso.

Lenny Brookstein sorriu. Grace estava certa. Ele sabia. E agradecia a Deus todos os dias por isso.

Na esquina da Quinta Avenida com a parte sul do Central Park, um exército de repórteres estava reunido na frente da fachada do Plaza, considerado um ícone da arquitetura *beaux-arts*. Lenny Brookstein estava dando uma festa — *a festa* — e, como sempre, as estrelas tinham saído de casa. Bilionários e príncipes, supermodelos e políticos, atores, astros do rock, filantropos; todos os convidados para o baile daquela noite tinham uma característica crucial em comum, e não era uma vontade esmagadora de ajudar os necessitados. Todos eram *vencedores*.

O senador Jack Warner e sua esposa, Honor, estavam entre os primeiros a chegar.

— Dê uma volta no quarteirão — foi a ordem do senador ao motorista. — Por que diabos você nos trouxe para cá tão cedo?

O motorista pensou: *Dez minutos atrás, você estava no meu pé para dirigir mais rápido. Decida-se, seu idiota.*

— Sim, senador Warner. Desculpe, senador Warner.

Honor Warner analisou o rosto furioso do marido enquanto entravam na West Fifty-Seventh Street. *Ele está assim o dia todo, desde que voltou da reunião com Lenny. Espero que não estrague a nossa noite.*

Honor Warner tentava ser uma esposa compreensiva. Sabia que a política era uma profissão estressante. Já era ruim o bastante quando Jack era deputado, mas desde que se tornara senador (com a notável idade de 36 anos), as coisas pioraram. O mundo conhecia Jack Warner como um messias republicano: um John Kennedy para o novo milênio. Alto e louro, com um rosto bem delineado, maxilar forte e olhos azuis que fitavam com firmeza, o senador Warner era adorado por seus eleitores, principalmente as mulheres. Ele defendia a decência, os valores familiares tradicionais, um país forte e orgulhoso que muitos temiam estar ruindo diariamente sob seus pés. Uma simples cena no noticiário do senador Warner de mãos dadas com sua linda esposa e as duas filhas louras pulando em volta deles bastava para restaurar a fé do povo no Sonho Americano.

Honor Warner pensou: *Se eles soubessem...*

Mas como poderiam? Ninguém sabia.

Provocativa, ela se virou para o marido:

— Gostou do meu vestido, Jack?

O senador Jack Warner olhou para a esposa e tentou se lembrar da última vez que a achara sexualmente atraente. *Não que haja alguma coisa errada com ela. Ela é bonitinha, acho. Não é gorda.*

Honor Warner, na verdade, era muito mais do que bonitinha. Com seus grandes olhos verdes, cachos louros e maçã do rosto acentuada, ela era considerada uma mulher belíssima. Mas não tão bela quanto a irmã Grace, mas ainda assim era bonita. Naquela noite, Honor usava um Valentino tomara que caia da cor de seus olhos, bem justo ao corpo. Era um vestido de parar o trânsito. Para qualquer observador imparcial, Honor estava muito sensual.

Jack disse de forma brusca:

— Está legal. Quanto custou?

Honor mordeu o lábio inferior com força. *Não posso chorar. Meu rímel vai borrar.*

— É um empréstimo. Assim como as esmeraldas. Grace mexeu alguns pauzinhos.

O senador Jack riu com amargura.

— Como ela é generosa.

— Por favor, Jack.

Honor colocou a mão na perna dele de forma conciliadora, mas ele afastou a mão da esposa. Batendo na janela de vidro que os separava do motorista, ele disse:

— Pode virar aqui. Vamos acabar logo com esta noite.

Por volta das 21 horas, o Grande Salão de Baile creme e dourado do Plaza estava lotado. Dos dois lados do salão, embaixo dos magníficos arcos restaurados, mesas brilhavam com suas pratarias polidas. A luz dos candelabros reluzia nos diamantes das mulheres enquanto estas se misturavam no meio do salão, admirando os vestidos de alta-costura das outras e contando histórias terríveis das últimas desgraças financeiras de seus maridos.

— Não podemos pagar a viagem para Saint-Tropez este ano. Não vai dar para ir.

— Harry vai vender o iate. Acreditam? Ele amava aquela coisa. Ele venderia os filhos primeiro se achasse que alguém iria querer comprá-los.

— Ficaram sabendo dos Jonas? Eles acabaram de anunciar a casa na cidade. Lucy quer 23 milhões, mas neste mercado? Carl acha que ela vai ter sorte se conseguir vender por metade disso.

Exatamente às 21h30, o jantar foi servido. Todos os olhares estavam fixos na mesa mais alta. Cercados pelos puxa-sacos mais próximos do Quorum, Lenny e Grace Brookstein estavam sentados com todo o esplendor, e só tinham olhos um para o outro. Outros anfitriões poderiam ter escolhido os mais famosos para se sentar à sua mesa. O príncipe Albert, de Mônaco, estava lá. Assim como Angelina e Brad, e Bono e a esposa, Ali. Mas os Brookstein se mantinham próximos à família e aos amigos mais chegados: John e Caroline Merrivale, o vice-presidente e a segunda-dama do Quorum; Andrew Preston, outro alto executivo do Quorum, e sua voluptuosa esposa Maria; senador Warner e sua esposa, Honor, irmã de Grace Brookstein; e a mais velha das irmãs Knowles, Constance, com seu marido, Michael.

Lenny Brookstein propôs um brinde:

— Ao Quorum! E a todos que navegam com ele.

— Ao Quorum!

Andrew Preston, um homem bonito e forte com 40 e poucos anos e sorriso gentil e autodepreciativo, observou sua esposa se levantar com a taça de champanhe na mão e pensou: *Outro vestido novo. Como vou conseguir pagar?*

Não que ela não estivesse maravilhosa nele. Maria sempre estava maravilhosa. Ex-atriz e estrela de ópera, Maria Preston era uma força da natureza. Sua cabeleira castanha e seus seios que desafiavam a gravidade faziam-na linda. Mas era a sua postura, o brilho dos olhos, a vibração profunda e rouca de sua gargalhada, o rebolar provocante de seus quadris que faziam com que todos os homens se jogassem aos seus pés. Ninguém nunca entendera o que fizera uma pessoa dinâmica como Maria Carmine se casar com um executivo padrão como Andrew Preston. Nem o próprio Andrew entendia.

Ela poderia ter escolhido qualquer um. Um astro do cinema. Ou um bilionário como Lenny. Talvez tivesse sido melhor se ela tivesse escolhido outro.

Andrew Preston amava a esposa com todas as suas forças. Era por causa desse amor e de seu profundo senso de falta de valor que ele perdoava tanto. Os romances. As mentiras. Os gastos descontrolados. Andrew ganhava bem no Quorum. Uma pequena fortuna para o padrão da maioria das pessoas. Mas quanto mais ele ganhava, mais Maria gastava. Era uma doença dela, um vício. Mês após mês, ela gastava centenas de milhares de dólares no Amex. Roupas, carros, flores, diamantes, suítes de hotel de 8 mil dólares a noite, onde dormia só Deus sabe com quem... Não importava. Maria gastava pelo prazer de gastar.

— Quer que eu pareça uma indigente, Andy? Quer que eu me sente ao lado daquela esnobe da Grace Brookstein vestida em algum trapo monstruoso?

Maria tinha inveja de Grace. Na verdade, ela tinha inveja de qualquer mulher. Fazia parte de sua natureza italiana, algo que Andrew Preston amava nela. Ele tentou tranquilizá-la:

— Querida, você é duas vezes mais mulher do que Grace. Você poderia vestir um saco de batatas e mesmo assim chamaria mais atenção do que ela.

— Agora você quer que eu use um saco de batatas?

— Não, é claro que não. Mas, Maria, a nossa hipoteca... Talvez um de seus outros vestidos, querida? Só este ano. Você tem tantos...

Foi um erro dizer aquilo, claro. Agora Maria o punira não apenas comprando um vestido novo, mas o vestido mais caro que conseguiu encontrar, uma miscelânea de pedras, plumas e renda. Ao olhar o vestido, Andrew sentiu um aperto no peito. As dívidas estavam se tornando sérias.

Terei de falar com Lenny de novo. Mas o velho já foi tão generoso. Quanto ainda posso pressionar antes que ele reclame?

Andrew Preston colocou a mão no bolso interno de seu smoking. Quando ninguém estava olhando, jogou três calmantes na boca e tomou tudo com um gole de champanhe.

Você sempre soube que seria difícil segurar Maria. Dê um jeito, Andrew. Dê um jeito.

— Você está bem, Andrew? — Caroline Merrivale, esposa de John Merrivale, notou o rosto pálido de Andrew Preston. — Parece que está carregando o peso do mundo nos ombros.

— Não, imagina! — Andrew se forçou a sorrir. — Você está estonteante hoje, Carol, como sempre.

— Obrigada. Eu e John nos esforçamos para ser comedidos. Você sabe, dada a atual situação econômica.

Foi uma agulhada proposital em Maria. Andrew deixou passar, mas pensou de novo em como detestava Caroline Merrivale. Coitado do John, ser dominado pela mulher, uma megera como essa, por toda a vida. Não era de se espantar o fato de ele estar sempre tão para baixo.

Era óbvio para qualquer um que não fosse cego que o casamento dos Merrivale não era feliz. Para qualquer um, menos para Lenny e Grace Brookstein. Esses estavam tão apaixonados, que achavam que todo mundo tinha a mesma sorte que eles. *Fácil manter o amor vivo quando se tem bilhões de dólares para investir nele.* Mas talvez Andrew estivesse sendo injusto. A jovem Sra. Brookstein não estava atrás de dinheiro. Ela era ingênua, só isso, e claramente acreditava que Caroline Merrivale era sua amiga. Grace não via o olhar de inveja da suposta amiga mais velha sempre que ela virava as costas. Mas Andrew Preston via. Caroline Merrivale era uma vadia.

Caroline sempre ressentira a posição de Grace como primeira-dama do Quorum. Ela teria sido tão mais adequada para o papel. Com uma beleza masculina, traços inteligentes e fortes e cabelo preto e curto, Caroline já tivera uma brilhante carreira como advogada de tribunais. Claro, isso já fazia anos. Graças a Lenny Brookstein, seu marido, John, se tornara um homem bem-sucedido e muito rico. Seus dias de trabalho ficaram para trás. Mas sua ambição estava longe de acabar.

Por outro lado, John Merrivale nunca fora ambicioso. Trabalhava duro no Quorum, aceitava o que Lenny Brookstein resolvia lhe dar e se sentia grato. Caroline o insultava:

— Você é como um cachorrinho, John. Enroscado no pé do seu dono, abanando o rabinho lealmente. Não é de se espantar que Lenny não o respeite.

— Lenny me re-respeita. É você quem não me re-respeita.

— Não, e por que eu respeitaria? Eu quero um homem, não um cachorrinho. Você deveria exigir uma participação acionária maior. Imponha-se.

Andrew Preston olhou para John Merrivale sentado do outro lado da mesa. Lenny estava no meio de uma piada, com John devorando cada palavra sua. Andrew pensou: *Ele é brilhante, mas é fraco*. Só há lugar para um rei no Quorum. Caroline Merrivale podia desejar que fosse diferente, mas continuaria apenas desejando. Estavam todos pendurados no saco de Lenny Brookstein. E eles tinham sorte. O pobre Michael Gray, que estava sentado do lado direito de Maria, também escutava a história de Lenny. Os Gray eram como um lembrete ambulante. Em um minuto, estavam em todas as festas de Manhattan, morando em sua linda casa em Greenwich Village, passando os verões no sul da França e os invernos em seu chalé recém-reformado em Aspen. No minuto seguinte — *puf* — tudo desapareceu. O boato na cidade era que cada centavo que Michael Gray tinha estava investido em ações da Lehman. Os filhos deles, Cade e Cooper, continuavam estudando em uma escola particular porque Grace Brookstein, irmã de Connie Gray, insistira em pagar.

Maria sussurrou no ouvido de Andrew:

— O leilão vai começar daqui a pouco, Andy. Estou de olho em um relógio Cartier vintage. Você vai arrematar para mim, ou devo entrar no leilão?

GRACE BROOKSTEIN sorriu e bateu palmas durante o leilão, mas ficou secretamente aliviada quando terminou e chegou a hora de dançar.

— Odeio essas coisas — sussurrou ela no ouvido de Lenny enquanto ele a conduzia pela pista de dança. — Todos aqueles frágeis egos masculinos tentando gastar cada um mais que o outro. É uma insolência.

— Eu sei. — A mão de Lenny acariciava as costas dela. — Mas esses insolentes acabaram de levantar 15 milhões para a nossa fundação. Com a economia em que está, é um feito e tanto.

— Vocês se importam se eu interromper? Mal falei com meu cunhado preferido a noite toda.

Connie, irmã mais velha de Grace, passou o braço pela cintura de Lenny. O casal sorriu.

— Cunhado preferido, hein? — implicou Grace. — Não deixe Jack escutar isso.

— Ah, *Jack.* — Connie balançou a mão com desdém. — Ele está com um mau humor terrível hoje. Eu achei que ser senador fosse divertido. Qualquer um acharia que foi ele quem acabou de perder a casa. E o emprego. E as economias da vida toda. Vamos, Lenny! Alegre esta triste moça, sim?

Grace observou o marido dançar com sua irmã, segurando-a bem perto de si e oferecendo palavras de conforto. *Eu amo tanto os dois,* pensou ela. *E os admiro tanto. A forma como Connie consegue fazer piadas e rir de si mesma enquanto ela e Michael estão passando por um inferno. E a incrível e infinita compaixão de Lenny.* As pessoas sempre comentavam como Grace tinha "sorte" de ser casada com Lenny. Ela concordava. Mas não era o dinheiro de Lenny que a tornava abençoada. E sim sua generosidade.

É claro, tinha o lado ruim de ser casada com o cara mais legal do mundo. Tantas pessoas amavam Lenny e contavam com ele que Grace quase nunca conseguia ter o marido só para si. Na semana seguinte, eles iriam para Nantucket, o lugar que Grace mais amava no mundo, para duas semanas de férias. Mas, é claro, sendo o anfitrião que era, Lenny já convidara todo mundo que estava à mesa naquela noite.

— Prometa que teremos pelo menos *uma* noite sozinhos — implorou Grace quando eles finalmente se deitaram, naquela noite. O baile tinha sido divertido, mas exaustivo. A ideia de ainda mais socialização apavorava Grace.

— Não se preocupe. Nem todos vão. E mesmo se forem, teremos mais de uma noite sozinhos, prometo. A casa é grande o suficiente para sairmos de fininho.

Grace pensou: *É verdade. A casa é enorme. Quase tão grande quanto seu coração, querido.*

Capítulo 2

E<small>RA A MANHÃ SEGUINTE</small> ao Baile do Quorum, um sábado. John Merrivale estava na cama com a esposa.

— Por favor, Ca-Caroline. Eu não quero.

— Eu não me importo com o que você *quer*, seu verme patético. *Faça!*

John Merrivale fechou os olhos e foi para baixo dos lençóis até estar na altura dos pelos pretos e bem aparados de sua esposa.

Caroline o insultava:

— Se o seu pau não estivesse mole, eu não precisaria que você fizesse isso. Mas como você não conseguiu levantá-lo de novo, é o mínimo que pode fazer.

John Merrivale começou a fazer o que ela tinha mandado. Odiava sexo oral. Era nojento e errado. Mas já fazia muito tempo que não podia seguir os próprios desejos. Sua vida sexual se transformara em uma série de humilhações noturnas. Nos finais de semana era ainda pior. Caroline esperava um desempenho matinal nos sábados e às vezes uma sessão vespertina aos domingos. John não conseguia compreender como uma mulher que evidentemente o desprezava ainda podia ter um apetite sexual tão voraz. Mas Caroline parecia adorar degradá-lo, obrigá-lo a ceder aos seus caprichos.

Sentindo-a se contorcer de prazer ao toque de sua língua, John se esforçou para não ter ânsia de vômito. Às vezes, tinha fantasias sobre fugir. *Eu poderia ir para o escritório um dia e nunca mais voltar para casa. Eu poderia drogá-la e estrangulá-la enquanto dorme.* Mas ele sabia que nunca teria coragem para isso. Essa era a pior parte do seu casamento infeliz. Sua esposa tinha razão sobre ele: ele *era* fraco. *Era* um covarde.

No começo, quando se conheceram, John tivera esperanças de que poderia absorver força da personalidade dominante de Caroline. Que a autoconfiança e a ambição dela pudessem compensar a timidez dele. Durante alguns abençoados meses, isso aconteceu. Mas não demorou muito para a verdadeira natureza de sua esposa aparecer. A ambição de Caroline não era uma força positiva, como a de Lenny Brookstein. Era um buraco negro, um furacão alimentado de inveja que sugava a vida de todo ser humano que se aproximava. Quando John Merrivale percebeu o monstro com quem tinha se casado, já era tarde demais. Se ele se divorciasse dela, ela o exporia ao mundo como inválido sexual. Isso seria mais humilhação do que John poderia suportar.

Felizmente, Caroline só precisou de dois minutos para alcançar o orgasmo. Assim que conseguiu o seu prazer, ela se levantou e foi para o chuveiro, deixando John trocando os lençóis da cama por outros limpos. Não havia a menor necessidade de ele fazer tal tarefa. Os Merrivale tinham um pequeno exército de empregados à disposição em sua mansão na cidade. Mas Caroline insistia que ele fizesse. Uma vez, quando ela achou que os cantos não estavam perfeitos, quebrou um vidro de perfume na cara dele. John precisou levar 16 pontos e ainda tinha a cicatriz na bochecha esquerda. Ele disse para Lenny que tinha sido agredido por um ladrão, o que, do seu ponto de vista, não estava longe da verdade.

Se não fosse por Lenny Brookstein, John Merrivale já teria se matado havia anos. A amizade de Lenny, seu jeito carinhoso e tranquilo, sua prontidão em fazer piadas, mesmo quando os negócios estavam indo mal, era a coisa mais importante na vida de John Merrivale. Ele vivia para o escritório e seu trabalho no Quorum, não pelo dinheiro nem pelo poder, mas porque queria deixar Lenny orgulhoso. Lenny Brookstein era a única pessoa que acreditara em John Merrivale. Esquisito e sem atrativos físicos, pálido, ruivo e com braços e pernas desengonçados, John não era popular na escola. Não tinha irmãos nem irmãs com quem compartilhar seus problemas ou comemorar suas pequenas vitórias enquanto crescia. Até para seus pais ele era uma decepção. É claro que eles nunca disseram nada. Mas não precisavam. John podia sentir só de entrar na sala.

No dia de seu casamento com Caroline, ele escutou sua mãe falar para uma de suas tias:

— É claro que Fred e eu estamos felicíssimos. Nunca achamos que John fosse se casar com uma mulher tão atraente e inteligente. Para ser honesta, nós já até tínhamos perdido a esperança de que ele se casasse. Afinal, sejamos francas, ele é um amor de garoto, mas não é nenhum Cary Grant!

O fato de sua própria esposa o desprezar fazia John sofrer, mas não o surpreendia. As pessoas o desprezaram a vida inteira. A amizade de Lenny Brookstein, a enorme confiança que depositou nele, essa foi a grande surpresa da vida de John. Devia tudo a Lenny Brookstein.

É claro que Caroline não via as coisas assim. A inveja que ela sentia de Lenny e Grace Brookstein aumentara com o passar dos anos ao ponto de agora ela precisar se esforçar para esconder isso em público. Em particular, John se acostumara a escutá-la se referir a Lenny como o "velho" e a Grace como "aquela vadia". Mas recentemente, a aversão de Caroline estava estampada no rosto. Para John, isso tornava eventos como o Baile do Quorum, da noite anterior, uma experiência aterrorizante. Seu amor por Lenny Brookstein era enorme. Mas o medo que tinha da esposa era ainda maior. E Caroline Merrivale sabia disso.

NO CAFÉ DA MANHÃ, John tentou conversar sobre frivolidades.
— Ontem, conseguimos arrecadar uma soma s-significativa, acho, levando tudo em consideração.
Caroline deu um gole em seu café e não disse nada.
— Sei que Le-Lenny ficou satisfeito.
— Quinze milhões? — Caroline riu com desdém. — Isso não é nada para aquele velho. Ele poderia ter feito um cheque e acabado com tudo logo. Mas é claro que assim ele não teria toda a adulação. Todas aquelas pessoas famosas e importantes dizendo o quanto ele é um bom filantropo. E não podíamos perder a oportunidade de ter umas *6 mil* fotos tiradas da nossa querida Grace, podíamos? Deus me livre!
John espalhou uma fina camada de manteiga em sua torrada, evitando o olhar da esposa. Ele sabia por experiência própria que a fúria de Caroline podia mudar de direção em um segundo. Uma palavra errada e poderia ser toda jogada em cima dele. Mais uma vez, se amaldiçoou por sua covardia. *Por que tenho tanto medo dela?*
Desejando cair nas graças da esposa novamente, ele disse:
— A propósito, Lenny nos convidou para ir a Nantucket na semana que vem. Mas não se preocupe. Eu disse que não.
— Por que diabos você fez isso?
— Eu... bem, eu... achei que você...

— Você *achou*? — Os olhos de Caroline brilhavam de raiva. — Como você ousa achar alguma coisa! — Por um momento, John achou que ela ia bater nele. E como se não estivesse envergonhado o suficiente, deixou cair a xícara de café, que fez barulho ao bater no pires. — Quem mais foi convidado?

— Todo mundo, a-a-acho. Os Preston. As irmãs de Gr-Grace. Não tenho certeza.

— E você vai deixar Andrew Preston passar uma semana puxando o saco de Lenny, tentando passar a sua frente no Quorum, enquanto você espera e não faz nada? Meu Deus, John! Como você pode ser tão burro?

John abriu a boca para protestar, mas fechou de novo. Os negócios não funcionavam assim. Andrew Preston nunca poderia sonhar em usurpar o lugar de John e nem tentaria. Ele não ousaria. Mas não adiantava tentar explicar isso para Caroline.

— Então você quer ir?

— Eu não quero ir, John. Francamente, não consigo imaginar nada pior do que ficar trancada com aquela mulherzinha fútil do Lenny durante uma semana em uma ilha isolada do mundo. Mas eu vou. E você também. — Ela saiu da sala batendo os pés.

Só então John se permitiu um pequeno sorriso.

Eu consegui. Nós vamos. Nós vamos mesmo!

A psicologia reversa tinha funcionado como um feitiço. Só precisou de um pouco de coragem. *Talvez eu devesse tentar isso mais vezes.*

Capítulo 3

O SENADOR JACK WARNER acordou no sábado de manhã com uma ressaca terrível. Honor saíra cedo para a aula de ioga. Lá embaixo, na sala de brinquedos da idílica casa de campo deles no condado de Westchester, Jack Warner podia escutar as filhas, Bobby e Rose, gritando a plenos pulmões uma com a outra.

Que diabos Ilse está fazendo?

A nova babá holandesa pagava um boquete como ninguém, mas sua habilidade no trabalho deixava muito a desejar. Até agora, Jack resistira aos pedidos de Honor para demitir Ilse. Mas naquela manhã ele mudou de ideia. Uma manhã de sábado ininterrupta na cama valia muito mais do que um bom boquete. No mundo do senador Jack Warner, era fácil conseguir bons boquetes. Por outro lado, paz e tranquilidade eram inestimáveis.

Jack Warner sabia que queria ser presidente dos Estados Unidos desde os 3 anos. Era agosto de 1974. Seus pais estavam assistindo à renúncia de Richard Nixon na televisão.

— O que este homem está fazendo, mamãe? — perguntou o pequeno Jack. Foi o pai quem respondeu:

— Ele está largando o melhor emprego do mundo, filho. É um mentiroso e um idiota.

Jack pensou a respeito por um minuto.

— Se ele é um idiota, como conseguiu o melhor emprego do mundo?

Seu pai riu.

— É uma boa pergunta!

— Quem vai fazer o trabalho dele agora?

— Por que você está perguntando, Jack? — O pai o puxou para seu colo e acariciou seu cabelo. — Quer o emprego dele?

Sim, pensou Jack. *Se é o melhor emprego do mundo, eu acho que quero.*

Até agora, o caminho de Jack Warner para a Casa Branca tinha sido perfeito. Primeiro da classe em Andover? Sim. Ficha extensa em trabalho voluntário e serviços à comunidade? Sim. Graduação em Yale, pós-graduação em Direito em Harvard, sócio de uma firma de prestígio em Nova York? Sim, sim, sim. Após dois breves estágios em campanhas no senado, Jack concorreu ao Congresso, conseguindo a cadeira do 20º Distrito Congressional em uma vitória esmagadora com apenas 29 anos. Jack Warner nunca fez um amigo, aceitou um emprego, foi a uma festa ou dormiu com alguém sem antes pensar: *Como isso pode afetar meu histórico?* Nas raras ocasiões em que dormia com uma garota menos do que adequada, ele se certificava de que acontecesse em algum lugar bem longe dos olhos atentos dos eleitores. Mas esses deslizes eram raros. O objetivo de Jack era estar no lugar certo, na hora certa com as pessoas certas. Ele sabia que o seu maior encanto era a boa aparência tipicamente americana, o ar de autoconfiança e bondade que ele parecia transmitir sem nenhum esforço.

Como todas as outras coisas na vida de Jack, seu casamento com Honor Knowles foi uma decisão política cuidadosamente coreografada.

Fred Farrel, o coordenador de campanha de Jack, sentou-se para conversar com ele.

— Nossas pesquisas indicam que você ainda é visto como muito jovem para concorrer ao Senado. Precisamos "amadurecer" sua imagem.

Jack ficou frustrado.

— Como? Devo deixar a barba crescer? Usar colete?

— Na verdade, a barba não é má ideia. Mas o que você realmente precisa fazer é casar. Uns dois filhos também não fariam mal. Todas as mulheres solteiras amam você, mas você precisa conquistar o voto das famílias.

— Tudo bem. Vou pedir Karen em casamento no fim de semana.

Karen Connelly era namorada de Jack havia dez meses e o primeiro caso de amor sério da vida dele. Filha única de uma respeitada família de políticos — o pai de Karen, Mitch, chegara a ser chefe de gabinete da Casa Branca —, Karen também era bonita, inteligente e generosa. Ela adorava Jack incondicionalmente. De vez em quando, os dois falavam em começar uma família um dia, quando Karen se formasse e a agenda de Jack no Congresso estivesse menos pesada. Era evidente que o "um dia" havia chegado.

Fred Farrel franziu a testa.

— Não tenho tanta certeza de que Karen seja a melhor escolha. Ela é uma menina boa e tudo mais. Mas para sua esposa...

Jack ficou com raiva.

— O que há de errado com ela?

— Não tem nada de errado com ela. Não leve para o lado pessoal, Jack. Só estou dizendo que no mundo ideal eu iria preferir alguém que causasse um pouco de sensação. Não bonita demais, claro, seria decepcionante para seu principal eleitorado.

— Mas mais bonita que Karen?

— Mais conhecida que Karen. E não seria ruim também se ela fosse rica.

— Por quê?

— Para o futuro, garoto. — Fred Farrel balançou a cabeça. — Suponho que suas ambições políticas não terminem no Senado?

— Claro que não.

— Bom. Então, comece a pensar de forma prática. Você faz ideia de quanto custa uma campanha presidencial hoje em dia?

Jack fazia ideia. Muitos homens ricos tinham perdido tudo ao correr atrás de suas fantasias com a Casa Branca. Mesmo assim, casar por dinheiro parecia repugnante.

— Olhe, eu tenho uma garota em mente. Vá conhecê-la, veja o que acha. Sem pressão.

Três meses depois, o deputado Jack Warner superou sua repugnância e se casou com a herdeira socialite Honor Knowles, sob os flashes da imprensa. No dia em que saíram para a lua de mel, Karen Connelly cometeu suicídio, cortando os pulsos em uma banheira. Por respeito ao pai de Karen, a imprensa não divulgou a história.

Para Honor Knowles, o romance relâmpago com o deputado mais cobiçado e bonito do país era, de longe, a coisa mais excitante que já acontecera em sua vida. Desde que era uma menininha, Honor sentia que não recebia atenção. Sua irmã mais velha, Constance, era o cérebro da família e claramente a preferida da mãe. Grace, a irmã mais nova, era linda demais e foi o colírio dos olhos do pai enquanto ele viveu. Isso tudo deixava *Honor* sem um lugar. O fato de ela também ser inteligente e atraente do seu jeito parecia não importar a ninguém.

Eu sou o estepe. A backing vocal que ninguém percebe. Só sou popular porque me associam a ela.

O fato de um homem lindo escolhê-la (e não qualquer homem bonito, mas Jack Warner, um possível futuro presidente!) era tão emocionante, tão deliciosamente inesperado, que nunca passou pela cabeça de Honor questionar os motivos de Jack. Ou a velocidade com que ele a levou para o altar. Ela logo percebeu que Jack fazia tudo em alta velocidade. Mal a convidara para sair, já a pedira em casamento. Assim que ela aceitou, ele reservou a igreja. Mal voltaram de lua de mel, ele já insistia para que ela engravidasse.

— Por que a pressa? — Honor riu, acariciando o cabelo louro dele na cama uma noite. Ela às vezes ainda precisava se beliscar quando acordava ao lado dele. Jack era tão perfeito. Não apenas tinha a aparência perfeita, era perfeito por dentro também. Nobre, corajoso, visionário. Ele queria tantas coisas boas para os Estados Unidos. — Só estamos casados há cinco minutos. Não podemos primeiro curtir um ao outro um pouco?

Mas Jack insistiu. Ele queria uma família e queria agora. Durante a lua de mel no Taiti, Honor ficara preocupada. Na primeira manhã em que estavam no resort, Jack recebeu uma ligação de casa que claramente o perturbou. Ele cancelou o mergulho que fariam ("Pode ir. Preciso trabalhar.") e mal falou com Honor o resto do dia. Naquela noite, enquanto dormia, ele chamava "Karen!". Na manhã seguinte, quando Honor o questionou, ele ficou na defensiva.

— Meu Deus, Honor. Agora você vai tomar conta dos meus sonhos também?

Depois disso, ele passou a semana toda rabugento e afastado, se recusando a falar sobre o que o estava perturbando e evitando todas as tentativas de Honor de se aproximar demais. Ele não queria nem fazer amor. Mas quando voltaram para

Nova York, para imenso alívio de Honor, o mau humor foi embora. De repente, ele estava atrás dela de novo.

Ele não ia querer começar uma família se não me amasse, pensava ela. *Esta é a forma dele de se desculpar pelo Taiti. E sinceramente, por que devemos esperar? O que poderia ser mais lindo do que ter um mini-Jack correndo pela casa?*

A primeira filha deles, Roberta, nasceu nove meses depois, seguida após um ano pela irmã, Rose. Como as gestações foram seguidas, Honor ainda estava com alguns quilos a mais da gravidez de Roberta quando engravidou de Rose. Como resultado, quando Jack a levou para jantar para comemorar o segundo aniversário de casamento, Honor estava com 20 quilos a mais que no dia do casamento.

— Por que você não começa a correr de novo? — sugeriu Jack bruscamente enquanto comiam seus escalopes. — Você poderia ir com sua irmã e o personal trainer dela. Grace está com o corpo ótimo no momento. O cara deve saber o que está fazendo.

Era como se ele tivesse enfiado uma agulha no olho de Honor. *Grace. Por que tudo sempre voltava para Grace?*

Quando Honor se casou com Jack Warner, ela se sentiu a estrela do show pela primeira vez na vida. Enquanto cresciam, Grace *sempre* roubava a cena. E o pior é que fazia isso sem nem mesmo tentar. Só de entrar em um lugar, Grace já atraía todos os olhares, brilhando com uma luz tão ofuscante que apagava totalmente a presença da irmã. Honor tentava sufocar a inveja e o ressentimento que sentia por Grace. Sabia que Grace a amava e a considerava sua melhor amiga. Mesmo assim, havia vezes em que Honor Knowles fantasiava que sua irmã sofria um "acidente". Via Grace caindo das barras, seu pequeno e perfeito corpo de boneca contorcido e quebrado no chão do ginásio. Ou um acidente de carro no qual os lindos traços de modelo de Grace eram destruídos pelas chamas. *As chamas do meu ódio.* As fantasias eram uma vergonha, mas faziam com que se sentisse bem.

Quando Honor se casou com Jack, pensou: *Tudo isso ficou para trás. Agora sou feliz e famosa, agora que uma pessoa maravilhosa me ama, posso ser a irmã mais velha que Grace sempre sonhou.*

As coisas não saíram bem assim. Ironicamente, foi Honor quem apresentou Grace a Lenny Brookstein, em um dos jantares de Jack para angariar fundos. Duas semanas depois, Grace anunciou que eles estavam apaixonados.

No início, Honor achou que ela estivesse brincando. Quando percebeu que estava enganada, sentiu-se enjoada.

— Mas, Grace, você tem 18 anos. Ele tem idade para ser seu avô.

— Eu sei. É loucura! — Grace riu, aquela gargalhada doce que fazia todos os homens derreterem como manteiga no forno. — Nunca achei que eu poderia me sentir assim por alguém como Lenny, mas... estou tão feliz, Honor. De verdade. E Lenny também. Não pode ficar feliz por nós?

— Querida, eu *estou* feliz. Se é isso o que você realmente quer.

Mas Honor não estava feliz. Estava furiosa.

Para Grace não era suficiente se casar com algum investidor rico normal, como Connie fizera. *Ah, não. A madame tem que fisgar o maior bilionário de Nova York.* Os breves cinco minutos de fama de Honor Knowles já estavam terminando. Enquanto ficava presa dentro de casa, gorda e exausta como uma galinha mãe, Grace era mais uma vez o assunto da cidade. E agora aqui estava Jack, seu próprio marido, comparando-a desfavoravelmente com sua irmãzinha porque ela ganhara alguns quilos para dar à luz as filhas *dele*! Isso era insuportável.

Mesmo assim, Honor suportava, estoicamente e em silêncio. Da mesma maneira que ela suportava a forma como Jack a negligenciava e às filhas, o egoísmo dele, sua ambição crescente e, mais recentemente, as infidelidades. Ela emagreceu todos os quilos que ganhara. Para o público, o senador Jack Warner e sua esposa tinham um casamento de conto de fadas. Honor não tinha a intenção de desiludi-los. O faz de conta era tudo que lhe restava, e ela o mantinha, sorrindo para Jack lealmente durante seus discursos, dando entrevistas a revistas sobre suas dicas de dona de casa e sobre o talento de Jack como pai "de mão cheia". É claro que Honor sabia que a única coisa em que Jack colocava as mãos ultimamente era nos seios da babá, mas preferia morrer a admitir isso.

O mesmo se aplicava ao ódio que sentia pela irmã. Por fora, Honor se mantinha próxima das irmãs, mas principalmente de Grace. As duas almoçavam juntas duas vezes por semana, além das viagens de compras regulares e férias em família. Mas por baixo da fachada de irmã carinhosa, o ressentimento de Honor fervia como magma.

Jack encorajava a esposa a estreitar os laços com os Brookstein.

— Todo mundo ganha, querida. Você precisa passar mais tempo com Grace. Sei o quanto você a ama. E assim, ganho tempo com Lenny também. Se Lenny Brookstein apoiar minha candidatura à Casa Branca daqui a quatro anos, ninguém vai me segurar.

Honor pensou a respeito. *Se Jack concorrer à presidência, vai ter que parar de sair com outras mulheres. É arriscado demais. Além disso, se ele se tornar presidente, com o dinheiro de Lenny Brookstein, eu serei a primeira-dama. Nem Grace poderá superar isso.*

Recentemente, porém, o fervor de Jack pelos cunhados bilionários havia esfriado. Começou com comentários maliciosos sobre as roupas de Grace e sobre a pança cada vez maior de Lenny. Nos dias que antecederam o Baile do Quorum, se transformou em algo mais aberto. Jack estava bebendo muito. Em casa, quando estava bêbado, ele falava com Honor sobre a "deslealdade" e a "arrogância" de Lenny Brookstein.

— Canalha, com quem ele acha que está falando? Com um de seus empregados? — divagava ele. — Se Lenny quer que lambam o chão que ele pisa, deve pedir para John Merrivale ou para aquele puxa-saco do Preston. Eu sou um senador dos Estados Unidos, diabos!

Honor não fazia ideia do que Jack estava falando. Queria perguntar, mas tinha medo. Apesar de tudo, Honor Warner ainda amava o marido. Bem no fundo, tinha certeza de que se ajudasse na carreira de Jack — se dissesse as coisas certas, se usasse o vestido certo, se organizasse as festas certas —, ele acabaria se apaixonando por ela de novo.

Ela não sabia que Jack Warner nunca fora apaixonado por ela.

JACK DESCEU AS ESCADAS de roupão, procurando algum remédio para azia. Roberta, a quem seus pais chamavam de Bobby, pulou nos braços dele.

— Papai! — Loura e gorducha como um querubim renascentista, Bobby sempre fora uma criança muito carinhosa. — Ilse disse que, se não formos boazinhas, não vamos para *In-tucket*. Isso não é verdade, é?

Jack colocou a filha no chão.

— Não perturbe seu pai, Roberta — disse Ilse.

— Mas nós gostamos de *In-tucket*. Até Rose gosta, não gosta, Rosie?

Rose, de 4 anos, tirou um batom Dior da bolsa de maquiagem da mãe, quebrou-o ao meio e começou a esfregar aquela cera cor-de-rosa por todo o chão de madeira. Ilse estava ocupada demais olhando para o patrão para notar.

— Posso ajudá-lo, senador Warner?

— Não — respondeu Jack. *Nantucket. Eu tinha esquecido. Aquele cretino do Brookstein nos convidou para ir à casa dele ontem à noite. Como se fôssemos muito bons amigos.*

Jack precisara engolir seu orgulho para pedir ajuda a Lenny Brookstein. Nunca teria feito isso se não estivesse desesperado. Mas ele estava desesperado, e Lenny sabia disso. Começara como uma forma de aliviar o estresse. Algumas apostas inocentes aqui e ali em corridas de cavalos ou nas mesas de blackjack. Mas quanto mais Jack perdia, mais suas dívidas aumentavam. O jogo tinha despertado um lado impulsivo de Jack Warner que nem ele sabia ter. Era excitante, divertido e viciava. Recentemente esse vício começara a custar caro em termos financeiros. Mas o maior risco era político. Jack construíra toda sua carreira sobre sua reputação como um conservador íntegro e cristão. Podia não ser ilegal jogar compulsivamente, mas faria com que perdesse os votos das famílias em um piscar de olhos.

Fred Farrel foi direto.

— Você tem que parar com isso, Jack. Agora mesmo. Pague tudo o que deve e limpe a sua ficha.

Como se fosse fácil assim! Pagar todas as minhas dívidas? Com o quê? Toda a herança de Honor tinha sido usada na casa e na educação das meninas. Como senador, Jack ganhava 140 mil dólares por ano, uma fração do que ganhava como advogado, e uma fração muito menor do que devia agora — e em alguns casos para uns figurões nada amigáveis.

Não havia como sair dessa. Teria de pedir ajuda ao cunhado. Seria constrangedor, certamente. Mas quando explicasse a situação, Lenny o ajudaria. *Lenny pensa no longo prazo. Quando eu me tornar presidente, vou pagar mil vezes mais. Ele sabe disso.*

Mas aconteceu que Lenny não sabia. Em vez de fazer um cheque, ele lhe dera um sermão.

— Sinto muito por você, Jack. Mas não posso ajudar. Meu pai jogava. Fez a minha mãe viver um inferno. Se não fossem os amigos que emprestavam dinheiro para ele uma vez após a outra, o pesadelo poderia ter acabado muito antes. E além de tudo, ele perdeu dinheiro que podia ter usado para pagar o tratamento médico da minha mãe.

Jack tentou manter-se calmo.

— Com o devido respeito, Lenny. Acho que eu não tenho muito em comum com seu pai. Sou um senador dos Estados Unidos. Eu mereço esse dinheiro, você sabe disso. É só um pequeno problema de fluxo de caixa.

Lenny abriu um sorriso amável.

— Nesse caso, tenho certeza de que conseguirá resolver sozinho. Mais alguma coisa?

Canalha arrogante! Não foi apenas uma recusa. Foi uma rejeição, Jack não se esqueceria dessa desfeita enquanto vivesse. Na noite anterior, seu último pensamento fora mandar Lenny Brookstein enfiar o convite para Nantucket onde "o sol não brilha". Mas refletindo bem, isso seria um erro. A verdade era que ele ainda precisava urgentemente de uma significativa injeção de dinheiro. Honor e Grace, eram amigas. Talvez se Honor tentasse com a irmã, Grace poderia convencer seu amado marido a ser racional? É claro que, para seguir esse caminho, Jack teria de abrir o jogo com Honor sobre suas dívidas de jogo. Não era uma ideia atraente. Mas no fim das contas, o que ela faria? *Me deixaria? Acho que não.*

Virando-se para Ilse, ele disse:

— Partiremos para Nantucket segunda-feira bem cedinho. Por favor, providencie tudo para que as meninas estejam prontas e com as malas arrumadas.

Bobby lançou um olhar de puro triunfo para a babá.

— Viu? Eu disse que nós íamos.

— Sim senhor. Tem mais alguma coisa... *especial*... que o senhor queira que eu providencie?

Ilse piscou de forma sensual para ele. Suas intenções não podiam ser mais claras.

Nem as de Jack.

— Não. Você não vai conosco. A partir de segunda-feira, você está despedida.

Pegou um remédio para indigestão no armário da cozinha, subiu as escadas e voltou para a cama.

Capítulo 4

Connie Gray estava no parquinho, vendo seus filhos brincarem.

Olhe para eles. Tão inocentes. Não fazem ideia que o mundo deles está desmoronando.

Cade tinha 6 anos e era a imagem do pai, Michael. Com cabelo escuro e pele levemente bronzeada, ele tinha o mesmo rosto feliz, sincero de Mike. Cooper tinha mais de Connie. Ele era mais claro, os traços mais femininos. E era uma criança muito mais complexa. Sensível. Ansioso. Ambos eram muito inteligentes. Com pais como Connie e Mike, como poderiam não ser? Mas Cooper, de 4 anos, era um pensador.

O que será que ele pensaria se soubesse o que a sua mãe planejava? Talvez um dia, quando fosse mais velho, ele entendesse? Como momentos desesperadores exigem medidas desesperadas?

A mais velha das irmãs Knowles, Connie, fora a primeira aluna da classe desde o primeiro ano. O orgulho e a alegria da mãe, Connie precisava lutar pelo respeito e a afeição do pai.

O coração de Cooper Knowles já tinha dona. Ele pertencia à filha mais nova, Grace.

Assim como Honor, Connie percebeu cedo que o bebê da família era "especial", uma criança singularmente cativante e encantadora. Diferente de Honor, porém, Connie não tinha a menor intenção de ser coadjuvante de Grace ou de abrir mão de sua notoriedade. Ela desempenhava seu papel de cérebro da família com louvor, formando-se como primeira da turma no ensino médio e sendo aceita em todas as melhores universidades do país. Embora não se interessasse muito por beleza e moda, Connie sabia que era atraente, embora de maneira forte, masculina. Ela fazia todo o possível para manter sua pele de cetim e o corpo magro com pernas compridas que os homens tanto admiravam. Ela podia não estar à altura de Grace em termos de beleza, mas, sendo oito anos mais velha, não precisava.

Quando Grace tiver idade para ser apresentada à sociedade, eu já estarei muito bem casada. Aí, ela será problema de Honor.

E claro, ela estava. Como todas as irmãs Knowles, Connie se casou por amor. Michael Gray era lindo naquela época. Ele ainda era bonito, mas quando se conheceram, ele ainda tinha o físico de jogador de futebol e os traços esculpidos dos modelos da Armani que faziam todas as secretárias do Lehman Brothers suspirarem.

Connie continuou trabalhando como advogada até Cade nascer. Depois disso, não via por quê. Michael era sócio na Lehman, e ganhava milhões de dólares por ano em bônus. Claro, a maior parte disso vinha na forma de ações. Mas, naquela época, quem se importava com isso? As ações dos bancos só seguiam uma direção: para cima. Se os Gray gastavam várias vezes o salário base anual de Mike, só estavam fazendo o que todo mundo fazia. Se você queria algo caro, como uma casa de praia nos Hamptons ou um Bentley ou um colar de 100 mil dólares para dar de aniversário de casamento para sua esposa, só precisava pegar emprestado de suas ações. Era um sistema simples e tributariamente eficiente, e ninguém questionava.

Então, a Bear Stearns quebrou.

Em retrospectiva, a falência da venerável instituição de Nova York em março de 2008 foi o começo do fim para Michael e Connie Gray, e para outros milhares como eles. Mas, claro, é fácil olhar para trás. Connie se lembrava que na época era como se algo terrível, sísmico, inimaginável estivesse acontecendo com *outra pessoa*. Essas eram as melhores tragédias. Aquelas que acontecem perto o suficiente para fazer com que você sinta o frisson do terror e da excitação, sem afetar realmente a sua vida.

Fazia nove meses desde aquele dia terrível de setembro, quando o mundo de Connie desabou. Ela ainda acordava algumas manhãs se sentindo feliz e contente por alguns breves segundos... até que se lembrava.

O Lehman Brothers pediu concordata no dia 16 de setembro de 2008. Da noite para o dia, os Gray viram o valor do seu patrimônio líquido cair de algo em torno de 20 milhões de dólares para, mais ou menos, um milhão — o equivalente à pesada hipoteca da casa em Nova York. Depois, o mercado imobiliário despencou e esse milhão de dólares se transformou em 500 mil. No Natal, eles já tinham vendido tudo que tinham menos as joias de Connie e tirado as crianças do colégio. Mas o verdadeiro problema não era tanto a catástrofe em si, mas as reações opostas de Connie e Mike à situação.

Michael Gray era um homem bom. Um cara *confiável*. E um homem bom não fica para baixo por muito tempo.

— Pense nos milhões de pessoas que estão em uma situação pior do que a nossa — dizia ele constantemente para Connie. — Temos sorte. Temos um ao outro, dois filhos maravilhosos, bons amigos e algumas economias. Além disso, nós dois somos jovens o suficiente para voltar a trabalhar e começar a ganhar dinheiro de novo.

Connie dizia:

— Claro que somos, querido. — E lhe dava um beijo.

Por dentro, ela pensava: *Sorte? Você perdeu o juízo?*

Connie Gray não queria voltar a trabalhar e começar a ganhar dinheiro novamente. Ela não queria colocar as mãos na massa e tentar de novo. Não queria guardar os problemas em sua velha mochila e sorrir, sorrir, sorrir; e se Mike abrisse a boca para falar mais uma insensatez dessas, ela o estrangularia com a única gravata de seda Hermès que sobrara.

Connie não tinha o menor interesse em se tornar uma das destemidas e estoicas sobreviventes do colapso. O sonho americano não era *sobreviver*. Era *vencer*. Connie Gray queria ser uma vencedora. Tinha se casado com um vencedor e ele a decepcionara. Agora precisava encontrar um novo protetor, alguém que pudesse proporcionar uma vida decente para ela e para os filhos.

O caso com Lenny Brookstein não tinha sido planejado.

Caso! A quem estou querendo enganar? Foram só duas vezes. Lenny deixou isso bem claro na noite passada.

Connie sempre se dera bem com o ilustre marido de Grace. Em épocas mais felizes, ela e Mike jantavam regularmente com os Brookstein. Inevitavelmente, era sempre Connie e Lenny que terminavam a noite se acabando de rir de alguma piada que só os dois entendiam. Grace sempre dizia a Connie:

— Sabe, é engraçado. Você e Lenny são tão parecidos. Parecem feitos do mesmo material. Quando ele fala comigo do Quorum, eu não faço a menor ideia do que está falando. Você sabe tudo! É como se você realmente se *interessasse*!

E Connie sempre se perguntava: *Como esses dois puderam se casar?*

Lenny Brookstein era brilhante e cativante, inflexível e ambicioso, e *vivo*, a pessoa mais viva que Connie já conhecera. Grace era... doce. Para Connie não fazia o menor sentido. Mas não ficava pensando muito a respeito. Naquela época, ela e Michael eram felizes e ricos, mas de uma forma mais modesta.

Naquela época...

A primeira vez que aconteceu foi no escritório de Lenny, tarde da noite. Connie fora conversar em particular com o cunhado sobre um empréstimo-ponte e sobre a possibilidade de ajudar Michael a encontrar um novo emprego. Os diretores do Lehman tinham se tornado os leprosos de Wall Street, infectados pela falência, intocáveis. Michael era um bom banqueiro, mas ninguém estava disposto a lhe dar uma segunda chance.

Connie começara a chorar. Lenny a abraçou. Antes que percebessem, eles estavam no chão, um nos braços do outro, e Lenny estava fazendo amor apaixonadamente com ela. Depois, Connie sussurrou:

— Nós somos tão parecidos, eu e você. Nós dois somos determinados. Michael e Grace não são assim.

— Eu sei — disse Lenny. — É por isso que precisamos protegê-los. Eu e você sabemos nos proteger.

Não era a resposta que Connie esperara. Mas não saiu decepcionada naquela noite do Quorum. Pelo contrário, uma nova e interessante porta acabara de se abrir. Ao deitar na cama ao lado de Michael naquela mesma noite, ela se perguntou, animada, aonde essa porta poderia levá-la.

NÃO LEVOU a lugar nenhum.

Duas semanas depois, Connie dormiu com Lenny de novo, desta vez em um hotel barato em Nova Jersey. Lenny estava se corroendo de culpa.

— Não consigo acreditar que fizemos isso. Que *eu* fiz isso — corrigiu-se ele. — A culpa não é sua, Connie. Você e Michael estão passando por um momento muito estressante. Mas eu não tenho desculpa.

Connie sussurrou com a voz rouca:

— Você não precisa de desculpa, Lenny. Você não é feliz com Grace. Compreendo isso. Ela nunca foi a mulher certa para você.

Lenny arregalou os olhos. Olhou para Connie genuinamente incrédulo.

— Não é a mulher certa para mim? Grace? Meu Deus. Ela é *tudo* para mim. Eu a amo tanto, eu... — Ele não terminou a frase, sentia-se sufocado. Um pouco depois, disse: — Ela nunca poderá saber disso. Nunca. E isso nunca mais pode voltar a acontecer. Vamos chamar de um momento de loucura e seguir em frente, está bem?

— Claro — disse Connie. — Se é o que você quer.

Enquanto dirigia de volta para casa e para Michael, ela mal conseguia conter sua raiva. *Seguir em frente? SEGUIR EM FRENTE? Para o quê? Para uma vida de penúria com meu não mais bem-sucedido marido, vivendo das migalhas da mesa da minha irmãzinha? Vai se foder, Lenny Brookstein. Você me deve. E agora pode me pagar. Acha que eu vou deixá-lo voltar para os braços de Grace impunemente?*

— Mamãe, olhe para mim!

Cade estava no balanço. Movimentando as pernas finas para a frente e para trás tentando ganhar altura, depois pulou no ar, com um som surdo na areia ao aterrissar.

— Viu como eu fui alto, mãe?

— Vi, sim, meu amor. Foi incrível. — Connie puxou seu fino xale de verão para cima dos ombros. Cashmere, da Escócia, fora um presente de aniversário de Grace. *Logo tudo o que temos será presente de Grace. A comida em nossa mesa, as camisas em nosso corpo.*

A ideia de passar a semana seguinte com Lenny e Grace na magnífica mansão de praia deles era suficiente para deixar Connie nauseada. Principalmente depois da última conversa em particular com Lenny na pista de dança do Baile do Quorum na noite anterior. O cretino teve a audácia de ficar com raiva dela. *Dela!* Como se tivesse sido *ela* quem correra atrás *dele*. Ele lhe dera esperanças e depois a jogara fora como lixo, correndo de volta para sua irmãzinha e para a vida perfeita deles. E agora Connie devia ficar *grata* por ele pagar a passagem aérea para que ela ficasse na mansão de 60 milhões de dólares e assistisse aos dois dando beijinhos?

Foi Michael quem insistiu:

— Eu gostaria de ir. Foi generoso da parte de Lenny nos convidar, e para mim seria bom me afastar um pouco de Nova York. Velejar um pouco, respirar o ar da praia.

Michael sempre gostara de Lenny. Mas era Michael. Ele gostava de todo mundo. Quando Lenny fez o convite no dia anterior, à noite, Michael quase lambeu a mão dele.

Se ele soubesse onde as mãos de Lenny Brookstein estiveram — nos meus seios, na minha bunda, entre as minhas coxas —, não lamberia tão rápido.

Mas Michael Gray não sabia.

Contanto que Lenny fizesse o que era decente e desse a Connie o que ela queria, ele nunca precisaria saber.

Capítulo 5

A PROPRIEDADE DE Grace e Lenny Brookstein em Nantucket era uma enorme mansão idílica com telhas cinza que ficava na Cliff Road, ao norte da ilha. A casa principal ostentava dez suítes, uma piscina coberta e um spa, uma sala de cinema com o que havia de mais moderno, uma cozinha de restaurante e um espaçoso terraço com telhado triangular (conhecido em Nantucket como "porto das viúvas", porque no passado as esposas dos marinheiros costumavam subir até o telhado de suas casas para ficar olhando para o mar, na esperança de ver os barcos de seus maridos, havia muito desaparecidos, voltando para casa). Jardins formais, com lavandas, rosas e cercas vivas em estilo europeu desciam colina abaixo até uma das mais tranquilas e famosas praias da ilha. Ao pé dos jardins, ficavam quatro chalés para hóspedes cercados de glicínias, charmosas casas de boneca de madeira branca, cada uma com seu pequeno quintal e cerca branca. Em qualquer outro lugar, esses chalés seriam nauseantes. Mas ali, naquela ilha mágica congelada em uma era antiga e mais simples, eles funcionavam.

Pelo menos era o que Grace Brookstein achava. Ela os construíra e projetara, até o último travesseiro Ralph Lauren e banheira vitoriana.

Grace adorava Nantucket. Foi ali que ela e Lenny se casaram, sem a menor dúvida o dia mais feliz da vida de Grace. Mas era mais do que isso. Havia uma simplicidade na ilha que não existia em nenhum outro lugar. É claro que existia dinheiro em Nantucket. Muito dinheiro. Pequenos chalés de pescadores com três quartos mudavam de mãos por mais de 2 milhões de dólares. Durante o verão, restaurantes cinco estrelas como o 21 Federal e o Summerhouse cobravam mais por sua lagosta do que o George V em Paris. Butiques das mais famosas grifes nas ruas Union e Orange exibiam cardigãs de mil dólares em suas vitrines. Galerias de arte representando artistas locais vendiam peças por seis dígitos, às vezes até sete, para os moradores mais ricos da ilha. Ainda assim, de alguma forma, Nantucket permanecia um lugar simples. Em todos os anos em que vinha para a ilha, Grace nunca vira carros esportivos. Bilionários e suas esposas andavam pela ilha usando short de brim e camisetas de algodão branco da Gap. Até os iates no porto eram conservadores, muito menos chamativos do que os de East Hampton, Saint-Tropez ou Palm Beach. Lenny só atracava em Nantucket um modesto barco de 47 pés. Ele teria *morrido* de vergonha se aparecesse ali com seu *Quorum Queen* de 300 pés, embora, na Sardenha, Grace mal conseguisse tirá-lo dali de dentro.

Nantucket era um lugar onde pessoas ricas fingiam ser pobres. Ou, pelo menos, *mais* pobres. Fazia com que Grace se sentisse nostálgica, lembrando-se da infância, de uma época mais simples em sua vida, uma época de prazeres inocentes. Ela ficava muito feliz com o fato de Lenny gostar tanto da ilha quanto ela. Além de Le Cocon, o retiro que eles tinham em Madagascar, não havia nenhum outro lugar na terra em que Grace se sentisse tão relaxada. Os Brookstein eram felizes em qualquer lugar, mas aquela casa era onde eram mais felizes.

Grace e Lenny chegaram três dias antes de seus convidados. Lenny ainda tinha trabalho para colocar em dia (*como sempre!*) e Grace precisava de tempo para conversar com os empregados e se certificar de que tudo estivesse perfeito para seus hóspedes.

— Deixem Honor e Connie com os maiores chalés porque elas têm filhos. Andrew e Maria podem ficar com aquele mais perto da areia, e os Merrivale podem ficar com o menor. Caroline já esteve aqui, então tenho certeza de que não vai se incomodar.

Havia tanto o que fazer! Planejar cardápios, encomendar flores, ver se todas as bicicletas e varas de pescar estavam prontas para seus sobrinhos e sobrinhas. Para Grace, parecia que ela nunca via Lenny.

Na noite anterior à chegada da horda, os dois tiveram um jantar romântico no Chanticleer, um lindo restaurante reservado na aldeia de pescadores de Siasconset. Bem, teria sido romântico se Lenny não tivesse passado a noite toda grudado ao seu BlackBerry.

— Está tudo bem, amor? Você parece tão estressado.

Grace estendeu o braço por cima da mesa e apertou a mão dele.

— Desculpe, meu bem. Está tudo bem. Só estou um pouco... Tem muita coisa acontecendo neste momento. Mas nada com o que precise se preocupar, meu anjo.

Grace tentou não se preocupar, mas era difícil. Lenny nunca trazia os problemas do trabalho para casa. *Nunca.* Naquela manhã, um mendigo inofensivo pedira um trocado para Lenny, que lhe passou um sermão de dez minutos sobre alcoolismo e assumir responsabilidades. Mais tarde, Grace estava colhendo framboesas no jardim quando entreouviu gritos pela janela do quarto deles. Ele estava falando ao telefone com John Merrivale. Grace não conseguiu entender tudo o que ele dizia. Mas uma frase ficou martelando em sua cabeça:

— Todos querem um pedaço de mim, John. Os cretinos estão me sugando. Se você estiver certo sobre Preston, depois de tudo o que fiz por ele... Vou cortar a mão dele fora.

O que ele queria dizer com "me sugando"? E quem eram os cretinos? Certamente não Andrew Preston. Ele trabalhava com Lenny desde o primeiro ano. Ele e Maria eram praticamente da família, assim como os Merrivale.

O único conforto de Grace era que, pelo menos, Lenny estava falando com John. Ela sabia o quanto o marido confiava nele e o respeitava como um irmão. Independentemente do problema, Grace tinha certeza de que John saberia o que fazer. No dia seguinte, ele estaria ali. Então, quem sabe, Lenny se sentiria mais relaxado.

As férias começaram tranquilamente. Assim que os hóspedes chegaram, Lenny ficou mais relaxado, quase o Lenny de sempre. Com exceção de Jack Warner, que ainda parecia de mau humor, todos pareciam felizes por estar ali e determinados a se divertir.

Michael Gray se designou o animador das quatro crianças e levou as sobrinhas, Bobby e Rose, para pescar caranguejos com os primos, e deu a todos sorvetes no Jetties Beach. Grace ficou encantada. Tinha pena de Mike e Connie por tudo o que tinham passado no último ano. Dava para *ver* que as férias estavam fazendo bem a Mike. Quanto a Cooper e o pequeno Cade, eles estavam no sétimo céu, andando de bicicleta o dia todo ou cobertos de areia até o pescoço.

Durante o dia, os outros homens — John, Andrew, Jack e Lenny — velejavam ou jogavam golfe enquanto suas esposas faziam compras como terapia. Grace adorava dar pequenos presentes para as irmãs. Nada lhe proporcionava mais prazer do que gastar seu dinheiro com outros, principalmente Connie e Honor. Faria o mesmo por Caroline e Maria, mas achava que nenhuma das duas permitiria.

Elas provavelmente não se sentem à vontade porque sou muito mais nova do que elas. Pensam em mim como uma filha. Ainda assim, Caroline sempre tinha sido tão atenciosa com ela. Grace estava determinada a encontrar uma forma de mostrar sua gratidão.

— Eu estava pensando em oferecer um jantar especial amanhã — Grace contou para Lenny no escritório. Ela estava transbordando animação. — Vou perguntar a John todos os pratos preferidos de Caroline e pedirei para Felicia preparar. O que você acha?

Lenny a fitou com carinho.

— Acho uma ótima ideia, Grace.

Grace virou-se para sair, mas ele estendeu o braço e segurou a mão dela.

— Eu amo você. Sabia disso?

Ela riu e o abraçou.

— Claro que sei. Francamente, Lenny! Que coisa estranha para se dizer.

— EU NÃO VOU me sentar ao lado dela. Nem de Lenny. E não espere que eu bata palmas como uma foca amestrada e nem demonstre gratidão. Vou deixar isso por sua conta, John.

Caroline Merrivale estava com o humor péssimo. Embora tivesse insistido para que aceitassem o convite de Lenny para Nantucket, agora culpava John por tudo. Os passeios chatos, a companhia monótona, o fato de terem sido relegados ao pior e menor chalé para hóspedes. Ela se recusava a ver o "jantar especial" de Grace como outra coisa a não ser um ato de arrogância.

— Só nã-não faça uma cena, Carol, certo? É só o que lhe peço.

— *É só o que me pede?* Que direito você tem de me pedir alguma coisa? Já falou com Lenny? Sobre o aumento?

John pareceu aflito.

— Ainda não. Não é tão si-simples quanto você parece achar.

— Muito pelo contrário, John. É muito simples. Ou você fala com ele ou eu falo.

— Não! Você não po-pode! Por favor, deixe Le-Lenny comigo.

— Certo. Mas então é melhor criar coragem e falar com ele antes que estas férias acabem. Se eu tiver de escutar mais uma vez a esposinha fútil dele me dizer o quanto *é grata* pela minha *incrível amizade*, não me responsabilizo pelos meus atos.

John Merrivale pensou com tristeza: *Grace é grata pela sua amizade. Coitada.*

Lenny era um homem de sorte. Esposas como Grace eram uma em um milhão.

— POR FAVOR, não façam cerimônia. Podem se servir!

Grace estava inexplicavelmente nervosa. O jantar parecia fabuloso. Felicia tinha se superado como sempre. A sopa de lagosta estava com um cheiro delicioso e tinha o tom cor-de-rosa perfeito, o cordeiro assado dava água na boca de tão suculento em cima das verduras orgânicas e a Pavlova de framboesa parecia mais uma escultura do que uma sobremesa, uma torre triunfante de merengue branco como a neve e frutas vermelhas como sangue. Caroline não poderia não ficar satisfeita.

Mesmo assim, Grace não conseguia curtir seu triunfo. Mais cedo, naquele mesmo dia, ela escutara Connie conversando acaloradamente com Lenny na praia, depois se afastando com lágrimas nos olhos. Quando Grace alcançou a irmã e perguntou qual era o problema, Connie a dispensara.

— É Michael — explicou Lenny. — Ele está deprimido. Eles estão passando por um momento de muito estresse, meu bem. Não leve para o lado pessoal.

Mas Grace levou para o lado pessoal. Menos de quatro horas antes, Honor também fora grosseira com ela. Grace só tinha perguntado se ela queria ir ao spa.

— Nem tudo na vida pode ser resolvido com uma merda de massagem, Grace, sabia? Deus, essa é a resposta para tudo? Gastar mais dinheiro mimando a si mesma?

Grace ficou profundamente magoada. Não era uma pessoa materialista. Honor, mais do que qualquer outro, deveria saber disso. Para ser justa, Honor *pedira* desculpas depois.

— É o Jack. Ele está com tanta coisa na cabeça. Acho que o estresse dele está me afetando. — Grace a perdoou e elas fizeram as pazes. Mas, ainda assim, a ansiedade continuava. Talvez estivesse imaginando, mas, para Grace, havia uma tensão quase palpável ao redor da mesa naquela noite.

Todos estão infelizes. Até Lenny. Quero fazê-los felizes, mas não consigo.

— A sopa está divina, Grace. Bom trabalho. — Michael Gray sorriu para sua cunhada.

— Obrigada. — Ela retribuiu o sorriso. *Ele não me parece deprimido.*

Maria Preston disse com uma expressão de desprezo:

— É verdade, devemos parabenizar o chef. Ele deve ter trabalhado como um escravo o dia todo para preparar este banquete.

Andrew Preston corou. Nem mesmo Grace Brookstein era burra o suficiente para não perceber uma agulhada como aquela. Gostaria que Maria se segurasse, mas, após umas taças de vinho, ela era letal. Já era ruim o bastante ela ter insistido para vir jantar com um luxuoso vestido de noite Roberto Cavalli, com uma fenda até a coxa e muito inapropriado para a ocasião.

— Maria, *cara*. Todo mundo vai estar vestindo jeans ou vestidos simples de verão. Você está deslumbrante, meu anjo, como sempre. Mas não poderia...

— Não, Andy. Não poderia. Eu não sou todo mundo. Ainda não entendeu isso?

Grace era educada demais para morder a isca de Maria. Lenny não tinha tais escrúpulos.

— Na verdade é "uma" chef. Felicia. — O tom de voz dele era comedido. — E ela trabalha duro, mas eu não a chamaria de escrava. No ano passado, paguei a ela bem mais do que paguei ao seu marido, Maria.

Andrew corou ainda mais. Maria o fitou com uma fúria silenciosa.

Grace desejou que o chão se abrisse e a engolisse. Detestava confrontos. Lenny, por outro lado, estava cansado de pisar em ovos.

— Senador Warner — disse ele, alegremente. — Está terrivelmente quieto esta noite. Qual é o problema, Jack? Não está com espírito de festa?

Se um olhar pudesse matar, Lenny Brookstein teria caído morto sobre a mesa.

— Não, Lenny, não estou. Os níveis de desemprego no meu distrito eleitoral chegam a dez por cento. Enquanto estamos aqui sentados em volta da sua mesa, comendo boa comida e tomando bom vinho, as pessoas que votaram em mim estão perdendo suas casas, seus empregos, seus planos de saúde, sua esperança. E eles contam comigo para tentar consertar as coisas pra eles. Então, não, não estou com espírito de festa. Se me der licença.

Honor assistiu horrorizada enquanto Jack se levantava da mesa e deixava a sala. Ele finalmente tinha aberto o jogo sobre suas dívidas de jogo na noite anterior. Honor não pregara o olho a noite toda. Foi a exaustão que fez com que perdesse a cabeça com Grace mais cedo, algo pelo qual sentiu remorso o dia todo. Não porque se importasse com os sentimentos de Grace. Mas porque o objetivo daquela viagem era tentar se aproximar mais de Grace para que ela influenciasse Lenny a ajudar Jack.

Na noite anterior, Jack tinha dito aos gritos:

— Eu *preciso* de Lenny Brookstein! Sem o dinheiro dele, estou acabado, entendeu? Nós estamos acabados.

Honor entendeu. Mas ali estava Jack, saindo da mesa como uma criança mimada, constrangendo os dois na frente de todo mundo.

— É melhor eu ir atrás dele — disse ela, resignada. — Desculpe, Grace. Lenny.

O jantar se arrastou. Depois da saída dos Warner, todo mundo se esforçou para parecer contente, mas as cadeiras vazias de Honor e Jack pareciam dois fantasmas no banquete. John Merrivale fez um brinde, agradecendo a Grace pelo jantar, mas a gagueira dele ficou tão ruim que Caroline precisou terminar. Connie saiu antes da sobremesa, alegando dor de cabeça. Quando a empregada trouxe o café, os sorrisos forçados dos hóspedes estavam começando a sumir.

Mais tarde, na cama com Lenny, Grace se debulhou em lágrimas.

— Foi um desastre, não foi? Por que tudo gira em torno dessa estúpida economia o tempo todo? Connie e Michael perdendo a casa, Jack preocupado com o desemprego.

— Acho que esse não é o único motivo do estresse dele, meu bem.

— Até Caroline e Maria enquanto faziam o cabelo hoje estavam reclamando sobre como Andrew e John estão ganhando menos este ano. Odeio isso.

Lenny ficou furioso.

— Maria e Caroline estavam reclamando com você? Está brincando comigo? Elas têm sorte porque o marido delas ainda tem emprego. A Comissão de Valores Mobiliários está nos rondando feito urubus.

Grace engasgou.

— Estão investigando você?

— Não se preocupe, meu bem, não é nada. Uma tempestade em copo d'água. Eles estão investigando todos os grandes fundos de hedge no momento. A questão é que são tempos difíceis, e o Quorum sobreviveu por *minha* causa. Ou seja, os maridos daquelas vadias ingratas sobreviveram por minha causa.

— Por favor, querido — soluçou Grace. — Não fique furioso. Eu não devia ter dito nada. Não aguento mais brigas esta noite. Sério, não posso suportar.

Lenny a pegou nos braços.

— Desculpe — sussurrou ele. — Eu estou parecendo um estraga-prazeres nesta viagem, não estou?

Grace se aninhou no corpo dele. Sempre se sentia feliz e segura quando estava junto a ele.

— Vou lhe dizer uma coisa. Amanhã de manhã, vou acordar cedo e sair de barco sozinho. Velejar sempre me ajuda a clarear as ideias. Quando eu voltar para casa, estarei tão relaxado que você nem vai me reconhecer.

— Parece ótimo. — Grace começou a pegar no sono.

Depois, ela tentaria se lembrar das palavras exatas que Lenny dissera em seguida. Era tão difícil diferenciar o sonho da realidade. O que ela *achou* que ouviu foi:

— Independentemente do que acontecer, Gracie, eu amo você. — Mas talvez ela tenha sonhado. A única coisa que sabia é que tinha dormido feliz naquele dia.

Pela última vez.

Capítulo 6

JOHN MERRIVALE APERTOU o cinto de segurança e fechou os olhos enquanto o bimotor de seis lugares subia através das nuvens. Sempre com medo de voar, John tinha terror a esses pequenos aviões. Era como confiar sua vida a um cortador de grama.

— Não se preocupe. — A mulher ao lado dele sorriu de forma amável. — É sempre turbulento de manhã cedo, antes de o sol atravessar as nuvens.

John Merrivale pensou: *O sol consegue atravessar as nuvens?* Depois sorriu para si mesmo por estar tão filosófico logo naquele dia.

Se o cortador de grama não os decepcionasse, eles aterrissariam em Boston em 25 minutos.

Eram 6h15.

ÀS 8H15, ANDREW PRESTON tomou seu lugar em um avião diferente. O Fokker 100 para cem passageiros estava com apenas dois terços de sua lotação. *Acho que poucas pessoas viajam de Nantucket para Nova York em uma manhã de terça-feira. Todo mundo foi embora ontem.*

Ele ficou confuso na noite anterior quando recebeu um telefonema já bem tarde solicitando urgentemente sua presença no escritório. Peter Finch, o chefe da equipe de investigação da Comissão de Valores Mobiliários que estava examinando as contas do Quorum, queria vê-lo pessoalmente. Andrew estava aterrorizado com a reunião. Podia pensar em algumas razões para Finch tê-lo chamado de volta para Nova York, e muitas ruins. Por outro lado, estar longe do escritório fazia com que se sentisse fora do controle. Acreditava ter coberto seus rastros, mas esses cretinos da Comissão eram como cães de caça.

De qualquer forma, ele precisava sair de Nantucket. Aquele chalé de hóspedes estava começando a parecer uma prisão. Após sua humilhação pública na noite anterior, Maria ficara histérica e furiosa, xingando Andrew, gritando com ele e até atacando-o fisicamente. Ao arregaçar a manga da camisa, ele ainda podia ver os arranhões vermelhos deixados pelas unhas dela.

— Como você *ousa* permitir que Lenny Brookstein nos trate daquela forma! Ele me ridicularizou, e você ficou lá sentado e não fez nada.

Andrew resistiu à vontade de dizer a Maria que foi ela quem começara ao tentar ridicularizar Grace. Em vez disso, ele disse:

— O que você queria que eu fizesse? Ele é meu chefe. Ele paga as nossas contas.

— Muito mal! Ele paga menos para você do que para a maldita cozinheira. Você não ouviu quando ele disse isso? Isso não o incomoda?

Andrew tinha escutado. E isso o perturbara. Tinha quase certeza de que Lenny estava brincando. Se a cozinheira estava ganhando mais do que ele, ela certamente estava com um salário muito alto. Mas não era raro escutar sobre a generosidade de Lenny ao tomar algumas decisões peculiares. Tentou racionalizar. *Por que eu deveria me importar com o quanto Lenny paga a alguém? Afinal, o dinheiro é dele. Ele pode fazer o que bem entender.* Mas ainda doía. Talvez, em algum nível subconsciente, isso justificasse o que Andrew tinha feito.

Maria dormia profundamente quando ele saiu naquela manhã, exausta da fúria e da bebedeira da noite anterior. Quando acordasse, estaria com uma tremenda ressaca. Andrew não queria estar nem a 100 quilômetros de distância quando isso acontecesse. Agora não precisaria estar.

— Tripulação, por favor, tome seus assentos para a decolagem.

Fechando os olhos, Andrew Preston tentou relaxar.

GRACE SE ENCONTROU com as irmãs para almoçarem no Cliffside Beach Club.

Após o estranho encontro delas no dia anterior, Connie estava solícita como nunca com Grace, até a presenteou com uma linda concha cor-de-rosa que encontrara na praia naquela manhã.

— Sei que não é muito, mas achei que ficaria bonito na sua penteadeira.

Grace ficou emocionada. Sabia como era difícil para Connie se desculpar. A concha valia mais do que mil palavras.

Honor perguntou:

— Maria e Caroline vão conosco?

Usando um leve vestido creme J. Crew que a deixava desinteressante, e com o cabelo preso em um rabo de cavalo, Honor parecia exausta. Grace se perguntou se ela e Jack haviam brigado na noite anterior, depois de ele se retirar da sala de jantar, mas era educada demais para puxar o assunto.

— Acho que não. Caroline foi à cidade comprar um quadro. E Maria ainda está dormindo. Acho.

As irmãs se entreolharam.

— Fico imaginando o que ela usa para dormir. — Connie riu. — Pijama Versace bordado a ouro?

Foi um momento agradável, gostoso. Grace finalmente começou a relaxar.

A garçonete veio e anotou os pedidos. Elas estavam sentadas a uma mesa do lado de fora, bem na beira da praia, mas quando a entrada chegou, nuvens escuras cobriam o céu.

O gerente apareceu.

— Gostaria de passar para uma mesa lá dentro, Sra. Brookstein? Tenho uma ótima mesa perto da janela para oferecer às damas. — Naquele instante, um trovão soou e fez todo mundo pular. Segundos depois, pingos grossos de chuva começaram a cair sobre a mesa.

— Quero sim, por favor — disse Grace, rindo. Pensou em Lenny no barco. *Espero que ele esteja bem e protegido da chuva na cabine, e não no deque pegando uma gripe.*

JÁ ERAM QUASE 16 horas quando as irmãs chegaram em casa e a tempestade já estava com força total. Michael Gray as encontrou na porta da frente.

— Graças a Deus vocês voltaram — disse ele, abraçando Connie com força.

— Só fomos almoçar no clube, amor. — Ela riu. — Por que você está em pânico?

— Eu não sabia onde vocês estavam, só isso. Achei que podiam ter saído para velejar com Jack. As condições não estão nada boas no mar.

— Jack foi velejar? — O rosto branco de Honor ficou ainda mais branco. — As meninas estão com ele?

— Não — disse Michael. — Não se preocupe. Bobby e Rose estão brincando com os meninos na cozinha. Estão um pouco entediadas, mas só isso.

— E Jack? Alguém teve notícia dele?

— O rádio dele está quebrado.

Os joelhos de Honor começaram a tremer, Jack era um excelente velejador desde a adolescência, mas uma tempestade como aquela testa as habilidades de qualquer um, até as dele.

— Tudo bem — disse Michael. — A guarda costeira acha que o localizou. Logo teremos mais notícias. Está uma loucura lá, vocês podem imaginar, mas eles estão tentando trazer todo mundo de volta para o porto. Entrem, saiam da chuva.

— E Lenny?

Connie e Honor tinham entrado, mas Grace estava congelada na entrada. Chuva pingava de seu cabelo e da ponta de seu nariz. Parecia ter 12 anos.

Michael Gray franziu a testa.

— Lenny? Achei que ele estivesse no clube de golfe. Foi o que ele disse aos empregados quando saiu esta manhã.

Porque ele queria ficar sozinho. Não queria que você ou Jack se convidassem para ir com ele.

— Não. — Grace estava tremendo. — Ele está no barco.

— Alguém foi com ele?

— Não. Acho que não.

Michael tentou esconder sua preocupação.

— Tem alguma ideia de aonde ele ia, Grace? Quais eram os planos dele?

Grace balançou a cabeça.

— Tudo bem, querida. Não se preocupe. Nós o encontraremos. Entre, vou ligar para a guarda costeira. Eles são os melhores. Logo ele estará em casa, você vai ver.

Jack Warner chegou em casa às 18 horas, encharcado e muito abalado.

— Nunca vi uma tempestade se aproximar tão depressa. Nunca. — Honor o abraçou. Sem pensar, Jack retribuiu o abraço.

Connie e Michael estavam no andar de cima, colocando as crianças para dormir. Grace, Honor, Caroline e Maria estavam sentadas na cozinha esperando alguma notícia. O barco de Lenny ainda estava desaparecido.

John Merrivale tinha voltado de sua viagem de trabalho uma hora antes. Aproximando-se de Grace, ele a abraçou, ignorando os olhares furiosos de Caroline.

— Tente não se p-p-preocupar. Lenny é um velejador experiente.

Grace mal registrou o que ele tinha falado. Estava ocupada demais rezando.

Perdi um pai, Deus. Por favor, não me deixe perder outro.

Exatamente às 20h17, o telefone tocou. Grace pulou para atender.

— Alô?

Dez segundos depois, ela desligou. Os dentes tremendo.

— Grace? — Caroline Merrivale se aproximou dela. — O que é? O que eles disseram?

— Encontraram o barco.

Um coro de "graças a Deus" e "eu disse" ecoou. Quando todos pararam de se abraçar, Grace disse baixinho:

— Lenny não estava dentro.

Então, ela desmaiou.

Capítulo 7

Mais tarde, as lembranças de Grace do período após o desaparecimento de Lenny eram como um borrão, um longo e ininterrupto pesadelo. Horas se transformavam em dias, dias em semanas, mas nada parecia real. Ela estava vivendo em um transe, uma medonha meia-vida da qual só uma pessoa podia resgatá-la. E essa pessoa não estava mais ali.

Após três dias, a guarda costeira encerrou as buscas. Em todo o mundo, as manchetes anunciavam:

LEONARD BROOKSTEIN DESAPARECIDO, PROVAVELMENTE MORTO

GÊNIO DOS FUNDOS DE HEDGE PERDIDO NO MAR

HOMEM MAIS RICO DE NOVA YORK PODE TER MORRIDO AFOGADO

Grace nunca lera nada tão terrível em sua vida. Se, naquela época, alguém lhe dissesse que o pior ainda estava por vir, ela não teria acreditado. Como alguma coisa podia ser pior do que a vida sem Lenny?

Foi John Merrivale quem a levou para casa em Nova York. As irmãs dela e os outros já tinham voltado quando a busca foi encerrada, mas Grace não tinha forças para sair de Nantucket.

— Você não pode ficar enterrada nesta ilha para sempre, Gracie. Todos os seus amigos estão na cidade. Sua fa-família. Você precisa de apoio.

— Mas não posso deixar Lenny, John. É como se eu o estivesse abandonando.

— Grace querida, eu sei que é difícil. Te-terrivelmente difícil. Mas Lenny se foi. Você precisa aceitar isso. Ninguém conseguiria sobreviver nem um dia naquelas á-águas.

Racionalmente, Grace sabia que John estava certo. O difícil era convencer seu coração. Lenny não estava morto. Não podia estar. Até que visse o corpo dele com seus próprios olhos, não perderia as esperanças.

Milagres acontecem. Acontecem o tempo todo. Talvez ele tenha sido resgatado por um barco pesqueiro. Talvez um barco estrangeiro, com pessoas simples que não saibam quem ele é. Talvez ele tenha perdido a memória. Ou encontrado uma ilha em algum lugar.

Era ridículo, claro. Vozes em sua cabeça. Mas naqueles primeiros dias, Grace se agarrava a essas vozes como quem se agarra à própria vida. Eram tudo que tinha lhe restado de Lenny e não estava preparada para abrir mão delas. Ainda não.

Quando voltou para o apartamento deles na Park Avenue, Grace encontrou centenas de buquês de flores esperando por ela. Havia tantos cartões de condolências que poderia empilhar até o teto.

— Viu? — disse John. — Todo mundo ama vo-você, Grace. Todo mundo quer ajudar.

Mas os cartões e as flores não ajudavam. Eles eram indesejados, lembranças tangíveis de que, para o mundo, Lenny estava morto.

A 5 QUILÔMETROS DALI, no escritório do FBI de Nova York, na Federal Plaza, número 26, três homens estavam sentados em volta de uma mesa.

Peter Finch, da Comissão de Valores Mobiliários, era um homem baixo e agradável, completamente careca, a não ser por uma coroa de cabelo ruivo que fazia com que parecesse um monge. Normalmente, Finch era conhecido por seu bom humor. Não hoje.

— O que estamos vendo aqui é a ponta do iceberg — disse ele, de forma implacável.

— Um enorme e maldito iceberg. — Harry Bain, diretor assistente do FBI em Nova York, balançou a cabeça sem acreditar. Aos 42 anos, Bain tinha um dos cargos mais altos do FBI. Bonito, charmoso e formado em Harvard, com cabelo muito preto e penetrantes olhos verdes, Harry Bain tinha evitado dois dos maiores atentados terroristas já planejados em solo americano. Foram dois casos enormes. Mas se o que Peter Finch estava dizendo era verdade, aquele caso seria ainda maior.

— De quanto estamos falando exatamente? — Gavin Williams, outro agente do FBI que se reportava a Bain, falou sem levantar o olhar. Ex-funcionário da Comissão, Williams deixara a agência enojado depois do fiasco de Bernie Madoff. Um matemático brilhante com os mais altos diplomas em modelagem financeira, estatística, programação e análise de dados, quando jovem, ele sonhara em se tornar um banqueiro de investimentos, chegando a entrar no programa de treinamento do J.P. Morgan assim que saiu de Wharton. Mas Gavin Williams não conseguiu. Ele não tinha o instinto comercial competitivo necessário para chegar ao topo, nem as habilidades políticas e sociais que ajudaram seus colegas de turma menos inteligentes a formar fortunas de dezenas de milhões. Alto e vigoroso, com cabelo grisalho e postura militar, Williams era um homem solitário, tão austero e frio quanto uma estátua. Podia até ser brilhante. Mas no mundo fechado de Wall Street, ninguém queria fazer negócio com ele.

Profundamente amargurado por causa dessa rejeição, Gavin Williams decidiu dedicar o resto de sua vida à perseguição daqueles que chegaram ao topo, catalogando suas contravenções com um zelo maníaco. No início, trabalhar na Comissão lhe deu um propósito. Mas isso tudo mudou depois de Madoff. Os fracassos da agência nesse caso foram catastróficos. Gavin não trabalhou no caso, mas se sentia infectado pelo constrangimento coletivo. *Enganados por um simples esquema Ponzi!* Só de pensar nisso, Gavin Williams tinha noites insones, mesmo agora no seu novo emprego dos sonhos como chefe do departamento de fraudes financeiras.

Peter Finch disse:

— Ainda não está claro. Superficialmente, as contas parecem limpas. Mas depois que Brookstein desapareceu, todos os investidores do Quorum quiseram seu dinheiro de volta ao mesmo tempo. Foram esses resgates que revelaram o buraco negro. E está crescendo a cada dia.

— Mas estão faltando *bilhões* de dólares aqui. — Harry Bain coçou a cabeça. — Como tanto dinheiro pode simplesmente evaporar?

— Não pode. Talvez tenha sido gasto. Ou perdido, desviado para negócios privados especulativos que não davam lucro e eram controlados por Leonard Brookstein e seus comparsas. É mais provável que Brookstein o tenha escondido em algum lugar. É isso que temos de descobrir.

— Certo. — A mente rápida de Harry Bain estava funcionando. — Quanto tempo até tudo chegar à imprensa?

Finch deu de ombros.

— Não muito. Alguns dias, uma semana no máximo. Assim que os investidores começarem a falar, será publicado. Nem preciso dizer as implicações que isso poderá ter na economia de uma forma geral. O Quorum é maior do que a GM, quase tão grande quanto a AIG. Quase todos os pequenos negócios de Nova York estão expostos. Pensionistas, famílias.

Bain entendeu a mensagem.

— Vou formar uma força-tarefa com nossos melhores homens para trabalhar nisso hoje. No instante em que chegar alguma informação nova, vocês devem passar para Gavin. Gavin, você se reporta diretamente a mim. Nada do que foi dito hoje deve sair desta sala. Entendido? Quero manter a mídia longe o máximo possível. A polícia de Nova York também. A última coisa de que precisamos é daqueles idiotas nos rondando, sabotando nosso caso.

Peter Finch assentiu. Gavin Williams estava sentado imóvel, o rosto impassível, inescrutável. Harry Bain pensou: *Sinto-me como Jim Kirk trabalhando com Spock.* Sentiu a conhecida onda de adrenalina ao pensar em liderar aquela operação vital. *Se eu conseguir rastrear esse dinheiro, serei um herói. Talvez até tenha uma chance na diretoria.* Harry pensou em sua esposa, Lisa, e em como ela ficaria orgulhosa. *Mas é claro, se eu fracassar...*

Mas Harry Bain não fracassaria.

Nunca tinha fracassado na vida.

— Haverá uma reunião com os curadores dos bens de Lenny no mês que vem, Grace, no dia 26. Acho importante que você vá. Se você conseguir su-suportar.

Fazia duas semanas que Grace tinha voltado para Manhattan, e John e Caroline Merrivale tinham-na convidado para jantar.

Quando ela recusou o convite, Caroline foi até o apartamento dela e a obrigou a entrar em um táxi que estava esperando.

Grace parecia aflita.

— Você não pode resolver isso, John? De qualquer forma, não vou entender uma palavra do que dirão. Lenny sempre cuidou das coisas legais.

— Você deve ir, Grace — disse Caroline. — John vai estar lá com você. Mas você é a única beneficiária do legado de Lenny. Algumas coisas você vai precisar aprovar.

— Sou? A única beneficiária?

Caroline soltou uma risada curta de escárnio.

— Claro que é, querida. Você era esposa dele.

Grace pensou: *Ainda sou esposa dele. Não sabemos se ele está morto. Não com certeza.* Mas não tinha força para brigar. Grace não pôde deixar de notar que Caroline estava muito mandona desde que Lenny... desde o acidente. Sempre que John falava com Grace, ele era firme mas respeitoso. "Eu realmente acho isso e aquilo. Se você puder, deveria tentar isso e aquilo." Caroline era muito mais autocrática. "Faça isso. Diga aquilo."

Bem, talvez seja disso que eu preciso neste momento? Deus sabe que não pareço capaz de tomar nenhuma decisão sozinha.

Grace concordou em encontrar com os acionistas.

Era difícil apontar quando a mudança começou. Como todas as coisas, começou de forma quase imperceptível. Primeiramente, as flores pararam de chegar. Depois, os telefonemas. Convites para almoços e jantares começaram a escassear. No dia em que Grace fez um esforço e se arrastou para fora do apartamento — foi para o clube tomar café — percebeu que muitas de suas antigas amigas a evitavam. Tammy Rees praticamente saiu correndo quando deu de cara com Grace no vestiário, sussurrando um rápido "como vai?" antes de sair apressada.

Grace tentou falar sobre isso com as irmãs, mas tanto Honor quanto Connie estavam distraídas, quase distantes. Nenhuma delas tinha tempo para conversar. Grace até ligou para a mãe, um sinal de verdadeiro desespero.

Foi um erro.

— Você provavelmente está imaginando coisas, querida. Por que não faz um cruzeiro para algum lugar? Afaste-se dessas coisas. Conheci Roberto em um cruzeiro, você sabe. Nunca se sabe quando o cupido vai atacar.

Um cruzeiro? Nunca mais vou colocar os pés em um barco na minha vida.

No dia seguinte, o cartão de crédito Amex Platinum de Grace foi rejeitado na Bergdorf Goodman. Grace sentiu o rosto ruborizar enquanto as mulheres que estavam atrás dela na fila a fitavam.

— Acho que deve haver um engano — disse ela, docilmente. — Meu crédito é ilimitado.

A vendedora foi gentil:

— Tenho certeza de que isso é apenas um engano, Sra. Brookstein. Mas é melhor resolver com a American Express. Ficarei feliz em guardar a sacola com o que a senhora escolheu.

Não quero a maldita sacola! Só vim aqui para me distrair por cinco minutos. Para esquecer Lenny. Como se algum dia eu fosse conseguir isso!

— Obrigada, não tem problema. Eu... eu vou para casa resolver isso.

Grace ligou para a Amex. Um atendente qualquer lhe disse que a conta de Lenny tinha sido "encerrada".

— Como assim "encerrada"? Quem encerrou? Eu não encerrei conta nenhuma.

— Sinto muito, madame, mas não posso ajudá-la. A conta do seu marido foi encerrada.

O pior ainda estava por vir. Contas por serviços não pagos começaram a chegar. Um homem grosseiro ligou para o apartamento e informou Grace que os pagamentos da hipoteca estavam cinco meses atrasados.

— Sinto muito, senhor, mas acho que deve estar me confundindo com outra pessoa. Nós não temos hipoteca.

— Sra. Brookstein. É com a Sra. Brookstein que estou falando, certo?

— Sim.

— O saldo em aberto de sua hipoteca é de 16 milhões, 762 mil dólares e 14 centavos. Está no nome da senhora e do seu marido. Gostaria que lhe mandasse os demonstrativos?

Foi somente quando Conchita, empregada fiel de Grace, pediu demissão por causa de salários atrasados, "Sinto muito, Sra. Brookstein, mas meu marido não quer mais me deixar vir trabalhar. Só se a senhora me pagar", que Grace superou o constrangimento e confessou suas preocupações financeiras para John Merrivale.

— É loucura — disse ela, soluçando ao telefone. — Lenny vale bilhões, mas de repente estou recebendo todas essas contas. Ninguém aceita os meus cartões. Não consigo entender.

Houve um longo silêncio do outro lado da linha.

— John? Você está aí?

— Estou aqui, Gracie. Talvez seja melhor você vir me encontrar.

JOHN MERRIVALE ESTAVA nervoso. Muito mais nervoso do que de costume. Grace notou a forma como ele ficava coçando o pescoço, e seus olhos quase não fitavam os dela. Sentaram-se frente a frente no sofá do escritório dele, conforme John começava a explicar.

— Estão correndo boatos já há algum te-tempo, Grace. Boatos em Wall Street e entre os nossos investidores. Depois que Lenny... depois do que aconteceu, o FBI se envolveu.

Grace arregalou os olhos.

— O *FBI*? Por quê? Que tipo de boatos?

— Lenny era um homem br-brilhante. Um investidor sagaz e discreto. Uma das razões do sucesso do Quorum é que ele nunca divulgou sua es-estratégia. Como acontece com a maioria dos melhores administradores de fundos de hedge, o modelo dele era mu-muito bem guardado.

Grace assentiu.

— Ele me disse que era como herdar a receita do molho de espaguete da sua avó. Todo mundo que come tenta adivinhar o ingrediente secreto, mas você nunca pode contar.

— Exatamente. — John Merrivale sorriu. *Ela é realmente uma criança.* — Meu trabalho era levantar fu-fundos para o Quorum. Com o desempenho de Lenny, isso era fácil. Estávamos re-recusando dinheiro. O trabalho de Lenny era investir esses fundos. Ninguém, ne-nem mesmo eu, sabia exatamente onde ele colocava o dinheiro. Até ele desaparecer, isso parecia não importar.

— Mas depois?

— Apesar de seu tamanho e tremendo sucesso, o Quorum ainda era fu-fundamentalmente dependente de um homem só. Quando Lenny desapareceu, as pessoas qui-quiseram resgatar seu capital. Muita gente. Todos ao me-mesmo tempo.

— E isso foi um problema?

John Merrivale suspirou.

— Foi. Muito dinheiro está... bem, não sabemos exatamente onde está. Não está registrado. É complicado.

— Entendo. — Grace pensou a respeito por alguns momentos. — É por isso, então, que o FBI está envolvido? Para tentar resolver essa confusão?

John passou a coçar o pescoço com ainda mais força.

— Em um aspecto, sim. Mas, in-infelizmente, tem outros aspectos desagradáveis. Como a quantia de dinheiro envolvida é tão alta: dezenas de bilhões de do-dólares, no mínimo, a polícia acredita que Lenny pode ter de-deliberadamente roubado.

— Isso é ridículo! Lenny nunca roubaria. Além disso, por que ele roubaria o próprio fundo?

— Eu na-não acredito que ele tenha feito isso, Grace. Que-quero que saiba disso. — John pegou a mão dela. — Mas outras pessoas, os investigadores do FBI, os jo-jornais, estão tirando conclusões. Eles dizem que quando a Comissão de Valores Mobiliários começou a investigar, Lenny sabia que o Quorum iria quebrar e que ele ficaria exposto. Gr-Grace, eles estão dizendo que Lenny pode ter co-cometido suicídio.

Grace se sentiu enjoada.

Suicídio? Lenny? Não. Nunca. Mesmo se ele tivesse roubado algum dinheiro, ele nunca me deixaria. Nunca tiraria a própria vida.

Ela se esforçou para manter a voz firme.

— O que quer que tenha acontecido naquele barco, John, foi um acidente. Lenny estava feliz quando me deixou aquela manhã. Por que o FBI ainda não falou comigo? Eu teria dito isso a eles!

— Te-tenho certeza de que eles vão querer falar com você a qualquer momento. Assim que tiverem um a-atestado de óbito, provavelmente vão começar uma investigação. Neste momento, a pri-principal preocupação é em localizar o di-dinheiro desaparecido. Até que isso aconteça, todos os ativos do Quorum foram congelados, assim como as suas co-contas pessoais.

Grace parecia tão pequena e perdida, sentada na pontinha do sofá. Se John Merrivale fosse um homem com mais tato, teria se aproximado e a abraçado. Mas ele apenas disse:

— Tente não se preocupar. Sei que é difícil. Mas eu e vo-você sabemos que Lenny não era um ladrão. A verdade vai acabar aparecendo. Tudo vai ficar bem.

Não, não vai. Não sem Lenny. As coisas nunca vão ficar bem de novo.

FOI NA MANHÃ SEGUINTE que a tempestade começou. Investidores furiosos invadiram os escritórios do Quorum, exigindo seu dinheiro de volta. A CNN exibiu imagens do que parecia uma revolução, com a polícia tentando afastar os manifestantes. Em poucas horas, a provável escala do que agora estava sendo chamada de a Fraude do Quorum era manchete nos jornais de todo o mundo.

Grace assistiu a tudo pela televisão, chocada. "*Leonard Brookstein, que já foi um dos filantropos mais amados de Nova York e um ícone norte-americano, hoje está sendo exposto como talvez o maior ladrão da história dos Estados Unidos. Do lado de fora dos escritórios do Fundo de Hedge Quorum, de Brookstein, investidores furiosos queimaram imagens de Leonard Brookstein, de 58 anos, dado como morto em um acidente de barco no mês passado.*"

O telefone tocou. Era John. Grace desmoronou.

— Ah, John! Você viu o que estão falando de Lenny? As notícias... Não consigo nem assistir.

— Grace, es-escute. Você não está segura. Vo-vou até aí pegá-la.

— Mas isso é loucura. Por que alguém ia querer me fazer mal?

— As pessoas perderam a cabeça, Grace. Lenny nã-não está aqui. Você é a próxima da fila.

— Mas, John...

— Na-nada de mas. Você deve ficar conosco. Faça as malas. Estarei aí em d-dez minutos.

Dez minutos depois, Grace estava no banco traseiro de um carro blindado. Ao sair do prédio, um pequeno grupo de repórteres inoportunos já estava reunido do lado de fora. Zombaram dela.

— Onde está o dinheiro, Grace?

— Onde Lenny o escondeu?

— Os 70 bilhões estão na sua mala ou você está apenas contente de nos ver?

Quando John conseguiu colocá-la dentro do carro, Grace já estava ofegante.

Ela nunca mais colocou os pés em seu apartamento.

— NÃO. NÃO vou vender. Não posso.

Grace estava na sala de reuniões da firma de advogados Carter Hochstein. Em volta da mesa, havia seis homens de aparência ameaçadora, usando ternos escuros. John Merrivale os apresentou como os curadores de Lenny, os homens responsáveis por administrar os bens dele.

— Infelizmente, Sra. Brookstein, não tem outra escolha. Em outras palavras, a senhora não tem dinheiro para continuar pagando a hipoteca do apartamento. Teremos de colocar *todos* os seus ativos no mercado. Historicamente, seu marido fez a vida pegando empréstimos de grandes quantias e dando como garantia o valor da participação dele no Quorum. Agora, estão exigindo o pagamento desses empréstimos, e a senhora não tem nenhum meio imediato de pagá-los.

Grace virou-se para John Merrivale, confusa.

— Mas como pode ser? Eu não posso vender algumas ações de alguma coisa?

John parecia aflito.

— O caso é o seguinte, Grace, até que toda esta confusão no Quorum se resolva, você n-não tem nenhuma ação para vender.

— Sra. Brookstein. — Kenneth Greville, o sócio mais velho, foi direto ao ponto: — A senhora precisa entender. *Enormes* quantias de dinheiro estão desaparecidas no Quorum. Centenas de milhares de investidores do seu marido foram arruinados. Eles perderam tudo.

Grace pensou: *E eu não perdi?*

— Até que seu marido seja considerado legalmente morto e a investigação criminal termine, não podemos tirar nenhuma conclusão. Mas está parecendo cada vez mais que o Sr. Brookstein estava envolvido, pelo menos em algum nível, em atividade fraudulenta de natureza muito séria. As quantias roubadas...

— Não. — Grace se levantou. — Sinto muito, mas não vou ficar sentada, escutando isso. Meu marido nunca roubou nada. Lenny não é um ladrão! Ele é um homem bom e construiu o Quorum do nada. Diga a eles, John.

Kenneth Greville pensou: *Ela ainda se refere a ele no presente. A pobre menina está delirando.*

— Sua lealdade é admirável, Sra. Brookstein. Mas é meu dever, por mais desagradável que seja, informá-la sobre sua situação financeira atual e, provavelmente, futura. A senhora não poderá mais continuar morando no apartamento da Park Avenue. Sinto muito.

Lágrimas escorreram pelo rosto de Grace. Ela se sentiu como se estivesse algemada a um trem descarrilado. Sua vida estava desmoronando à sua volta, e ela não tinha o menor poder para evitar que isso acontecesse.

NO JANTAR DAQUELA noite, Caroline Merrivale observou Grace fitar, com o olhar perdido, a parede da sala de jantar. Ela mal tocara na sopa, e parecia magra e exausta.

— Coma, Grace. Nesta casa, a nossa regra é nunca desperdiçar comida boa, não é, John?

John viu o brilho de crueldade nos olhos da esposa. *Ela está amando cada minuto disto. Finalmente, virando o jogo contra Grace. Parece um gato brincando com um rato antes de matá-lo.*

— Caroline está certa, Grace. Você precisa te-tentar se manter forte.

Grace levou uma colher de sopa até a boca. Estava fria. Esforçou-se para não ter ânsia.

— Sinto muito, eu realmente não estou me sentindo muito bem. Se não se importam, eu gostaria de ir para a cama.

Quanto antes o dia de hoje terminasse, melhor. Depois da reunião com os advogados, ela se sentiu ainda pior do que no dia em que a guarda costeira lhe deu aquela terrível notícia. O mundo todo estava falando desse dinheiro estúpido. *Como se me importasse com o dinheiro! A única coisa que eu quero é que Lenny entre por aquela porta!*

Uma empregada apareceu na porta.

— Desculpe interromper, Sra. Merrivale. Mas tem um policial aqui. Ele disse que precisa tratar de um assunto urgente com a Sra. Brookstein.

Instintivamente, Grace entrou em pânico.

— Não! Diga a ele para ir embora. Está tarde. Diga a ele para voltar amanhã.

Caroline riu.

— Não seja boba, Grace. É a polícia, e não uma visita social. Você tem que ir falar com ele.

— Não, por favor, Caroline. Não posso.

Caroline não ficou comovida.

— Melissa, deixe o policial entrar. Diga a ele que a Sra. Brookstein vai encontrá-lo em um minuto.

Alguns minutos depois, se sentindo muito nervosa, Grace entrou no vestíbulo. Esperava encontrar ali um agente do FBI agressivo para interrogá-la. Em vez disso, um jovem tímido vestindo um uniforme a cumprimentou. Assim que ele viu Grace, tirou o quepe em sinal de educação. Grace sentiu a tensão em seus ombros começar a aliviar.

— Boa-noite, policial. Queria me ver?

— Sim, Sra. Brookstein. Eu, hum... tenho uma notícia para lhe dar. É sobre seu marido. Talvez seja melhor se sentar.

Irracionalmente, o coração de Grace se encheu de esperanças.

Ele está vivo! Lenny está vivo! Eles o encontraram! Ah, graças a Deus. Lenny vai voltar e tudo vai ser como era antes. Teremos nossas casas e nosso dinheiro de volta, ninguém mais vai nos odiar...

— Sra. Brookstein?

— Ah, estou bem, obrigada. Passei o dia todo sentada. Você disse que tem uma notícia para me dar?

— Sim, senhora. — O jovem fitou os sapatos. — Sinto muito por ter que lhe dar esta notícia. Mas, esta tarde, a guarda costeira de Massachusetts encontrou um corpo. Acreditamos que seja o de seu marido. Leonard Brookstein.

Capítulo 8

Donna Sanchez gostava de seu trabalho no necrotério da cidade. Seus amigos e sua família não conseguiam entender.

— Todas aquelas pessoas mortas. Você não tem arrepios?

A reação deles fazia Donna sorrir. Uma mulher porto-riquenha forte, com dedos gordos e redondos como salsichas e rosto pastoso, Donna crescera em uma família grande e barulhenta antes de começar sua própria família grande e barulhenta. Fora do trabalho, a trilha sonora da vida de Donna Sanchez eram gritos de crianças, louças quebrando, buzinas de carros, aparelhos de televisão ligados. Donna gostava dos mortos porque eles eram silenciosos. O necrotério da cidade na Clarkson Avenue, no Brooklyn, era branco, limpo e organizado. Fazia com que Donna se sentisse em paz.

Claro, havia dias ruins. Mesmo depois de oito anos, ver o corpo de crianças pequenas ainda fazia Donna ficar com os olhos cheios de lágrimas. Algumas vítimas de acidentes eram um tanto horripilantes. E os suicidas. A primeira vez que Donna viu um "saltador", teve pesadelos com o corpo desfigurado durante semanas: ossos atravessando a pele, crânio amassado como um melão podre. Normalmente, as vítimas de afogamento estavam entre as mais fáceis de se trabalhar. A imersão na água fria fazia com que a decomposição atrasasse. Donna também percebia que muitos dos mortos na água tinham uma expressão feliz, quase de êxtase.

Mas o corpo de hoje não tinha. O brutamontes de cera deitado na maca não tinha rosto. Os peixes tinham se encarregado disso. Só o que restava embaixo do toco dilacerado do pescoço era um tronco enorme e inchado. O braço e a mão esquerdos estavam miraculosamente intactos, mas o resto dos membros não estava mais ali, arrancados como garras de caranguejos. Como os amigos de Donna diriam, era horripilante.

— Eles realmente vão trazer a pobre da esposa até aqui? — Como todas as outras pessoas do necrotério, Donna sabia que os policiais acreditavam que o corpo era de Lenny Brookstein. Por isso foi trazido para Nova York, a mais de 3 mil quilômetros de distância de onde fora encontrado na costa de Massachusetts. — Ninguém deveria ser obrigado a ver seus amados assim.

Duane Tyler, o técnico, zombou. Um garoto negro bonito, recém-saído do colégio, Duane tinha nascido cínico.

— Guarde a sua compaixão, Donna. Se tem um adjetivo que não está na lista de Grace Brookstein é pobre. Sabe o que estão dizendo? O filho da puta roubou milhares de pessoas. Pessoas simples.

— Eu sei que é isso que estão *dizendo*. Mas não significa que seja verdade. Além disso, e se ele fez mesmo? Não é culpa da esposa.

Duane Tyler balançou a cabeça, com pena.

— Não acredite nisso, menina. Você acha que as esposas não sabem? Aquelas vadias brancas e ricas? Elas *sabem*. Todas sabem.

HARRY BAIN E GAVIN WILLIAMS estavam no gabinete do promotor.

Todo mundo sabia que os pais de Angelo Michele eram dois entre os tantos nova-iorquinos arruinados por causa de Lenny Brookstein. Angelo tinha o melhor cérebro jurídico da cidade de Nova York, mas Harry Bain se perguntou se, naquele caso, o julgamento dele poderia ser influenciado. As primeiras palavras do promotor não o tranquilizaram.

— Bem, eu queria a cabeça de Brookstein em uma bandeja. Parece que consegui a segunda melhor opção. O tronco em uma maca.

— Talvez não seja ele — disse Harry Bain. — A esposa está a caminho para identificar o corpo. Ou o que sobrou dele. Depois, poderemos fazer a necropsia.

— Ótimo.

Era dever da força-tarefa do FBI encontrar o dinheiro desaparecido do Quorum. Mas era dever de Angelo Michele processar os responsáveis pelo roubo. Parte dele estava satisfeito por terem encontrado um corpo. A possibilidade, embora remota, de Lenny Brookstein ter fugido de alguma forma e estar vivendo luxuosamente em uma ilha particular no Pacífico Sul não deixava Angelo dormir havia semanas. Mas outra parte dele se sentia roubada. Se Lenny Brookstein estivesse morto, não poderia ser punido. Alguém precisava ser punido.

— Conseguiram mais alguma coisa com Merrivale ou Preston?

— Não. — Harry Bain franziu a testa. — Ainda não. — Ele tinha interrogado pessoalmente seis vezes os dois executivos seniores do Quorum, mas não estava nem um pouco mais perto de desvendar o mistério de como Lenny Brookstein tinha conseguido fazer desaparecer uma quantia tão alta de dinheiro. O instinto lhe dizia que os dois homens sabiam mais do que estavam dizendo. Porém, até agora, não podia provar. — Mas o agente Williams descobriu algo interessante.

Angelo Michele fitou Gavin Williams. O homem lhe dava arrepios. Ele parecia mais um robô do que um ser humano. Quando falava era de forma monótona, intencionalmente evitando contato visual.

— Parece que na semana antes de sua morte, Lenny Brookstein mudou a estrutura corporativa do Quorum. Essencialmente, tirou John Merrivale, de modo arbitrário, da condição de sócio.

— Droga. — Angelo Michele balançou a cabeça.

Harry Bain virou a cabeça de lado.

— Isso é ruim?

— Claro. Se Lenny Brookstein era o único sócio legal, vai ser quase impossível indiciar, muito menos processar, os outros envolvidos. A não ser que os 70 bilhões apareçam costurados nos bolsos de Merrivale. Estamos ferrados.

— Ele não era o único sócio.

— Mas eu achei que você tivesse dito...

Gavin Williams suspirou, como um professor primário explicando algo exageradamente simples para uma criança de 7 anos.

— Eu disse que Lenny tirou as ações de John Merrivale. Eu não disse que ele era o único sócio. Ele não ficou com essas ações para ele. Ele as transferiu.

O coração de Angelo Michele estava acelerado.

— Para quem, pelo amor de Deus?

— Para a esposa.

DONNA SANCHEZ disse de forma gentil:

— Tem certeza de que está pronta, Sra. Brookstein?

Grace assentiu. *Não importa. Isso tudo é um sonho, um pesadelo. Quando ela puxar o lençol, eu acordo.*

— Será tudo bem rápido. Tente se concentrar na mão. Só precisamos que você reconheça a aliança de casamento.

Donna puxou o lençol.

Grace jogou a cabeça para trás e gritou.

JOHN MERRIVALE fitou os documentos à sua frente, esfregando os olhos, exausto.

— Deve haver algum e-erro.

Harry Bain acendeu outro cigarro. A fumaça deixou John enjoado.

— Não tem erro nenhum, John. Esta é a assinatura de Lenny. E esta a de Grace. Você acha que não mandamos examinar?

Os documentos eram instruções legais, mudando a estrutura acionária do Quorum. Eles transferiam todas as ações de John no fundo para Grace. A data era de 8 de junho, a véspera do baile do Quorum. Lenny e Grace assinaram.

— Encare a verdade, John. Os Brookstein o enganaram. Eles estavam planejando pegar o que restava do dinheiro e fugir.

— Não. Lenny não fa-faria isso. Nã-não comigo.

— *Leia*, John! Está tudo aí, preto no branco. Ele fez. *Eles* fizeram, juntos. Você não acha que está na hora de parar de protegê-los?

John fechou os olhos com força. Era tão difícil pensar. *Há quanto tempo estou nesta sala? Três horas? Quatro?* Pensou em Grace, sozinha no necrotério. A polícia não permitira que ele a acompanhasse. A coitadinha devia estar aterrorizada.

— Lenny tinha o direito le-legal de reestruturar a companhia da forma que bem entendesse. O Quorum era dele.

Harry Bain o fitou, incrédulo.

— Você está dizendo que *não se importa* que Lenny Brookstein o tenha roubado?

— Eu estou dizendo que ele não me roubou.

— Mas ele roubou. Está aqui, preto no branco.

— Ele de-deve ter tido suas razões. Lenny está morto. Não está aqui para se explicar, para de-defender seu bom nome.

— Seu *bom nome*? — Harry Bain riu alto. — Lenny Brookstein? O cara era um safado, John. A mulher dele também. Mas disso nós sabemos. A pergunta é *o que* nós *não* sabemos? O que você está escondendo de nós?

— Nã-não estou escondendo nada.

— Por que você o está protegendo?

— Ele era meu amigo. — *Meu único amigo.*

— Ele não era seu amigo. Ele *usou* você, John. E fez isso desde o começo. Por que você acha que um cara brilhante como Lenny precisava de um cara como você na equipe dele, hein? Nunca se fez essa pergunta?

O tempo todo.

— Porque você lhe dava legitimidade. Por isso. Porque você o idolatrava e era cegamente leal. Como um cachorro.

John levantou o olhar. Era o rosto de Harry Bain que zombava dele, mas a voz era de Caroline. *Você é um cachorrinho, John. Você é patético! Cresça e apareça!*

— Não, eu não era o ca-cachorro de Lenny. Não era assim.

— Não? Então, o que você era? Porque, do meu ponto de vista, ou você é um idiota que não viu o que estava acontecendo bem embaixo do seu nariz, ou você sabia.

— Não. Eu não sa-sabia de nada.

— Não acredito em você, John. Onde está o dinheiro?

— Não sei.

— Onde vocês esconderam o dinheiro, hein? Você e seu *bom amigo* Lenny Brookstein. O cara que confiava tanto em você. Que dependia dos seus conselhos. Onde vocês colocaram o dinheiro?

— Já disse. Eu nã-não...

— Talvez devêssemos falar com Andrew Preston. Era em Preston que Lenny realmente confiava?

— Claro que não. Lenny sempre foi muito mais meu a-amigo do que de Andrew.

— Tão amigo que deu suas ações para Grace?

Um apito estava soando cada vez mais alto na cabeça de John. Como uma chaleira com água fervendo.

— Onde está, John? Se você não era o cachorrinho de Lenny, prove.

O apito estava tão alto que John achou que seus tímpanos fossem estourar.

— ONDE ESTÁ A PORRA DO DINHEIRO, JOHN?

— NÃO SEI! — Caído sobre a mesa, John Merrivale começou a soluçar. — Pelo amor de De-Deus, qual é o problema de vocês? Eu não sei.

Do outro lado do espelho, Angelo Michele virou-se para o psicólogo.

— O que você acha?

— Acho que ele está falando a verdade. Ele não sabe de nada. Ver o documento do sócio acabou com ele.

Angelo Michele assentiu. *Eu concordo.*

Será que aquele robô do Williams está tendo mais sucesso com Grace?

— ONDE VOCÊ ESTAVA quando assinou esses documentos?

Grace tentou se concentrar. Ainda se recuperando do choque de ver o corpo de Lenny, era difícil se lembrar de onde ela estava. O grosseiro homem grisalho sentado à sua frente era do FBI. Ele a prendera quando estava saindo do necrotério e a levara para algum lugar, ela não conseguia se lembrar para onde ou quanto tempo durou a viagem. Agora ela estava em uma sala branca, sem janelas. Imagens do corpo mutilado de Lenny apareciam em sua mente como um filme de terror. O homem continuava falando.

— A data é 8 de junho.

A pele de Lenny, como cera branca, como aquela coisa que cobre a pele dos recém-nascidos.

— Sra. Brookstein, esses documentos provam que a senhora intencionalmente se tornou sócia do Quorum International LLC, com o objetivo de lucrar ilicitamente com negócios ilegais realizados entre 2004 e 2009.

O dedo inchado de Lenny, a pele estourando em volta da aliança de casamento.

— O que você sabe sobre o paradeiro dos lucros das seguintes transações: 2005, Gestão de Inovação de um fundo de seis anos, executado nas Ilhas Cayman?

— Não sei de nada. — A voz dela era um fraco sussurro.

Gavin Williams se inclinou sobre a mesa até seu rosto ficar a milímetros do dela. Grace sentiu o hálito azedo dele.

— Não minta para mim, Sra. Brookstein. A senhora vai se arrepender.

Grace levantou o olhar e fitou os olhos vazios e sem compaixão dele. Uma pontada fria de medo tomou conta dela.

— Não estou mentindo.

— A senhora era sócia do fundo do seu marido.

— Sócia? Não. O senhor está errado. Nunca fui sócia. Não sei nada sobre negócios. Tudo ficava nas mãos de Lenny e John.

— A senhora nega que esta seja a sua assinatura?

Furioso, Gavin Williams empurrou um papel até o outro lado da mesa. Grace reconheceu sua própria caligrafia. Mas não conseguia se lembrar de forma alguma que documento era aquele, quando o assinara ou por quê. Lenny cuidava de tudo.

— Eu não nego nada. Eu... eu estou confusa.
Gavin Williams estava gritando.
— 2005, Inovação, Ilhas Cayman.
— Quero meu advogado. — Grace ficou chocada ao escutar as palavras saírem de sua própria boca. *Parece um episódio ruim de* Law & Order.
— O quê?
— Eu... eu disse que preciso de um advogado.
Gavin Williams estava fervendo de frustração. Esperava que, ao pegar Grace em um momento tão vulnerável, conseguiria forçá-la a confessar, faria com que desmoronasse. Mas se ela queria um advogado, ele não podia negar. *Vadia.*
— Interrogatório encerrado. Desligando o gravador.
Com um olhar de nojo, Gavin Williams saiu da sala.

NA MANHÃ SEGUINTE, todos os jornais tinham manchetes sobre a prisão de Grace Brookstein e sobre o corpo de Lenny Brookstein ter sido encontrado.
— Eles encontraram o corpo de Lenny. — Honor Warner tremia ao ler a matéria.
— Sim, eu sei — disse Jack, sem expressão. — Eu sei ler.
— Como você pode ficar tão calmo? O FBI prendeu Grace. Você viu a lista de acusações? As coisas de que estão acusando minha irmã: fraude, lavagem de dinheiro... Grace mal consegue somar dois e dois! O que nós vamos fazer?
Jack sorriu.
— *Fazer?* Nós não vamos *fazer* nada.
— Mas, Jack...
— Mas Jack, o quê? Nós vamos lavar as nossas mãos e pronto.
Honor parecia horrorizada. Jack riu dela.

— Ah, por favor. Não tente fingir que você se *importa* com Grace. É um pouco tarde para isso, querida. Você acha que eu nunca consegui ver o que você sentia durante todos esses anos?

— O que você está querendo dizer?

— Você acha que eu não sei o quanto você odeia a sua irmã? O quanto você sempre a odiou?

Honor desviou o olhar, envergonhada. *É verdade. Eu a odeio. Mas deixá-la ir para a cadeia?* Tentou outra abordagem.

— Tudo bem. Vamos esquecer Grace. E nós, Jack? Se Grace for a julgamento, haverá perguntas. Perguntas sobre os negócios de Lenny, sobre os colaboradores dele, o que aconteceu no dia em que ele desapareceu. E se a polícia descobrir?

— Eles não vão descobrir.

— Mas e se eles descobrirem?

Jack a fitou com frieza.

— Você quer ser a primeira-dama, Honor?

Honor queria. Mais do que qualquer outra coisa.

— Você quer me ver na Casa Branca?

— Claro. Você sabe que sim.

— Então não entre em pânico. Mantenha a boca fechada e a cabeça baixa. Lenny está morto. Ele não pode mais nos prejudicar. Mas Grace pode. Só Deus sabe o quanto o velho contou a ela.

Honor estremeceu. Não tinha pensado nisso.

— Sua irmã ir para a cadeia pode ser a melhor coisa para nós. Agora, me passe o café, por favor? Está esfriando.

Michael Gray ficou horrorizado quando soube das notícias. Instintivamente, abraçou Connie.

— Sinto muito, querida. Tem alguma coisa que eu possa fazer?

Connie balançou a cabeça.

— O que qualquer pessoa pode fazer, Mike? Está óbvio que Lenny e Grace não eram quem nós achávamos que eram.

Michael Gray parecia surpreso.

— Você não acha realmente que Grace seja culpada dessas acusações, acha?

Connie deu de ombros.

— Não sei mais o que pensar. O mundo está uma loucura.

— Eu sei, mas *lavagem de dinheiro*? *Grace*?

— Não sei por que isso seria tão impossível. Afinal de contas, olhe para Lenny. Todos o amávamos e respeitávamos. Mas acabamos descobrindo que ele não passava de um ladrão e um covarde.

Havia uma maldade na voz de Connie que Michael nunca escutara antes e aquilo o assustou.

— Todos sabemos que Grace era obcecada por Lenny. Quem sabe o que ela pode ter feito para protegê-lo ou ajudá-lo?

Maria Preston tratou a prisão de Grace como um episódio emocionante de uma de suas novelas.

— A polícia está dizendo que Grace roubou as ações de John Merrivale. Que ela e Lenny estavam planejando tirar tudo dele e dos outros investidores e fugir com todo o dinheiro! "*Grace Brookstein é a única sócia viva dos Fundos Quorum*" é o que estão dizendo aqui. "*Isso a torna legalmente responsável por todos os prejuízos do Quorum.*" Acredita nisso?

Andrew não conseguia acreditar. Não conseguia acreditar em nada disso. Desde aquela maldita viagem para Nantucket, ele mal tinha dormido.

Tive sorte até agora. O FBI tem peixes maiores para fisgar. Mas eles vão acabar batendo na minha porta. Sei que vão.

Não era da exposição que Andrew tinha medo, nem da prisão. Era de perder Maria. Tudo o que fizera, fizera por ela. *E ela acha que tudo é um jogo!*

— Acho que vou usar meu Dior novo no julgamento. Aquele fúcsia.

— Nós não vamos ao julgamento.

— Não vamos? Mas, Andy, todo mundo vai estar lá.

— Jesus, Maria, isso não é um maldito espetáculo da Broadway! — Era tão raro Andrew perder a calma que Maria apenas o fitou. Até que ela gostava desse novo Andrew, mais másculo. — Milhões de dólares estão desaparecidos. Os agentes federais estão em cima de nós. Todo mundo no Quorum está sob suspeita.

— Bem, não estão mais — disse Maria, contente, cortando mais uma fatia de panetone. — Parece que o FBI já encontrou o cordeiro para sacrificar. A pobre e meiga manteiga-derretida da Grace vai para a cadeia.

Andrew pensou: "*espero que vá*", depois percebeu que pensamento terrível tivera.

Quando se tornara tão insensível, tão duro?

Não me reconheço mais. Ah, Maria! O que você fez comigo?

— Você não vai para a cadeia, Grace. Vamos fazer as coisas certas desde o início. Você é inocente e vai alegar inocência. Certo?

Grace assentiu, fraca. Era tudo tão confuso.

Frank Hammond parecia tão otimista. Não como seu primeiro advogado, Kevin McGuire. Kevin era um velho amigo de seus pais de East Hampton. Grace ligou para ele no dia em que foi presa. Queria que ele a salvasse do agente grosseiro com olhos sem expressão, e ele a salvou. Mas assim que ficaram sozinhos, ele foi direto ao assunto.

— Como única sócia do Quorum, você é legalmente responsável pelas ações de Lenny, independentemente de você ter tomado alguma decisão ou não — disse Kevin. — Você tem que se declarar culpada.

— Mas eu nem sabia que *era* sócia.

Kevin McGuire foi solidário, mas firme. Ignorância podia ser uma defesa moral, mas não legal.

— Você assinou o contrato, Grace. Se você não assumir a responsabilidade, o juiz poderá ser ainda mais severo na sentença. — Ele foi firme sobre a fiança também. — Meu conselho é não pedir fiança.

Grace não podia acreditar.

— Você quer dizer... quer que eu fique na cadeia? Mas pode levar meses até o caso chegar ao tribunal.

— Vai levar meses. E eu sei que é difícil. Mas acredite em mim, Grace, você está mais segura presa. Acho que você não tem noção exata da raiva que as pessoas estão sentindo de você e de Lenny.

Ele estava certo. Grace não tinha noção. Além da pequena aglomeração que a cercara quando deixara seu apartamento para ficar com os Merrivale, ela tivera pouco ou nenhum contato com o mundo exterior desde que voltara para Nova York. John se recusava a deixá-la assistir aos noticiários na TV e não permitia nenhum jornal na casa. No dia seguinte à declaração oficial do médico-legista atestando que a morte de Lenny fora um suicídio, Kevin McGuire mostrara algumas das manchetes das quais ela estava sendo protegida.

BROOKSTEIN ESCOLHE O CAMINHO DA COVARDIA

VIGARISTA COMETE SUICÍDIO E ENGANA A JUSTIÇA

BROOKSTEIN: O CASAL MAIS ODIADO DOS ESTADOS UNIDOS

Uma semana antes, as manchetes teriam-na chocado. Agora, depois de passar pelo horror de identificar o corpo de Lenny,

Grace duvidava que alguma coisa mais teria o poder de chocá-la de novo. Em vez disso, ela se sentia entorpecida. Desorientada.

Eles estão falando de Lenny? De mim? Como as pessoas podem nos odiar? Não fizemos nada de errado.

Quanto à ideia de Lenny cometer suicídio, bem, isso era ridículo. Qualquer um que conhecesse Lenny sabia que ele amava a vida. Ele se agarraria à vida até o final, independentemente de qualquer coisa. *Foi um acidente, uma tempestade terrível. Ninguém poderia prever o que aconteceu naquele dia.*

Kevin McGuire continuava tentando fazer com que Grace se concentrasse no presente, que aceitasse o fato de que poderia ser presa. Mas Kevin não compreendia. A prisão não assustava Grace. Ela não se importava com o que aconteceria com ela. Sem Lenny, nada mais importava. O mundo não tinha mais a menor graça para Grace, não lhe trazia nenhuma esperança. *Eles podem me prender. Minha vida já acabou mesmo.*

Mais uma vez, foi John Merrivale quem a salvou e fez com que visse as coisas claramente. O mundo todo estava acusando Grace de traí-lo, de conspirar com Lenny para "roubar" as ações dele do Quorum, mas a lealdade de John permanecia inabalável.

— É um erro, Grace, certo? Um erro. Não sei por que Lenny fe-fez isso, mas ele deve ter tido suas razões.

— Você sabe que ele nunca tentaria enganar você, John. Nenhum de nós tentaria.

— Cl-claro que sei, querida. Claro que sei.

Quando John ficou sabendo do conselho que Kevin McGuire estava dando para Grace, obrigou-a a despedi-lo na hora.

— Mas Kevin é um velho amigo — protestou ela.

— Acredito que seja. Mas ele está falando besteiras. De-declarar-se culpada! Isso é loucura. Precisamos que Frank Hammond a defenda. Ele é o melhor.

John estava certo, como sempre. Frank Hammond entrou na vida de Grace como um ciclone. No momento em que o conheceu, ela sentiu a esperança renascer. Começou a ver uma luz no fim do túnel. Finalmente, aqui estava seu defensor, um homem forte, um advogado, alguém que acreditava nela e que lutaria por ela. Apenas estar na presença de Frank Hammond fazia Grace se sentir melhor.

Ela perguntou, tímida:

— E fiança? Você acha que existe a chance...?

— Já entrei com o pedido. A audiência é amanhã. Vou tirá-la daqui.

— Não sei se você sabe... mas não tenho dinheiro. Não posso pagá-lo.

Grace estava constrangida, mas Frank Hammond continuou inabalável:

— Esqueça isso. Já está resolvido. Agora, quero que me escute. Pode fazer isso?

Grace assentiu.

— Esqueça as acusações contra você. Esqueça o julgamento, esqueça o que as pessoas estão dizendo. É *meu* trabalho consertar tudo isso. Entendeu?

— Entendi. — *Ele me passa tanta tranquilidade. É como se estivesse falando com Lenny.*

— O seu trabalho é se agarrar à verdade. Você não roubou dinheiro algum. Lenny não roubou dinheiro algum. O fato de que tanto dinheiro tenha sumido significa que *alguém* deve ter roubado. Quem quer que seja essa pessoa, ela está tentando incriminar você e seu marido. Esse é o nosso caso.

— Mas quem faria isso?

Frank Hammond sorriu, revelando os dentes amarelados de um homem velho. Era óbvio que ele não gastava muito de seus honorários astronômicos no consultório de um dentista.

— Quem roubaria 70 bilhões de dólares? Noventa por cento dos americanos, se achassem que poderiam sair livres.

— Tudo bem, então. *Quem roubou?*

— Não faço ideia. Não importa. Só precisamos estabelecer a dúvida razoável. O promotor tem que provar que você e seu marido foram responsáveis.

Grace ficou em silêncio. Após alguns momentos, perguntou:

— Sr. Hammond, o senhor acredita que meu marido se matou?

Frank Hammond fitou sua cliente bem nos olhos.

— Não, Sra. Brookstein, não acredito.

A partir daquele momento, Grace soube que podia confiar totalmente em Frank Hammond. *Ele vai ganhar a causa. Ele vai me libertar. E quando ele fizer isso, eu vou descobrir quem roubou aquele dinheiro e limpar o nome de Lenny.*

Capítulo 9

GRACE BROOKSTEIN ESTAVA brincando com os botões do seu casaco de buclê Chanel enquanto o júri voltava para o Tribunal 14. Ela estava nervosa, mas não por causa do veredicto. Sabia que seria considerada inocente. Frank Hammond lhe dissera isso.

— Apenas faça o que eu disser, Grace, deixe o resto por minha conta. O júri vai absolvê-la.

Quando Frank falava, era como escutar a voz de um profeta. Grace seguira as instruções dele ao pé da letra, até mesmo sobre o que vestir no tribunal.

— Você não deve parecer arrependida. É inocente. Quero que entre naquele tribunal com orgulho, de cabeça em pé. Lembre-se: você está representando Lenny, e não apenas você mesma.

Lenny. Querido Lenny. Você está assistindo, meu amor? Está orgulhoso de mim?

Não, Grace não estava nervosa por causa do veredicto. E sim pelo que aconteceria quando o caso acabasse. *Como vou descobrir quem incriminou Lenny?* Até então, o FBI evidentemente fracassara em rastrear mais do que alguns milhões do dinheiro desaparecido do Quorum. *Se eles não conseguem encontrar dinheiro, que chance tenho eu?* Mas ela precisava fazer isso. Precisava limpar o nome de Lenny. Já fazia seis meses que ele não estava mais aqui. Já estavam em dezembro, quase Natal. *Meu primeiro Natal como viúva.* Apesar de ser judeu, Lenny sempre adorou o Natal, a troca de presentes, as festas. *Ele tinha um espírito tão generoso.*

A voz do juiz soou distante, irreal. Dirigiu-se para o primeiro jurado.

— Chegaram a um veredicto?

Acho que vou passar o Natal com os Merrivale.

Natal era uma data para se passar com a família, mas as duas irmãs de Grace tinham-na decepcionado. Nenhuma delas ligou para ela ou a visitou desde que fora presa. Grace teve esperanças de vê-los na galeria pública quando o julgamento começasse, mas Honor e Connie deixaram clara sua ausência.

Quando eu for inocentada, tenho certeza de que elas vão me procurar. E quando fizerem isso, eu vou lhes perdoar. Vou precisar do apoio delas se quiser consertar as coisas. Se quiser encontrar quem realmente roubou aquele dinheiro. Quem incriminou meu amado Lenny.

O primeiro jurado olhou para Grace e sorriu. Ela retribuiu o sorriso. Ele parecia um bom homem.

— E vocês consideram a ré inocente ou culpada da acusação de fraude de títulos de crédito?

— Culpada.

O promotor Angelo Michele deu um soco no ar. *Então não tinha estratégia nenhuma! "Big Frank" Hammond arruinou esse caso. Afinal, ele não é tão invencível assim.*

Grace começou a sentir as primeiras pontadas de pânico. Olhou para Frank Hammond, mas os olhos dele estavam fixos no juiz.

— E da acusação de lavagem de dinheiro?
— Culpada.
Não! Eu não sou culpada. Isso é um erro! Eu fiz tudo o que Frank me mandou fazer.
— Da acusação de perjúrio... Fraude de transferências eletrônicas... Fraude de correspondência...
As palavras cortavam Grace como lâminas afiadas.
— Culpada... Culpada... Culpada.
— Isso está errado! Por favor, Meritíssimo. Isso é tudo um erro. Eu sou inocente e meu marido também! Alguém nos incriminou!
As vaias e os xingamentos vindos da galeria eram tão ensurdecedores que Grace mal conseguia escutar as próprias palavras. Levou um minuto para o juiz restabelecer a ordem. Quando ele conseguiu, virou-se para Grace com raiva.
— Grace Brookstein. A senhora e seu marido roubaram de investidores uma quantia quase inimaginável de dinheiro. O sofrimento humano causado pelos seus atos foi enorme. Mesmo assim, em nenhum momento a senhora demonstrou o menor remorso. A impressão que fica é que, por causa de sua posição social privilegiada, a senhora achava que as leis desse grandioso país não se aplicavam à senhora. Mas elas se aplicam.
A galeria aplaudiu e gritou em aprovação. Grace podia escutar a comemoração abafada da multidão do lado de fora, que assistia ao julgamento em telas especialmente colocadas para isso.
— Sua decisão de não se declarar culpada neste tribunal, conhecendo as enormes evidências contra a senhora, já é, por si só, um crime vil. Por causa desse completo desrespeito à lei, assim como pelo sofrimento de suas vítimas, que eu lhe informo a minha decisão sobre a sua sentença. E não tenho a menor

dúvida de que a sua afirmação em não saber sobre nenhuma ação de seu marido relacionada aos negócios é uma mentira, uma mentira que a senhora, sem a menor vergonha, repetiu tanto neste tribunal como para as autoridades que estão se esforçando para devolver o dinheiro às vítimas de seu marido. Por isso, a minha sentença é que a senhora passará o resto de sua vida privada de liberdade.

O juiz ainda estava falando, dando sua sentença, mas Grace não o escutava mais. *O que aconteceu? O que deu errado?*

Frank Hammond estava sentado ao seu lado, curvado sobre a mesa, a cabeça apoiada nas mãos.

Quando sentiu a mão do meirinho em seu braço, Grace procurou John Merrivale com o olhar. Ele disse apenas com os lábios:

— Não se preocupe. — Mas o rosto abatido dele dizia tudo. Até Caroline, que fora fria e não lhe dera nenhum apoio durante o julgamento, parecia chocada.

Grace sentiu-se enjoada, não por si, mas por Lenny.

Eu fracassei. Eu o decepcionei.

Como vou poder provar a inocência dele agora?

NA ESCADARIA em frente ao tribunal, Angelo Michele estava cercado. Uma multidão de pessoas se espremia para apertar sua mão e dar um tapinha em suas costas. Ele os vingara, vingara Nova York, vingara os pobres, os despojados, os sem-teto, vingara todas as vítimas da cobiça e da avareza dos Brookstein.

Uma repórter puxou Harry Bain para um lado.

— Olhe para Michele. Eles o amam. É como se ele fosse Joe DiMaggio voltando do mundo dos mortos ou coisa parecida. O cara é um astro do rock.

— Ele é mais do que isso — disse Harry Bain. — Ele é um herói.

Para Angelo Michele, o show tinha acabado. Mas para Harry Bain e Gavin Williams, mal tinha começado.

Eles ainda tinham de encontrar o dinheiro.

Capítulo 10

A CONDENAÇÃO E SENTENÇA de prisão perpétua — a pena cumulativa por todas as cinco acusações dava mais de cem anos na prisão — de Grace Brookstein foi o assunto mais importante nos jornais e noticiários de todo o mundo. Grace não era mais uma mulher, um indivíduo com pensamentos, esperanças e arrependimentos. Ela era um emblema, um símbolo de tudo que era corrupto e podre nos Estados Unidos, das forças do mal que levaram a economia do país à beira de um colapso e que causaram tanto sofrimento e angústia. Quando Grace foi tirada do tribunal para esperar sua transferência para a Penitenciária Feminina Bedford Hills, uma multidão sedenta de sangue a cercou, a xingou e zombou dela. Uma mulher conseguiu arranhar seu rosto, sua unha de acrílico cortando a pele de Grace. Imagens de Grace Brookstein segurando o rosto ensanguentado enquanto era levada para o camburão da polícia foram publicadas por todo o país. Os poderosos tinham caído.

Após uma terrível noite sozinha na cela, Grace teve permissão para dar um telefonema às 5 da manhã. Instintivamente, ela procurou a família.

— Gracie? — A voz de Honor parecia grogue de sono. — É você?

Graças a Deus. Ela está em casa. Grace poderia ter chorado de alívio.

— Sim, sou eu. Ah, Honor, é horrível. Eu não sei o que aconteceu. Meu advogado me disse que tudo ia acabar bem, mas...

— Onde você está agora?

— Na cadeia. Ainda estou em Nova York, eu... não sei onde exatamente. É horrível. Eles vão me transferir amanhã. Para algum lugar aí perto de você. Bedford, acho? Deve ser melhor. Mas, Honor, você tem que me ajudar.

Houve um longo silêncio. Honor acabou dizendo:

— Não sei como eu poderia, Gracie. Você foi considerada culpada em um tribunal de justiça.

— Eu sei, mas...

— E você não se ajudou durante o julgamento. Suas *roupas*. O que você estava pensando?

— Frank Hammond me disse para me vestir daquela forma!

— Está vendo? Lá vem você de novo. Connie estava certa.

— Como assim? — Grace estava quase chorando. — Connie estava certa sobre o quê?

— Sobre você. Escute o que está dizendo, Grace: "*Lenny* me disse. *Meu advogado* me disse. *John* me disse." Quando você vai começar a se responsabilizar pelos seus atos? Pela sua vida? Você não é mais a princesinha do papai, Gracie. Não pode esperar que eu e Connie consertemos tudo para você.

Grace mordeu o lábio até sangrar. Precisava tão desesperadamente do apoio da irmã, mas tudo que Honor queria fazer era lhe dar um sermão. Era óbvio que Connie pensava o mesmo.

— Por favor, Honor! Não sei para quem pedir apoio. Você não pode pedir ao Jack? Ele é senador, deve ter alguma influência. Tudo isso é um terrível engano. Eu não roubei dinheiro nenhum. E Lenny nunca...

— Sinto muito, Grace. Jack não pode se envolver nisso. Um escândalo como esse poderia nos arruinar.

— Arruinar *vocês*? Honor, vou ficar presa o resto da vida. Lenny está morto. Acusado de um crime que você sabe que ele não cometeu.

— Não sei de nada disso, Grace. Pelo amor de Deus, acorde! Aquele dinheiro não sumiu simplesmente. É claro que Lenny pegou. Ele pegou e deixou você segurando a bolsa.

As palavras eram como uma faca no coração de Grace. Já era ruim o suficiente que estranhos considerassem Lenny um ladrão. Mas Honor o conhecia. Ela o *conhecia*. Como podia acreditar?

Honor falou as palavras seguintes com uma objetividade assustadora:

— Você fez sua cama, Gracie. Sinto muito. — Ela desligou.

Você sente muito?

Eu também.

Adeus, Honor.

A VIAGEM NO CAMBURÃO para Bedford Hills foi longa e desconfortável. O veículo era gelado e fedorento, e as mulheres ali dentro se aninhavam em busca de calor. Grace olhou para os rostos delas. Essas mulheres não tinham nada em comum com ela. Algumas estavam assustadas. Algumas, desafiadoras. Outras, desesperadas. Mas todas carregavam as linhas da pobreza e da exaustão em seus rostos. Elas olhavam para Grace com um puro ódio assassino.

Grace fechou os olhos. Tinha 9 anos, estava em East Hampton com seu pai. Era véspera de Natal e Cooper Knowles estava levantando-a pelo ombro para colocar a estrela no topo da árvore.

— Você consegue, Grace. É só se esticar mais um pouquinho!

Ela estava no pódio, com 15 anos, cercada por seus amigos ginastas. Os jurados estavam colocando uma medalha de ouro em seu pescoço. Grace procurou na multidão o rosto de sua mãe, mas ela não estava lá. O treinador disse:

— Esqueça isso, Grace. Se você quer ser uma vencedora, tem de ganhar por você mesma e não pelos outros.

Era a noite de seu casamento. Lenny estava fazendo amor com ela, com carinho, delicadeza.

— Vou cuidar de você, Grace. Você nunca mais precisará se preocupar com nada.

E Grace respondeu:

— Eu amo você, Lenny. Estou tão feliz.

— Saia!

A policial agarrou com força o braço de Grace, que nem tinha percebido que o camburão tinha parado. Momentos depois, ela estava tremendo em um pátio deserto com as outras detentas. Já era final da tarde, estava escuro, e havia neve no chão. À sua frente, havia um deprimente prédio de pedra cinza. Atrás dela, e à direita e à esquerda, havia cercas e mais cercas de arame farpado, contrastando violentamente contra o céu púrpura da noite. Grace ficou com vergonha ao perceber que estava chorando.

— Bem-vindas a Bedford Hills. Aproveitem a estada.

TRÊS HORAS DEPOIS, Grace chegou à cela que dividiria com outras duas mulheres. Àquela altura, ela já sabia que não sobreviveria a uma semana em Bedford Hills, muito menos o resto de sua vida.

Preciso sair daqui! Preciso falar com John Merrivale. John vai me tirar daqui.

O exame físico foi a pior parte. Uma experiência brutal e degradante que fora planejada para tirar toda a dignidade das detentas. Funcionou. Grace foi forçada a ficar nua em uma sala com várias pessoas. Um médico penitenciário inseriu um espéculo em sua vagina, fazendo um exame ginecológico. Depois, Grace teve de se inclinar enquanto um dedo coberto por luva de borracha examinava seu ânus, provavelmente procurando drogas escondidas. Seus pelos pubianos foram puxados com força à procura de piolhos. Durante todo o procedimento, guardas de ambos os sexos riam e faziam comentários jocosos e nojentos. Grace sentia como se tivesse sido estuprada.

Depois disso, conduziram-na feito um animal para um chuveiro tépido e mandaram que se lavasse com um sabonete antisséptico que queimava sua pele. Depois, ainda nua, ela ficou em uma fila para cortarem seu longo cabelo até o comprimento do corte de um garoto. O corte levou 15 segundos, mas foi um procedimento angustiante, roubando de Grace sua feminilidade, toda a sua identidade como mulher. Grace nunca mais viu suas roupas. Elas sumiram, junto com qualquer outro vestígio da pessoa que ela tinha sido do lado de fora. Tiraram até sua aliança de casamento, arrancando-a dolorosamente de seu dedo. No lugar de suas roupas antigas, Grace recebeu três calcinhas, um sutiã que não servia e um uniforme laranja dois tamanhos maiores que o dela.

— Aqui.

Uma agente penitenciária forte abriu a porta da cela e empurrou Grace para dentro. Duas mulheres latinas estavam deitadas em beliches na caixa sombria de 3 por 2 metros. Elas murmuraram alguma coisa uma para a outra em espanhol quando Grace entrou, hesitante, mas a ignoraram.

Reunindo toda a sua coragem, Grace virou-se para a agente.

— Houve algum erro. Gostaria de falar com o diretor, por favor. Acho que fui transferida para a penitenciária errada.

— É mesmo?

— Sim. Esta é uma penitenciária de segurança máxima. Fui condenada por fraude, não por assassinato. Aqui não é o meu lugar.

As mulheres latinas arregalaram os olhos. Mas se a guarda ficou chocada, não demonstrou.

— Poderá ver o diretor de manhã. Agora, durma. — A porta da cela se fechou.

Grace deitou em seu beliche. Não conseguiu dormir. Sua mente estava a mil.

De manhã, vou falar com o diretor. Serei transferida para uma prisão melhor. Então, vou ligar para John Merrivale e começar a minha apelação.

Deveria ter ligado para John quando tivera a chance. Não sabia que impulso estúpido e infantil fizera com que ligasse para Honor. Era difícil admitir que não podia confiar na própria família, mas essa era a realidade. Grace precisava encarar isso.

Lenny considerava John um irmão. John é a minha família agora. Ele é tudo que tenho.

Estava claro que contratar Frank Hammond fora um enorme erro. Mas Grace não podia culpar John por isso. O importante agora era seguir em frente.

Amanhã. As coisas vão melhorar amanhã.

Frank Hammond estava sentado sozinho em seu carro em um estacionamento deserto. Observou a imagem familiar de seu cliente se aproximar pelas sombras. De poucos em poucos segundos, o homem olhava por cima dos ombros, nervoso, com medo de estar sendo observado.

Big Frank pensou: *Ele é tão patético. Tão fraco. Como um cervo iluminado por um farol. Ninguém desconfiaria que um homem como este faria algo tão audacioso. Acho que é por isso que ele vai escapar impune.*

O homem entrou no carro e enfiou um pedaço de papel nas mãos de Frank.

— O que é isso?

— É um recibo. A transferência bancária foi feita uma hora atrás.

— Para a minha conta no exterior?

— Claro. Conforme combinamos.

— Obrigado.

Vinte e cinco bilhões de dólares. Era muito dinheiro. Mas era suficiente? Depois de publicamente arruinar a defesa de Grace Brookstein, a reputação de Frank Hammond estava em farrapos. Talvez nunca mais fosse contratado de novo. Mas agora era tarde para arrependimentos.

— Acredito que tenha ficado feliz com o trabalho.

O cliente sorriu.

— Muito feliz. Ela confiava totalmente em você.

— Então, nossos negócios chegaram ao fim.

Frank Hammond ligou o carro. O cliente colocou a mão em seu braço.

— Não existem fundamentos para um recurso, não é?

— Não. A não ser, claro, que o FBI encontre o dinheiro desaparecido. Mas isso não vai acontecer, vai, John?

— Não, não vai. Nã-não nesta vida.

John Merrivale permitiu-se sorrir. Então, saiu do carro e tranquilamente desapareceu nas sombras.

O DIRETOR JAMES MCINTOSH estava intrigado. Como todo mundo no país, ele sabia quem era Grace Brookstein. Ela era a mulher que ajudara o marido a desviar bilhões de dólares e depois, inexplicavelmente, aparecera no tribunal bancando a Maria Antonieta e despertando ainda mais o espírito de vingança dos americanos.

O diretor McIntosh era um homem cansado, desiludido, com 50 e poucos anos, poucos fios de cabelo grisalho na cabeça e um bigode fino. Ele era inteligente e não era desprovido de compaixão, embora Grace Brookstein fizesse pouco para inspirar esse sentimento. A maioria das mulheres que acabavam em Bedford Hills tinha vidas tiradas de livros de Dickens. Estupradas pelos pais, espancadas pelos maridos, forçadas à prostituição e ao uso de drogas ainda na adolescência, muitas delas nunca tiveram a oportunidade de ter uma vida normal, civilizada.

Grace Brookstein era diferente. Grace Brookstein tivera tudo, mas, ainda assim, queria mais. O diretor McIntosh não tinha tempo para esse tipo escancarado de cobiça.

James McIntosh entrou para o sistema penitenciário porque genuinamente acreditava que podia ajudar. Que poderia fazer a diferença. *Que piada!* Após oito anos em Bedford Hills, seus objetivos eram mais modestos: se aposentar com a sanidade e a pensão intactas.

James McIntosh não queria Grace Brookstein em Bedford Hills. Discutira com seus superiores sobre isso.

— Vamos lá, Bill, dá um tempo. Ela é colarinho-branco. Além disso, é uma ameaça, pois vai incitar revoltas. Metade das minhas detentas tem familiares que perderam seus empregos depois do colapso do Quorum. E a outra metade a odeia por ser branca e rica e por ter usado um casaco de vison no julgamento.

Mas não adiantou. Era exatamente porque Grace era tão odiada que ela seria enviada para Bedford Hills. Em nenhum outro lugar ela teria proteção.

Agora, menos de um dia depois de sua sentença, ela já estava incitando problemas, exigindo vê-lo como se ali fosse algum tipo de hotel e ele fosse o gerente. *Qual é o problema, Sra. Brookstein? Os lençóis não são macios o suficiente? O champanhe não está bem gelado?*

Ele fez um gesto para que Grace se sentasse.

— Pediu para falar comigo?

— Sim. — Grace expirou, tentando tirar o estresse de seu corpo. Era bom estar sentada em um gabinete, conversando com um homem educado e civilizado. O diretor tinha fotografias de sua família na mesa. Era como uma dose mínima de realidade. — Obrigada por me receber, diretor McIntosh. Acho que houve algum engano.

O diretor levantou uma sobrancelha.

— Houve?

— Bem... sim. Esta é uma penitenciária de segurança máxima.

— É mesmo? Eu não tinha notado.

Grace engoliu. De repente, estava nervosa. Ele estava rindo para ela ou dela?

Esta é a minha chance de explicar. Não posso arruiná-la.

— Meu crime... o crime pelo qual fui condenada... não é violento — começou ela. — Quer dizer, sou inocente, diretor. Eu não fiz o que eles *disseram* que eu fiz. Mas não é por isso que estou aqui.

O diretor McIntosh pensou: *Se eu ganhasse um dólar por cada detenta que já sentou na minha frente alegando inocência, já teria me aposentado em Malibu Beach anos atrás.* Grace ainda estava falando:

— O que quero dizer é o seguinte: mesmo se eu tivesse feito isso, não acho... o que estou tentando dizer é que meu lugar não é aqui.

— Concordo com você.

O coração de Grace disparou. *Graças a Deus! Ele é um homem sensato. Ele vai resolver as coisas e me tirar desta fazenda de gado.*

— Infelizmente, meus superiores pensam de modo diferente. Eles acham que é dever do Estado não permitir que você seja linchada. Eles têm medo de que as outras detentas possam querer... como posso dizer... bater em você com um pé de cabra até morrer. Ou estrangulá-la com um lençol. Jogar ácido em seu rosto enquanto você dorme, talvez? Algo dessa natureza.

Grace ficou branca. Sentiu-se derretendo por dentro de medo. O diretor McIntosh continuou:

— Por alguma razão, meus superiores acreditam que as chances de você ser agredida fisicamente em Bedford Hills são menores do que em qualquer outro lugar. Um equívoco, na minha opinião. Mas me diga, Grace, o que sugere que eu faça?

Grace não conseguia falar.

— Talvez se alguma coisa lhe acontecer aqui, eles reconsiderem a decisão? Você acha que isso seria possível?

O diretor McIntosh fitou Grace bem nos olhos. Foi quando ela teve certeza.

Elas vão tentar me matar. E ele não dá a mínima. Ele me odeia tanto quanto elas.

— Vou transferi-la para uma outra ala. Depois, me diga se a nova cela é mais de seu agrado. Agora, se me dá licença.

A agente levou Grace embora.

As novas companheiras de cela de Grace eram uma traficante de cocaína negra que pesava uns 90 quilos chamada Cora Budds e uma morena magra e bonita de 30 e poucos anos. O nome da morena era Karen Willis.

O agente contara a Grace que Karen dera um tiro e matara o namorado da irmã.

— As duas pegaram perpétua. Que nem você. Terão tempo mais do que suficiente para se conhecerem. — O agente sorriu, como se soubesse bem do que estava falando. Grace se perguntou se ele estava fazendo alguma insinuação sexual, mas teve medo de perguntar. *Não posso ficar brigando com sombras. Tenho certeza de que é um mito que todas as presidiárias são lésbicas.*

Grace olhou para Karen e Cora com cuidado, subindo para seu beliche em silêncio.

O diretor McIntosh me mandou para cá como forma de punição. É provável que elas tentem me machucar. Preciso ficar atenta.

Cora Budds levantou seu pesado corpo do beliche e se sentou ao lado de Grace.

— Qual *é* seu nome, doçura? — Ela fedia a mau hálito e suor. Grace recuou instintivamente.

— Grace. Meu nome é Grace.

Por alguma razão Cora Budds pareceu achar isso engraçado.

— Grace. *Amazing Grace.** Ela riu. — Por que que *cê* tá aqui, *Amazing Grace*?

— Hum... fraude — sussurrou Grace. Ainda era estranho e constrangedor falar essa palavra. — Mas é um engano. Eu sou inocente.

Cora riu ainda mais.

— Fraude, é? Ouviu isso, Karen? Tem uma golpista inocente com a gente. *Tamo* ficando importante! — De repente o sorri-

---

* "Amazing Grace" é um hino cristão muito conhecido nos Estados Unidos. (*N. da T.*)

so nos lábios de Cora sumiu. — Ei, só um minuto. *Qualé* seu nome *mermo*?

— Grace.

— Grace de quê?

Por um minuto, Grace hesitou. *Grace de quê?* Boa pergunta. Esta situação era toda tão irreal, era como se não tivesse mais identidade. *Quem eu sou? Não sei mais.* Finalmente, ela disse:

— Brookstein. Meu nome é Grace Brookstein. Eu...

Grace nem teve tempo para se esquivar. O punho de Cora atingiu seu rosto com tanta força que ela escutou seu nariz quebrar.

— Vadia! — gritou Cora. Ela bateu em Grace de novo. Sangue jorrava de todo lado. Karen Willis continuava a ler seu livro como se nada tivesse acontecido.

— Tu é a vadia que roubou todo aquele dinheiro!

— Não! — disse Grace. — Eu não...

— Meu irmão perdeu o emprego por sua causa. Meus velhos camaradas, tudo na rua, e *cê* e seu velho comendo caviar. Devia ter vergonha. Vou fazer *cê* se arrepender de ter nascido, Grace Brookstein.

Grace segurou seu nariz. Chorando, disse:

— Por favor, eu não roubei aquele dinheiro.

Cora Budds a agarrou pela camisa laranja do uniforme e colocou-a de pé. Com uma das mãos, bateu com as costas de Grace contra a parede, levantando-a com tanta facilidade como se ela fosse uma boneca de pano.

— Não fala nada! Não fala comigo, sua vadia branca nojenta. — A cada palavra, Cora batia com a cabeça de Grace na parede. Sangue quente escorria pelo cabelo recém-cortado de Grace. Ela começou a perder a consciência.

Karen Willis disse com a voz entediada:

— Calma, Cora. Denny vai escutar.

— Tu acha que eu ligo?

Claro, alguns segundos depois, a porta da cela foi aberta. Hannah Denzel, conhecida pelas presidiárias como "Denny" (entre outras coisas), era a agente mais antiga da ala A. Uma mulher branca, gorda e baixa com sobrancelhas grossas e um bigode eminente, ela se aproveitava de sua autoridade e gostava de tornar a vida das detentas o mais miserável e degradante possível. Avaliou a cena à sua frente. Grace Brookstein estava deitada no chão com uma poça de sangue à sua volta. Cora Budds estava de pé como um King Kong com Fay Wray, só que sem a ternura do macaco. Grace mal estava consciente, murmurando coisas incoerentes.

Denny disse:

— Quero essa cela limpa.

Cora Budds deu de ombros.

— Diz isso pra ela. *Num* é meu sangue.

— Certo. Mas faça com que ela limpe. Volto em uma hora.

NAQUELA NOITE, Grace ficou deitada na cama, acordada, morrendo de medo, esperando Cora Budds pegar no sono.

Mais cedo, limpara o próprio sangue, esfregando o chão de joelhos enquanto Cora observava e Karen lia seu livro. Depois de uma hora, Denny voltou, assentiu, aprovando, e deixou Grace à sua própria sorte. Ela agachou-se no beliche, esperando Cora atacá-la de novo, mas nada aconteceu. De uma certa forma, ela gostaria que tivesse acontecido. Nada era pior do que esperar, o medo por antecipação que corrói por dentro. Finalmente, vinte minutos antes de as luzes se apagarem, a porta da cela se abriu e Grace foi levada para o médico da penitenciária. Após uma limpeza superficial, ela levou seis pontos na cabeça e colocaram um Band-Aid ineficaz para ajudar a consertar o nariz, depois mandaram-na de volta para Cora.

Grace puxou o cobertor até a cabeça. Fazia muito tempo que não rezava, mas fechou os olhos e abriu seu coração para os céus.

Por favor, me ajude, Senhor! Por favor, me ajude. Estou cercada por inimigos. Não é só Cora. Todas as detentas me odeiam, os guardas, o diretor McIntosh, aquelas pessoas do lado de fora do tribunal. Até a minha família me abandonou. Não peço por mim, Senhor. Não me importo mais com o que vai me acontecer. Mas se eu morrer, quem vai limpar o nome de Lenny? Quem vai descobrir a verdade?

Grace tentou entender aquilo tudo. Mas cada vez que encontrava uma peça do quebra-cabeça, as outras desapareciam.

A voz de Frank Hammond. "Alguém incriminou Lenny." *Mas quem, e por quê?*

Por que Lenny me tornou sócia do Quorum e tirou John? Onde estão os bilhões do Quorum agora?

A dor que o punho de Cora lhe infligira não era nada comparada à dor da angústia que Grace sentia por dentro. Estar ali, naquele lugar horrível, era como um pesadelo. Mas não era. Era a realidade.

Talvez a minha vida de antes fosse um sonho. Eu e Lenny, nossa felicidade, nossos amigos, nossa vida. Era tudo uma miragem? Tudo foi construído em cima de mentiras?

Aquela era a maior ironia de todas. Grace havia sido rotulada de fraudadora e mentirosa. Mas não fora Grace quem mentira. Foram todas as outras pessoas: suas irmãs, seus amigos, todas as pessoas que comeram na mesa dela e de Lenny, que davam tapinhas em suas costas nos tempos bons, apertavam suas mãos, que competiam uns com os outros para homenagearem o rei. O carinho deles, a lealdade, *isso* era mentira. Onde estavam essas pessoas agora?

Sumiram, todas. Foram levadas pelo vento. Desapareceram, assim como os bilhões do Quorum.

Todos, menos John Merrivale.

Querido John.

Grace acordou gritando. Karen Willis colocou a mão sobre a sua boca.

— Shhh. Vai acordar a Cora.

Grace estava tremendo. Seus lençóis estavam encharcados de suor. Estava tendo um pesadelo. Começou como um lindo sonho. Ela estava a caminho do altar em Nantucket, de braço dado com Michael Gray. Lenny estava esperando de costas para ela. John Merrivale estava lá, com um sorriso nervoso. Havia rosas brancas em todos os lugares. O coral estava cantando "Panus Angelicus". Conforme se aproximava do altar, Grace percebia um cheiro estranho. Algo químico como... formol. Lenny se virou. De repente, o rosto dele começou a se desfazer, derretendo como a cabeça de uma boneca no forno. Seu tronco começou a inchar até quase explodir pela camisa, a pele fantasmagoricamente branca. Então, um membro de cada vez do corpo horrendo caiu. Grace abriu a boca para gritar mas estava cheia de água. Enormes ondas de água salgada tinham enchido a igreja, levando embora os convidados, destruindo tudo no caminho, entrando nos pulmões de Grace, sufocando-a. Ela estava se afogando! Não conseguia respirar!

— Você vai acordar a Cora!

Levou alguns segundos para Grace perceber que Karen era real.

— Ela fica louca da vida quando alguém atrapalha o sono dela. Você não ia gostar nada de ver Cora quando ela está nervosa.

Depois do que tinha acontecido mais cedo, a frase de Karen era tão ridícula que Grace riu. Então, a risada se transformou em choro. Logo, Grace estava soluçando nos braços de Karen, todas as perdas, todo o terror e o sofrimento dos últimos seis meses vindo à tona como o pus de um furúnculo.

Finalmente, Grace perguntou:

— Por que você não fez nada hoje de tarde?

— Não fiz nada? Sobre o quê?

— Sobre o ataque! Quando Cora tentou me matar.

— Doçura, aquilo não foi nada. Se Cora tivesse tentado matar você, você estaria morta.

— Mas você nem se mexeu. Ficou ali sentada e deixou que ela me espancasse.

Karen suspirou.

— Deixe-me perguntar uma coisa para você, Grace. Quer sobreviver aqui dentro?

Grace pensou. Não tinha certeza. No final, assentiu. Precisava sobreviver. Por Lenny.

— Nesse caso, você tem que entender uma coisa. Ninguém vai salvar você. Nem eu, nem as guardas, nem seu advogado de recurso, nem a sua mãe. *Ninguém*. Você está sozinha aqui, Grace. Tem que aprender a contar só com você mesma.

Grace se lembrou do telefonema para Honor.

Quando você vai começar a se responsabilizar pelos seus atos? Pela sua vida? Você não é mais a princesinha do papai, Gracie. Não pode esperar que eu e Connie consertemos tudo para você.

Então, ela se lembrou de Lenny.

Vou cuidar de você, Grace. Você nunca mais precisará se preocupar com nada.

— Conselho é de graça — disse Karen, voltando para seu beliche. — Mas quando você se lembrar onde escondeu todo aquele dinheiro, talvez queira me mandar uma gorjeta de agradecimento.

Grace já ia protestar que era inocente, mas mudou de ideia. Para quê? Se nem sua família acreditava, por que outra pessoa acreditaria?

— Claro, Karen. Farei isso.

GRACE SEGUIU O conselho da companheira de cela. Nas duas semanas seguintes, ficou com a cabeça baixa e guardou seus pensamentos e medos para si. *Ninguém vai me ajudar. Estou sozinha. Tenho que descobrir como funciona a vida aqui.*

Grace descobriu que Bedford Hills era admirada em todo o país como um modelo por causa de seus programas para ajudar mães detentas. Das 850 presidiárias, mais de setenta por cento eram mães por volta dos 30 anos. Grace ficou surpresa ao saber que Cora Budds estava entre elas.

— Cora é mãe?

— Por que você ficou tão chocada? — perguntou Karen.

— Cora tem três filhos. A mais nova, Anna-May, nasceu aqui mesmo. A neném veio duas semanas antes do esperado. A irmã Bernadette fez o parto no chão do centro pré-natal.

Uma vez, Grace tinha lido sobre bebês que nasciam na prisão. Ou escutara na televisão? De qualquer forma, se lembrava de ficar estarrecida e morrendo de pena dos filhos dessas mães criminosas e egoístas. Mas isso tinha sido em outra vida, em outra era. *Nesta* vida, Grace não achava o centro infantil de Bedford Hills nem um pouco estarrecedor. Pelo contrário, sendo cuidado por presidiárias e freiras católicas, era o único lugar de esperança no regime incansavelmente sombrio da prisão. Grace adoraria conseguir trabalhar lá, mas não tinha a menor chance.

Karen disse para ela:

— Sangue novo sempre pega os piores trabalhos.

Grace foi colocada para trabalhar nos campos.

O trabalho em si era árduo, cortar madeira na floresta para construir novos galinheiros, limpando clareiras cobertas de hera para abrir espaço para casas das aves. Mas eram as horas que matavam Grace. O "dia" de Bedford Hills não tinha a menor relação com claro e escuro, ou com o ritmo do mundo exterior. Após as luzes se apagarem às 22h30, as presidiárias só tinham quatro horas de sono ininterrupto antes de luzes fracas se acenderem, às 2h30. Isso era para que as detentas que trabalhavam no campo pudessem tomar café da manhã e sair para a madrugada fria às 4 horas. "O almoço" era servido no salão comunitário às 9h30. O jantar era às 14 horas, oito horas e meia longas e maçantes antes de as luzes se apagarem. Grace sentia como se tivesse viajado para o outro lado do mundo, ficando permanentemente exausta mas sem conseguir dormir.

— Você vai acabar se acostumando — dizia Karen. Grace não tinha tanta certeza. O pior de tudo era a solidão. Era comum Grace passar dias inteiros sem falar com nenhuma outra alma a não ser Karen. Outras detentas tinham amigas. Grace via as mulheres com quem trabalhava se apoiarem umas nas outras. Durante os intervalos, elas conversavam sobre filhos, maridos, recursos. Mas ninguém falava com Grace.

— Você é uma intrusa — explicou Karen. — Você não é uma de nós. Além disso, elas acham que você e seu marido roubaram de gente como a gente. Isso gera muita raiva. Mas vai passar.

— Mas você não tem raiva — comentou Grace.

Karen deu de ombros.

— Gastei toda a minha raiva há muito tempo. Além disso, quem sabe? Talvez você realmente seja inocente. Sem querer ofender, mas você não me parece nenhum mestre do crime.

Os olhos de Grace se encheram de lágrimas. *Ela acredita em mim. Alguém acredita em mim.*

Ela se agarrou às palavras de Karen como a um salva-vidas.

— BROOKSTEIN. Você tem visita.

— Eu? — Grace estava voltando do seu serão no galinheiro. O Natal fora dois dias antes e nevara muito à noite. As mãos de Grace estavam vermelhas e queimadas de frio e sua respiração soltava fumaça como de uma chaleira com água fervente.

— Não estou vendo nenhuma outra Brookstein. O horário de visita está quase acabando, então é melhor entrar ou não vai conseguir vê-la.

Vê-la? Grace se perguntou quem poderia ser. *Honor. Ou Connie, talvez. Elas perceberam que foram muito duras comigo. Vão me ajudar a entrar com um recurso.*

O guarda a levou para a sala de visita. Lá, sentada em uma pequena mesa de madeira, estava Caroline Merrivale. Usando um sobretudo de pele de raposa, os dedos brilhando com diamantes como se fosse Cruela de Vil, ela parecia tão fora de lugar que chegava a ser engraçado, uma visitante de outro planeta. Grace sentou-se em frente a ela.

— Caroline. Que surpresa.

Durante o julgamento, quando ela estava hospedada na casa dos Merrivale, Grace sentira uma hostilidade cada vez maior da parte de Caroline. John, o querido John, se mantivera firme ao seu lado do início ao fim. Mas Caroline, que um dia Grace considerara uma amiga tão querida, quase uma segunda mãe, ficara longe, sendo até cruel às vezes, como se estivesse gostando de ver o sofrimento de Grace. Ela não escondera sua irritação sobre a atenção indesejada que a presença de Grace despertara na imprensa.

— É intolerável, como viver em uma jaula no zoológico. Quando isso tudo vai acabar? — A deferência que um dia ela demonstrara a Grace como esposa de Lenny fora substituída por uma frieza arrogante. Grace tentava não se ressentir. Afinal, se não fosse Caroline e John, ela teria ficado na rua. Não teria tido o grande Frank Hammond para defendê-la. Não teria tido nada. Mas a amargura de Caroline ainda doía. Ela era a última pessoa que Grace esperava ver em Bedford Hills.

Caroline olhou em volta, como uma pessoa com medo de avião procurando a saída de emergência mais próxima.

— Não posso ficar muito tempo.

— Tudo bem. Foi legal de sua parte ter vindo. John recebeu a minha carta?

Grace escrevera uma carta para John uma semana antes, perguntando a ele sobre os passos seguintes. O que ela deveria fazer a respeito de um recurso, deveria contratar um novo advogado, quanto tempo ele achava que levaria para que concordassem em rever seu caso etc. Ele ainda não havia respondido.

— Ele recebeu sim.

Silêncio.

— Ele anda muito ocupado, Grace. O FBI ainda está procurando o dinheiro desaparecido. John tem ajudado da melhor forma que pode.

Grace assentiu de forma submissa.

— É claro, eu entendo. — Ela esperou que Caroline falasse alguma coisa, perguntasse como ela estava aguentando, talvez, ou se precisava de alguma coisa. Mas ela não fez nada disso. Desesperada para prolongar seu encontro, o primeiro com o mundo externo em semanas, Grace começou a tagarelar:

— Não é tão ruim aqui. Quer dizer, é claro que é *ruim*, mas a gente tenta se acostumar. A pior parte é como os dias são cansativos. Fica difícil se concentrar em qualquer coisa. Fico pensando em Lenny. Como tudo isso pode ter acontecido. Quer dizer, *alguém* nos incriminou, isso é óbvio. Mas depois disso, as coisas ficam complicadas. Se Deus quiser, quando John entrar com o meu recurso, vai haver uma luz no fim do túnel. Mas, no momento, está tão escuro. Eu me sinto perdida.

— Grace, não vai haver recurso.

Grace piscou.

— Como?

A voz de Caroline se tornou cruel.

— Eu disse que não vai haver recurso. Pelo menos, não com a nossa ajuda nem com o nosso dinheiro. Olhe, John ficou do seu lado enquanto pôde. Mas ele tem que enfrentar a verdade agora. Todos temos.

— A verdade? Como assim? Que verdade? — Grace estava tremendo.

— Pode parar com a sua cena de Garotinha Perdida — disparou Caroline. — Comigo não cola. Lenny roubou de seus investidores e sócios. Ele traiu o coitado do John. Vocês dois traíram.

— Isso não é verdade! Caroline, você precisa acreditar em mim. Sei que Lenny mudou a estrutura societária, e é verdade que não sei por quê. Mas eu sei que ele nunca faria nada para magoar John intencionalmente.

— Ah, Grace, até parece. Você acha que todo mundo é burro? Por que você não joga limpo e conta ao FBI onde está o dinheiro?

Isso era um pesadelo. Uma piada de mau gosto.

— Eu não sei onde o dinheiro está. John sabe disso. John acredita em mim!

— Não — disse Caroline, sendo grosseira. — Ele não acredita. Ele não quer saber mais de você. Vim aqui hoje para pedir que você pare de procurá-lo. Depois de tudo que você e Lenny fizeram a ele, a todos nós, você nos deve pelo menos isso.

Ela se levantou para sair. Grace se conteve para não se jogar nos braços dela e implorar perdão. Por dentro, sua garganta estava rouca de tanto gritar: *Não me deixe aqui! Não afaste John de mim. Ele é minha única esperança. Por favor!* Por fora, ela manteve a boca bem fechada, com medo de que, se abrisse, os gritos nunca mais parassem.

— Aqui. — Caroline colocou um pequeno embrulho envolvido em papel de seda na mão de Grace enquanto o agente estava virado. — John me pediu para lhe dar isso. Ele é um fraco, um sentimental mesmo. Eu disse a ele que isso não teria a menor utilidade para você apodrecendo aqui neste lugar! — Ela soltou uma gargalhada cruel. — Mas como isso é horrendo e não tem nenhuma utilidade para mim, acho que pode ficar com você. — Ela se virou e desapareceu.

Entorpecida, Grace seguiu o agente até sua cela. Escondera o embrulho dentro da manga e o mantivera ali até estar segura em seu beliche. Suas mãos tremiam ao abrir, cuidadosamente retirando o papel de seda. John Merrivale fora o último amigo verdadeiro de Grace. *Meu único amigo.* O que quer que esteja dentro desse embrulho, ele queria que fosse dela.

Era um broche. Um broche de borboleta, com pedras de todas as cores. Os olhos de Grace se encheram de lágrimas. Lenny comprara para ela no último Natal em um brechó em Key West. Quando a polícia congelou os bens do Quorum, eles pegaram todos os objetos pessoais de Lenny incluindo as joias de Grace. O broche devia ter escapulido do pente fino. Talvez porque não tivesse valor. Mas, para Grace, não poderia valer mais se fosse feito de diamantes.

Era um último pedacinho de Lenny. Um último símbolo de felicidade, de esperança, de tudo que ela perdera para sempre. Era seu passaporte para a liberdade.

Liberdade eterna.

Gentil e carinhosamente, ela soltou o pino do broche de seu gancho e começou a cortar os pulsos.

Capítulo 11

Ela estava cercada por luzes brancas brilhantes. Mas não do tipo que traz tranquilidade. E sim daquele tipo que faz os olhos arderem, penetrando nos cantos mais obscuros de sua memória, deixando-a sem nenhum lugar para se esconder.

Ela escutou vozes.

Frank Hammond: "*Alguém incriminou Lenny e armou para você levar a culpa. Alguém com informações de dentro do Quorum.*"

John Merrivale: "*Confie no Frank. Fa-faça tudo o que ele lhe disser e você vai ficar bem. Não se p-preocupe com o FBI. Eu cuido deles.*"

A luz se apagou.

O diretor McIntosh sentiu gotas de suor escorrerem por suas costas enquanto fitava a linha verde reta no monitor cardíaco.

Por favor, Senhor, faça com que ela viva.

Se Grace Brookstein conseguisse se matar sob a sua vigilância, sua carreira estaria acabada. Daria adeus para sua aposentadoria, seu descanso, para tudo pelo que trabalhara tanto nesses últimos oito anos. Nenhuma de suas conquistas, de suas boas intenções contaria. Naquele momento, James McIntosh odiava Grace Brookstein mais do que já odiara qualquer outro ser humano.

Os médicos deram choques no coração de Grace. O minúsculo corpo dela saltando da cama. A linha verde se mexeu, então ganhou vida, batendo em um ritmo lento mas estável.

— Ela voltou.

O CHEFE DO Departamento Penitenciário do Estado de Nova York recebeu a ligação no clube de golfe.

— Eu deveria demiti-lo, James. Sem perguntas. Você sabe disso?

— Sim, senhor.

— Se o boato se espalhar de que nós permitimos que Grace Brookstein tivesse acesso a um objeto cortante *na própria cela...*

— Eu sei, senhor. Isso não vai acontecer de novo.

— Claro que não vai! E o que ela estava fazendo na Ala A, em primeiro lugar? Nós a mandamos para Bedford Hills para que ficasse segura.

O diretor McIntosh lutou contra a própria irritação. Grace Brookstein não merecia ser protegida. Mesmo agora que estava na cadeia, recebia tratamento especial. Isso lhe deixava enojado.

— Quando ela estiver bem, quero que fique sob vigilância contra suicídio 24 horas por dia. Quero que tenha acompanhamento psicológico, comida decente. Onde ela está trabalhando?

O diretor McIntosh se preparou.

— Ela está no campo, senhor. No primeiro turno.

— Ela o quê? Você perdeu a cabeça, James? Quero que ela fique no centro infantil, com as freiras, assim que melhorar. *Capisce?* Não quero nem saber o que você pensa dela, daqui em diante, você vai pisar em ovos com Lady Brookstein. Fui claro?

— Sim, senhor. Claro como cristal.

GRACE ACORDOU para um mundo de dor. Vinha em ondas.

A primeira onda foi física: as pontadas nos pulsos, a secura na garganta, a dor nos braços e pernas. Quem quer que tivesse inserido a agulha no seu braço certamente o fizera com pressa. Para qualquer lado que Grace se virasse, sentia uma pontada na veia. Toda a região em volta estava roxa.

A segunda onda foi emocional: ela tentara se matar e não conseguira. Não estava no céu com seu querido Lenny. Ainda estava aqui, em Bedford Hills, vivendo um pesadelo. A depressão tomou conta dela.

Mas foi a terceira onda — a angústia mental — que fez com que Grace se sentasse na cama e arrancasse os cabelos até que os médicos viessem sedá-la. Em algum lugar do seu inconsciente, bem no fundo, entre a morte e a vida, escuridão e luz, a verdade saltara e a agarrara pela garganta. Em sua mente, ela escutava a voz de Caroline Merrivale, arrogante e maligna. *Não vai haver recurso. John não quer mais saber de você.*

Na hora, Grace pensara: *John não. É você. É você quem não quer mais saber de mim. Você o envenenou.* Mas agora, finalmente, ela percebia. Caroline era apenas a mensageira.

Foi John. Foi John o tempo todo!

Fora John quem traíra Lenny. Ele traíra os dois. Quanto mais Grace pensava, mais óbvio ficava. John era a única pessoa íntima o suficiente de Lenny para ter conseguido roubar aquele dinheiro. Quando a Comissão de Valores Mobiliários começou a investigar o Quorum, ele deve ter entrado em pânico. De alguma forma, convenceu Lenny a mudar a estrutura societária do fundo para que ele, John, não pudesse levar a culpa quando descobrissem que o dinheiro estava desaparecido. Claro, a morte repentina de Lenny deve ter aumentado o risco. A exposição era sempre uma possibilidade, mas depois da morte de Lenny se tornou uma certeza. Os investidores do Quorum começaram a pedir seu dinheiro de volta e a fraude foi revelada. Mas àquela altura, já estava fácil para John jogar a culpa em Grace. Ela era sócia de Lenny agora, não ele. Ainda melhor, Grace confiava nele. Ele se certificara disso. Quando todo mundo virou as costas para ela, John Merrivale ficou por perto. *Não porque ele gostasse de mim, mas porque ele queria orquestrar a coisa toda! A investigação do FBI. Meu julgamento.* Foi John quem lidou com a polícia, "protegendo" Grace das perguntas deles. Foi John quem insistiu que ela demitisse Kevin McGuire e contratasse Frank Hammond, o advogado que a arruinara no tribunal. Agora que ela estava segura atrás das grades, John lavara as mãos. *Nem foi homem o suficiente para ir ele mesmo. Mandou Caroline para fazer o trabalho sujo.*

Olhando para trás, Grace ficou impressionada com a própria ingenuidade. A forma como implorara para John acreditar nela com relação à sociedade, para acreditar que ela não sabia de nada sobre Lenny tê-lo cortado e transferido as ações dele para ela. *Como eu pude ser tão estúpida?* Era interesse *dele não ser sócio! Se John fosse sócio, ele seria legalmente responsável pelo que aconteceu no Quorum. Ele estaria na cadeia agora, não eu.*

Grace não fazia ideia de como John tinha feito isso. Como conseguira convencer Lenny a mudar a estrutura societária, muito menos como tinha roubado e escondido todo aquele dinheiro. Mas ela sabia que ele tinha feito isso de alguma forma. Mesmo se levasse o resto da sua vida, Grace Brookstein descobriria como.

Vou descobrir a verdade e nada além da verdade. E quando eu fizer isso, vou contar para o mundo. Vou limpar o nome de Lenny e o meu. Vou sair do inferno.

Grace dormiu.

GAVIN WILLIAMS se sentia sujo.

Só de estar ali, dentro da prisão, cercado por depravadas, era suficiente para lhe dar arrepios. É claro que o fato de os malfeitores serem mulheres tornava tudo ainda mais nojento. Não era natural. Mulheres deveriam ser castas, limpas e subservientes. Deveriam ser boas e amáveis, como sua mãe. A mãe de Gavin Williams o adorava. *Como você é lindo, Gavin,* ela costumava dizer. *Como é inteligente. Você pode ser qualquer coisa que quiser.*

Gavin entrou no banheiro masculino e lavou as mãos pela terceira vez, escaldando-as embaixo da torneira até que sua pele estivesse em carne viva.

As mulheres deveriam ser como sua mãe. Mas não eram. No mundo real, as mulheres eram gananciosas, vadias imundas, prostitutas que só queriam fazer sexo com os ricos e poderosos. Caras dos fundos de hedge, bilionários como Lenny Brookstein, passavam suas vidas se afogando em boceta. Como Gavin Williams odiava esses homens, com seus carros chamativos e suas namoradas-troféu, com suas casas de praia e seus jatos particulares. Ele, Gavin Williams, era melhor do que os Lenny Brookstein deste mundo. Era um patriota incorruptível, um Robespierre da atualidade. Era um revolucionário, trazendo justiça para os Estados Unidos.

Eu sou a espada da lei.

O Senhor Todo-Poderoso diz: "Eu vou puni-los. Os jovens morrerão, seus filhos e filhas vão morrer de fome. Nenhum desses conspiradores sobreviverá, pois eu levarei desgraça para as suas vidas..."

— Sr. Williams?

Gavin ficou de pé no corredor da enfermaria de Bedford Hills. Uma enfermeira bem jovem o fitou de forma estranha.

— Sim? O que é?
— A Sra. Brookstein está acordada. Pode falar com ela agora.

Gavin Williams tinha certeza de que Grace Brookstein era a chave para encontrarem o dinheiro desaparecido. O resto da força-tarefa do FBI não a via mais como uma testemunha em potencial. Harry Bain dissera a ele:
— Esqueça Grace, Gavin. Não vai dar em nada. Se ela fosse contar alguma coisa, já teria feito isso.

Mas Gavin não conseguia esquecer Grace. Seu rosto imundo de prostituta assombrava seus sonhos durante a noite. Sua voz zombava dele durante os longos dias passados sobre a complexa trilha de papéis que Lenny deixara para trás: *Eu sei,* provocava ela. *Eu sei onde está o dinheiro, você não sabe.*

A imprensa continuava a comparar a fraude do Quorum com o caso Madoff, mas os dois não podiam ser mais diferentes. As manobras de Madoff eram tão ridiculamente consistentes. Era claro para qualquer um que tivesse cérebro que ele era uma fraude. Ou tinha informações privilegiadas ou havia montado um esquema Ponzi. Essas eram as duas únicas possibilidades lógicas. Dado o fato de que *ninguém* fazia negócios com Madoff, nenhum dos maiores bancos, nenhuma corretora, ninguém, tinha de ser Ponzi.

O Quorum era diferente. *Todo mundo* fazia negócios com Lenny Brookstein. Não havia uma firma em Wall Street que houvesse desconfiado, que tivesse previsto o escândalo prestes a envolver ele e seu fundo de forma tão espetacular. Os bilhões desaparecidos do Quorum não eram apenas a imaginação de algum contador criativo. Eles eram reais, mas Brookstein guardava tão bem o segredo de seus negócios, até mesmo mandando papéis com seus registros para Cayman ou Bermudas para serem queimados, que era virtualmente impossível seguir qualquer negociação até o fim. A não ser que você estivesse lá dentro. A não ser que você *soubesse*.

Quando Gavin Williams recebeu a notícia da tentativa de suicídio de Grace Brookstein, soube na mesma hora que não podia perder essa oportunidade. Como da última vez em que a interrogara no necrotério, ela estaria fragilizada. Mas agora, não haveria advogados para protegê-la, nenhum telefonema, nenhuma escapatória. *Agora,* Gavin Williams a pressionaria até que ela não conseguisse mais respirar. Tiraria a verdade de Grace Brookstein mesmo se tivesse de fazê-la vomitar essa verdade.

Para o interrogatório daquele dia, Gavin estava vestido da mesma forma de sempre: terno escuro e gravata, o cabelo curto e grisalho repartido cuidadosamente, sapatos pretos tão polidos que era possível ver a própria imagem refletida no couro. Disciplina, essa era a chave. Disciplina e autoridade. Gavin Williams faria Grace Brookstein respeitá-lo. Faria a depravada curvar-se sobre a sua vontade e desmascararia Harry Bain, seu chefe, pelo tolo sem visão que era.

Quando Grace viu Gavin Williams, suas pupilas dilataram de medo.

Gavin Williams sorriu. O terror o excitava.

— Olá de novo, minha querida.

Ela parecia fraca. Menor com a camisola branca da prisão, ainda pálida por causa da perda de sangue, parecia tão pouco substancial quanto um fantasma ou fumaça.

— O que você quer?

— Estou aqui para fazer um acordo com você.

— Um acordo?

Isso mesmo, um acordo, sua vadia gananciosa. Não finja que não entende o conceito. Você é corrupta como o diabo e ainda vai apodrecer no inferno pelos seus pecados.

— Um acordo que você não vai poder recusar. O procedimento é simples. Você me dá o número de três contas. Todas referentes a fundos mantidos na Suíça. Você conhece todos eles.

Grace balançou a cabeça. Não sabia o número de nenhuma conta. Já não tinham feito isso da última vez?

— Em troca, providencio para que seja transferida para uma instituição mental.

— Instituição mental? Mas eu não sou louca.

— Posso lhe garantir, as condições nos sanatórios penais são consideravelmente superiores às das cadeias como esta aqui. O número das contas, por favor. — Ele entregou a Grace um pedaço de papel com cabeçalho de um banco suíço. Grace fitou o papel e suspirou, fechando os olhos. Os remédios a deixavam sonolenta. Por mais medo que tivesse desse homem, era difícil se manter acordada.

— John Merrivale — murmurou ela. — Foi John Merrivale. Ele ficou com o dinheiro. Ele sabe onde está. Pergunte a ele.

Gavin Williams estreitou os olhos. *Típico de uma mulher! Tentar jogar a culpa em outra pessoa, como Eva culpou a serpente quando poluiu o mundo com seu pecado. Grace achava que ele era burro? Achava que o FBI não tinha investigado John Merrivale e todos os outros do Quorum?*

— Não brinque comigo, Sra. Brookstein. Quero os números dessas contas.

Grace estava prestes a discutir com ele, mas então pensou: *Para quê? Ele não vai me escutar. Ele é maluco. Se alguém aqui precisa de um sanatório, é esse cara, e não eu.*

— Sei o que você está fazendo. Está tentando conseguir mais. — Gavin Williams a fitou com raiva. — Bem, você não vai conseguir, entendeu? Não vai conseguir!

Grace olhou em volta, procurando uma enfermeira, mas não havia nenhuma. *Estou sozinha com este doido!*

— Não vai haver apelação. Nada de condicional. É o sanatório ou você vai *morrer* neste lugar. *Morrer!* Escreva os números das contas!

— Já disse! Eu. Não. Sei. — Exausta, Grace deitou no travesseiro. Estava perdendo a batalha para sua consciência. O sono tomou conta dela.

Gavin Williams observou seus olhos piscarem e fecharem.

O pescoço dela é tão pequeno. Tão frágil. Como o galho de um salgueiro. Eu poderia estender meus braços e quebrá-lo. Assim. Colocar minhas mãos em volta do pescoço dela e apertar até expulsar o demônio que vive ali dentro.

Não havia outros pacientes. Ninguém da equipe médica. Ele e Grace estavam sozinhos.

Ninguém saberia. Eu poderia fazer isso em uma fração de segundo. Matar o mau, purgar o pecador.

Em um transe, Gavin Williams esticou as mãos, abrindo e fechando seus dedos longos e finos. Imaginou a traqueia de Grace se quebrando sob seus dedos e sentiu sua excitação aumentar.

— Sei no que o senhor está pensando.

A voz da enfermeira fez com que ele pulasse da cadeira, literalmente.

— Seus dedos. Sei no que está pensando.

Gavin estava em silêncio.

— O senhor é fumante, não é? Foi a mesma coisa comigo quando larguei o cigarro. Não conseguimos pensar em outra coisa, não é? Nem por um segundo.

Levou um momento para Gavin compreender o que ela estava dizendo. *Ela acha que eu quero um cigarro.* Como se ele, Gavin Williams, algum dia tivesse sido tão fraco a ponto de sucumbir a um vício. Em voz alta, ele sorriu e disse:

— Não, não conseguimos.

— Acredite em mim, eu entendo — comentou a enfermeira. — É como uma coceira que não alcançamos. Tem um pátio lá embaixo se o senhor estiver desesperado.

Gavin Williams pegou o papel do banco suíço das mãos adormecidas de Grace e o colocou de volta em sua pasta.

— Obrigado. Não estou desesperado.

Mas ele estava.

Após duas semanas, Grace voltou para a sua cela na Ala A. O diretor McIntosh a quisera transferir para sua cela original com as latinas na menos austera Ala C, mas Grace ficou tão agitada que os psiquiatras recomendaram que as coisas fossem feitas como a detenta queria. O diretor ficou desconcertado.

— Mas Cora Budds deu uma surra nela. Ela é uma das nossas presidiárias mais violentas. Não entendo. Por que Grace ia querer voltar para lá?

A psiquiatra deu de ombros.

— Familiaridade?

Não era a primeira vez que James McIntosh refletia sobre o quão pouco entendia a mente feminina.

As detentas viram a situação de forma mais cruel.

— Não é de se espantar que Cora e Karen estejam tão animadas. Ficou sabendo? Grace está voltando para a Ala A. Parece que a temporada de caça às ostras reabriu, meninas!

De fato, quando o momento chegou, Cora Budds cumprimentou Grace friamente. Alguma coisa tinha mudado em

Grace. O velho medo e a exaustão não estavam mais lá. No lugar deles, havia uma calma, uma confiança que deixaram Cora desconfortável.

— Então, você sobreviveu, hein?

— Sobrevivi.

Karen Willis foi mais afetuosa, abrindo os braços e dando um abraço bem apertado em Grace.

— Por que você não falou comigo se as coisas estavam tão ruins? Devia ter falado comigo. Eu podia ter ajudado.

Karen Willis não sabia o que a atraía em Grace Brookstein. Parte disso ela creditava à sua natureza teimosa. Grace era a oprimida em Bedford Hills, a pária, odiada tanto pelos opressores quanto pelas detentas. Karen Willis não acreditava em seguir a maré. Além disso, Karen sabia como era se sentir um peixe fora d'água, traída pelos próprios amigos e familiares. Quando ela atirou no namorado violento de sua irmã Lisa, um estuprador que aterrorizara Lisa por seis terríveis anos, Karen esperou que sua família a apoiasse. Em vez disso, eles lhe viraram as costas como um bando de hienas. Lisa bancou a viúva sofredora: *"Nós tínhamos os nossos problemas, mas eu amava Billy."* Ela até testemunhou contra Karen no tribunal, dizendo que a irmã era uma pessoa violenta e furiosa que queria se vingar dos homens, deixando implícito que não agira por amor fraternal mas por rejeição sexual. *"Karen sempre quis Bill. Eu via. Mas Billy não estava interessado."* O promotor mudou a acusação de Karen de homicídio culposo para homicídio doloso. Karen nunca mais falou com ninguém de sua família.

Mas o afeto que Karen Willis sentia por Grace Brookstein era mais profundo do que o sentimento de abandono que compartilhavam. Lisa acertara em uma coisa. Karen nunca fora fã de homens. Estupradores baixinhos e com cara de fuinha nunca foram seu tipo. Por outro lado, louras frágeis e inocentes como

Grace Brookstein, com enormes olhos e pernas esbeltas e flexíveis de ginasta, pele macia e sardas no nariz, eram um assunto completamente diferente. Karen Willis era bem diferente do estereótipo de presidiária lésbica predatória. Brincadeiras como "caça às ostras" a deixavam enojada. Não tinha a menor intenção de forçar a barra com Grace. Era claro que a garota era heterossexual e estava sofrendo. Infelizmente, nenhuma dessas duas coisas mudava o fato de que Karen Willis estava apaixonada por ela. Quando ficou sabendo que Grace tinha tentado se matar, Karen desmaiou. Quando lhe contaram que Grace ia sobreviver, que o pior já tinha passado, ela chorou de alívio.

Grace abraçou sua amiga.

— Você não poderia ajudar, Karen. Não naquela época. Mas talvez possa me ajudar agora.

— Como? É só me dizer o que precisa, Grace. Estou aqui pra te ajudar.

— Sei quem incriminou a mim e ao meu marido. Só não sei como ele fez isso. Preciso de provas. E não sei nem por onde começar.

Um sorriso iluminou o rosto de Karen. Afinal, talvez pudesse ajudar Grace.

— Tenho uma ideia.

DAVEY BUCCOLA olhou para o relógio e bateu o pé no chão gelado. *Devo estar maluco de vir neste lugar maldito atender um pedido de Karen.*

Davey Buccola era alto, moreno, se não bonito, pelo menos tinha a aparência bem melhor do que a maioria de seus colegas de profissão. Tinha pele um pouco morena, com algumas marcas de acne da adolescência, olhos castanho-claros inteligentes e traços fortes e masculinos em que dominava um nariz aquilino, o que lhe dava um ar predatório, como uma águia. Davey atraía as mulheres. Pelo menos até levá-las para seu apartamento barato de dois quartos em Tuckahoe, onde morava com a mãe, ou as buscasse em casa com seu carro que já tinha 12 anos, o mesmo que dirigia desde que terminara o ensino médio. O trabalho de detetive particular era interessante, perigoso e desafiador. Mas não deixava ninguém rico. Não era como *Magnum*.

Davey Buccola tinha uma queda por Karen Willis desde que eram crianças. Sentiu-se mal quando a prenderam e sua família lhe virou as costas. O canalha que Karen matou merecia. Mas Davey não estava ali para ajudar Karen. Estava ali para ajudar a si mesmo. Precisava de dinheiro, pura e simplesmente. E Grace Brookstein tinha dinheiro.

Finalmente, os portões da penitenciária se abriram e os visitantes foram levados para dentro pelos agentes. Davey Buccola já visitara várias penitenciárias, então conhecia a rotina. Tirar o casaco, os sapatos, as joias, passar pelos raios X, detector de metais, cachorros. Como se fosse pegar um avião, só que sem as malas e as lojas do Duty-Free. Mas era mais interessante de assistir. Era possível distinguir as mães na mesma hora, os ombros caídos e cansados, a resignação em seus rostos, envelhecidas pelos anos de sacrifício e sofrimento. Havia alguns maridos, a maioria vagabundos, acima do peso, com cabelos compridos, sinais de uso abusivo de drogas. Mas, de uma forma geral, havia poucos homens na fila de visitantes. Eram mulheres e crianças enfrentando a depressiva jornada para Bedford Hills na esperança de manter suas famílias unidas.

Davey pensou: *As mulheres são muito menos egoístas do que os homens.*

Então, pensou: *Também são muito mais coniventes. Homens mentem quando precisam. Mulheres, quando é de seu interesse.*

Escutaria o que Grace Brookstein tinha a dizer. Mas não acreditaria em nada que ela falasse.

Davey entrou na sala de visitantes e sentou-se a uma mesa de madeira. Uma menininha magra sentou-se na sua frente.

— Acho que você se sentou no lugar errado. Vim falar com Grace Brookstein.

A menina sorriu.

— Eu sou Grace Brookstein. Muito prazer, Sr. Davey Buccola.

Davey apertou sua mão e tentou não parecer chocado.

Jesus! O que aconteceu com ela? Ela só está aqui há um mês. A Grace Brookstein que esperava encontrar era a mulher com casaco de pele do tribunal, glamorosa, produzida, cheia de diamantes e desprezo. A menina na sua frente parecia ter uns 14 anos, com cabelo muito curto e pele pálida. O nariz estava quebrado e havia sombras escuras embaixo de seus olhos. Parecia que não comia havia semanas. O uniforme laranja que ela usava engolia seu corpo minúsculo. Quando Davey apertou sua mão, percebeu que a pele estava quase transparente.

— Karen disse que a senhora precisa de ajuda.

Grace dispensou o papo furado.

— Quero que me ajude a provar que John Merrivale incriminou a mim e ao meu marido.

Karen não falara nada disso. "Ela precisa que você faça umas investigações" tinham sido as palavras exatas. Nada sobre a Grace Brookstein ser uma lunática que se convencera de que o marido tinha sido incriminado. Jesus. Todo mundo sabia que Lenny Brookstein era tão falso quanto uma nota de 2 dólares.

— John Merrivale. Ele não era o número 2 no Quorum? O cara que está ajudando o FBI?

Lendo os pensamentos dele, Grace disse:

— Entendo seu ceticismo. Não espero que acredite em mim. Só estou pedindo para investigar. Estou pesquisando o

máximo que posso da biblioteca daqui, mas você deve saber que meus recursos são limitados.
— Olhe, Sra. Brookstein.
— Grace.
— Olhe, Grace, eu gostaria de ajudá-la. Mas tenho de ser honesto. O FBI passou o pente fino nas finanças do Quorum. Se tivesse alguma prova de que John Merrivale incriminou seu marido, qualquer prova, a senhora não acha que eles já teriam encontrado?
— Não necessariamente. Não se confiarem nele. John está trabalhando com o FBI, Sr. Buccola. Ele faz parte da equipe de investigação. Ele os convenceu que é um deles. Acredite em mim, John Merrivale sabe ser muito convincente.
— Convincente é uma coisa. Roubar 70 bilhões e esconder onde ninguém consegue achar, nem mesmo a Comissão de Valores Mobiliários, nem as mentes mais brilhantes do FBI, ninguém... podemos dizer que isso é impossível.
Grace sorriu.
— Acho que foi isso que o meu advogado disse para o júri. Mesmo assim, estou aqui.
Davey Buccola retribuiu o sorriso. *Touché.*
— Eu nunca nem tirei um extrato bancário, Sr. Buccola. John Merrivale é um mago das finanças. Se eu poderia fazer isso, ele não poderia?
Davey Buccola pensou: *eu a subestimei. Ela não é nenhuma lunática. Desorientada, talvez. Mas não é boba.*
— Tudo bem, Sra. Brookstein. Vou investigar. Mas já vou avisando, não tire conclusões precipitadas. Elas são contra a minha religião.
— Entendo.
— Se vou pegar o caso, farei isso com a mente aberta. Vou correr atrás da verdade. A senhora talvez não goste do que eu vou encontrar.

— Assumo o risco.

— Mais uma coisa que a senhora deve saber: nada acontece rápido. Este é um caso complicado. Muitas informações são confidenciais. Tenho fontes no FBI, na polícia e na Comissão que podem me falar alguma coisa, mas é um trabalho lento.

Grace olhou para as quatro paredes à sua volta.

— Tempo é a única coisa que me restou, Sr. Buccola. Não tenho lugar nenhum para ir.

Davey Buccola apertou a mão dela.

— Nesse caso, Sra. Brookstein, sou a pessoa que está procurando.

— Aonde você vai, benzinho? Volte para a cama.

Harry Bain olhou para o voluptuoso corpo nu da esposa esparramado sobre o lençol. Depois olhou para o relógio. *Seis da manhã. Maldito Quorum.*

— Não posso. Temos uma reunião às 7 horas.

— Não pode dizer que está doente?

— Não. Eu convoquei a reunião.

Todos os Estados Unidos odiavam Lenny Brookstein. Mas, naquele momento, ninguém o odiava mais do que Harry Bain.

Sou mais esperto do que Lenny Brookstein, pensara Bain ao assumir o caso. *Não estamos procurando um par de abotoaduras. Setenta e cinco bilhões de dólares estão desaparecidos. É como tentar esconder um país. "Com licença, alguém viu a Guatemala? Um judeu morto do Queens a extraviou em junho do ano passado."*

É claro que encontraria o dinheiro. Como não?

Mesmo assim, aqui estava ele, um ano depois, sem nada. Harry Bain, Gavin Williams e suas equipes tinham ocupado a antiga sede do Quorum como base para a investigação. Com a ajuda de John Merrivale, a força-tarefa gastara milhões, correndo atrás de pistas por todo o mundo, de Nova York às Ilhas Cayman, Paris e Cingapura. Entre eles, Harry Bain, Gavin Williams e John Merrivale tinham acumulado mais milhas aéreas do que aves migratórias, produziram papel suficiente para acabar com uma floresta tropical inteira, fizeram milhares de interrogatórios e analisaram incontáveis registros bancários. O FBI sabia de tudo que Lenny Brookstein fizera de janeiro de 2001 a junho de 2009. Ainda assim, nem sombra do maldito dinheiro.

O fracasso deles não era devido à falta de esforço. Gavin Williams podia ser um sujeito esquisito, mas ninguém podia acusá-lo de falta de comprometimento. Pelo que Harry Bain sabia, Williams não tinha amigos nem família, nenhuma vida pessoal. Ele vivia e respirava Quorum, seguindo a impenetrável e tortuosa trilha de documentos que Lenny Brookstein deixara para trás com a sede de sangue de uma raposa faminta. Havia ainda John Merrivale, a pessoa de dentro que se tornara da polícia. John também era excêntrico. Tão tímido que chegava a parecer autista, o cara ainda tremia sempre que se tocava no nome de Lenny Brookstein. No começo, Harry Bain se perguntara se John Merrivale não estava envolvido na fraude. Mas quanto mais sabia sobre as práticas que Lenny Brookstein usava nos negócios, menos suspeitava de John Merrivale ou de Andrew Preston, ou de qualquer outro empregado. Brookstein tinha tantos segredos que fazia a CIA parecer indiscreta. Cercado por pessoas, um animal social ao extremo, no final das contas, Lenny não confiava em ninguém. Ninguém além de sua esposa.

Os boatos na equipe diziam que John Merrivale era infeliz em casa. Harry Bain encontrara Caroline Merrivale uma vez e acreditava bem nisso. Aquela vadia provavelmente usava salto alto e chicote na cama. Ou um uniforme da Gestapo.

Não era de se admirar que John ficasse feliz em trabalhar longas horas na força-tarefa. *Eu também ficaria se fosse casado com Madame Sadô.*

— Muito bem, pessoal. O que temos?

O grupo de elite de agentes do FBI que formavam a força-tarefa do Quorum fitou o chefe de forma desanimadora. Uma piada surgiu.

— Gavin está pensando em ir a Bedford Hills de novo, certo, Gav? Ele vai usar seu lendário charme com as damas para fazer a Sra. B. cantar como um passarinho.

O resto do grupo riu em silêncio. A obsessão de Gavin Williams em fazer Grace Brookstein falar se tornara uma piada comum entre eles. Ou Grace não sabia onde Lenny tinha escondido o dinheiro, ou sabia e não contava de jeito nenhum. De qualquer forma, Williams estava chutando um cachorro morto, e todo mundo conseguia ver isso menos ele.

Gavin não riu junto com os outros.

— Não tenho nenhuma intenção de voltar a Bedford Hills, Stephen. Sua informação está incorreta.

O brincalhão murmurou para seu parceiro:

— Sua informação está incorreta. Ele é humano? Parece a porra do R2-D2.

— Não brinca — respondeu o parceiro mais alto. — Obi-Wan Brookstein, me ajuda. Você é a minha única esperança!

Mais gargalhadas.

Gavin Williams olhou em volta da mesa para seus ditos colegas. Se pudesse, arrancaria o coração de cada um deles com as próprias mãos e enfiaria pela garganta do arrogante do Harry Bain até ele sufocar. Do que estavam rindo? Todos eles faziam parte da maior e mais vergonhosa operação da história do FBI. Se ele, Gavin, estivesse comandando o show, as coisas seriam diferentes.

Harry Bain disse:

— Tudo bem, então, nossas fichas estão todas na viagem para Genebra.

John Merrivale passara as últimas três semanas pesquisando uma enorme transação de 2006. As pistas só levavam até o número de uma conta bancária na Suíça, depois esfriavam.

— Gavin, eu quero que você e John viajem juntos desta vez. Duas cabeças pensam melhor do que uma.

John Merrivale não conseguiu esconder sua surpresa. Ele e Gavin Williams costumavam trabalhar de forma independente, seguindo pistas separadas. Aquela era a primeira vez que Bain pedira para que viajassem juntos.

— Eu co-consigo resolver os problemas em Genebra sozinho, Harry.

— Sei que consegue, mas gostaria que vocês dois trabalhassem juntos desta vez.

O relacionamento de John Merrivale com Harry Bain trilhara um longo caminho desde o interrogatório em que Harry bancara o policial mau antes do julgamento de Grace. John levara meses para convencer não apenas Bain, mas toda a força-tarefa, de que estava do mesmo lado que eles, que era tão vítima de Lenny Brookstein quanto qualquer outro. Mas aos poucos, com a paciência firme e tranquila na qual construíra toda sua carreira, John Merrivale conquistou a confiança de todos. Harry Bain não o amedrontava mais. Mas, ao mesmo tempo, não queria ir contra ele. John ainda detestava confrontos. Por mais que a presença monossilábica e austera de Gavin Williams fosse arruinar a viagem para a Suíça, John não queria discutir o assunto.

Harry Bain disse:

— Precisamos construir um espírito de equipe. Aproveitar mais as ideias uns dos outros. De alguma forma, temos de encontrar uma saída para esse impasse.

John Merrivale tentou imaginar o cenário no qual alguém aproveitaria uma ideia de Gavin Williams. *Bain deve estar ficando desesperado mesmo.*

O VOO DE NOVA YORK foi turbulento e desagradável. John Merrivale sentia seu estômago se contorcer de nervosismo. Tentou conversar com sua companhia de viagem.

— Claro, legalmente não podemos forçar os suíços a cooperarem conosco. Mas eu conheço bem o pe-pessoal no Banque de Genève. Acredito que eu vá co-conseguir convencê-los a ajudar.

Silêncio. Era como conversar com um cadáver.

Gavin Williams fechou os olhos. *"Convencê-los?", "Ajudar?" Eles são criminosos que lavaram o dinheiro sujo de Brookstein. Eles deveriam ser torturados até que seus gritos fossem escutados da Estátua da Liberdade.*

— Já fo-foi a Genebra alguma vez, Gavin?

— Não.

— É uma cidade linda. As mo-montanhas, o lago. Eu e Lenny adorávamos vir para cá.

Gavin Williams colocou sua máscara para dormir.

— Boa-noite.

O avião sacudiu.

JOHN MERRIVALE tinha uma reserva no Les Amures, um exclusivo hotel cinco estrelas na parte antiga de Genebra. Nos velhos tempos, ele e Lenny apreciaram muitas ótimas refeições no famoso restaurante do Les Amures, que fora construído no século XIII e decorado com lindos afrescos, fachadas pintadas e tesouros da arte. Lenny costumava dizer que era como comer na Capela Sistina.

Gavin Williams se recusou a ficar com ele, preferindo o mais modesto hotel Eden. Ficava bem à beira do lago, mas Gavin escolheu, propositalmente, um quarto sem vista que ficava mais perto da academia e do centro de negócios.

— Não estamos aqui pra nos divertir — disse ele para John, friamente.

Deus me perdoe.

John pensou de novo em como Lenny teria detestado Gavin Williams. Sua falta de alegria. Andando sozinho pelas ruas geladas e medievais de Genebra, ele pensou em como a viagem seria muito mais divertida se Lenny estivesse com ele.

— Como assim eu não vou?

Gavin Williams parecia pronto para ser amarrado. Ele e John estavam tomando café da manhã no hotel de Gavin antes da reunião com o pessoal do Banque de Gèneve.

— Eu tenho um re-relacionamento com esses banqueiros. É mais provável que eles confiem em mim se eu for sozinho.

— Confiar em você? — Gavin Williams enrolou o guardanapo em sua mão.

— Isso. O sistema bancário, principalmente na Suíça, diz respeito à confiança.

Gavin Williams pensou, furioso: *Você era o braço direito do maior ladrão de todos os tempos e tem coragem de falar sobre confiança? Mesmo agora, mesmo depois da desgraça do Quorum, ainda é um clube fechado, não é? Você ainda é um deles — um banqueiro — e eu não sou.* Em voz alta, ele respondeu:

— Não me subestime, John. Já escrevi livros sobre o sistema bancário suíço.

— Ótimo. Então, você sabe do que estou falando.

— Essas *pessoas* com quem você diz ter um relacionamento fazem lavagem de dinheiro. Eles são a escória, e a confiança deles não vale nada. Eu vou à reunião, gostem eles ou não.

John Merrivale não resistiu a um sorriso de triunfo.

— Infelizmente você não vai, Gavin. Já pedi permissão a Harry Bain. Eu vo-vou sozinho. Você vai trabalhar com as informações que eu conseguir tirar deles. Converse com Harry se não gostou.

— Como posso conversar com Harry? — estourou Gavin. — São 3 da manhã em Nova York.

— São? — John sorriu de novo. — Que pena.

Três dias depois, eles voltaram para os Estados Unidos.

John Merrivale se reportou a Harry Bain: todo dinheiro que Lenny colocou em Genebra já tinha tomado outro rumo havia muito tempo. Uma parte foi usada para o pagamento de retorno de investimentos aos investidores. O resto foi desviado para negócios imobiliários na América do Sul. Gavin Williams iria para Bogotá no dia seguinte para ver o que conseguia descobrir.

Harry Bain apoiou a cabeça nas mãos. *Bogotá. E lá vai novamente.*

— Si-sinto muito sobre Genebra, senhor. Eu realmente achei que isso nos levaria a algum lugar.

Harry Bain detestava a forma como John Merrivale insistia em chamá-lo de "senhor". Ninguém mais o chamava assim. Dissera para John parar com aquilo meses atrás, mas era como um cacoete verbal do cara. A subserviência era a segunda natureza dele. Não era a primeira vez que Harry se perguntara o que atraíra um homem classe A como Lenny Brookstein a esse devorador de números fraco e covarde. Não fazia o menor sentido.

— Tudo bem, John. Você fez o que pôde. O FBI agradece seus esforços.

— O-obrigado, senhor. Vou continuar tentando.

Isso. Estamos todos tentando mas não tem nenhum prêmio por esforço. Não aqui.

— John, você se importa se eu lhe fizer uma pergunta pessoal?

Momentaneamente, John pareceu surpreso.

— Isso não te incomoda?

— O que me incomoda?

— Você deve ter perdido milhões por causa de Lenny Brookstein, certo? Dezenas de milhões.

John assentiu.

— Ver sua vida profissional inteira destruída, seu nome arrastado para a lama. Isso não... sei lá... testa sua fé na humanidade?

John Merrivale sorriu.

— Acho que eu nunca tive muita f-fé na humanidade.

— Tudo bem, então. Na amizade.

Em um instante, o sorriso desapareceu.

— Deixe-me falar uma coisa sobre amizade, Sr. Bain. Amizade é tudo. *Tudo.* É a única coisa que realmente i-importa neste mundo. As pessoas podem dizer o que quiserem sobre mim. Mas eu lhe digo isto: sou um amigo leal.

Ele se virou e saiu. Harry Bain o observou saindo.

Sentiu-se inquieto, mas não fazia a menor ideia do porquê.

EM UM BANHEIRO em Bogotá, Gavin Williams estava embaixo de um chuveiro gelado, esfregando o corpo com sabão. Era tão difícil permanecer limpo neste mundo imundo. A Colômbia era a maior pocilga de todas. Todos os aspectos da vida aqui estavam doentes, contaminados pela ambição, infectados pela corrupção. Isso deixava Gavin enojado.

Enquanto se esfregava, enxaguando o corpo maculado, os pensamentos de Gavin Williams estavam em John Merrivale. John o humilhara na Suíça. Sem dúvida, ele estava achando que rira por último. Mas Gavin Williams não ia deixar passar.

John Merrivale subestimara o homem errado.

Um dia ele se arrependeria.

Capítulo 12

O PRIMEIRO ANO DE Grace em Bedford Hills passou rápido. A maioria das detentas sentenciadas a longas penas via o primeiro ano como o pior. Karen descreveu isso para Grace como "deixar de usar drogas de repente, só que em vez da droga, o que não se tinha era liberdade". Era uma boa analogia, mas Grace não se sentia assim. Para ela, o primeiro ano na prisão foi como acordar de uma vida inteira de sono. Pela primeira vez, estava vendo a vida como realmente era. Estava cercada por mulheres com passados comuns, passados pobres. Mulheres que cresceram a menos de 30 quilômetros de onde Grace cresceu, mas que viveram em um mundo tão estranho e desconhecido para ela quanto os campos de arroz na China ou os desertos da Arábia.

Era maravilhoso.

Em sua antiga vida, Grace agora via, as amizades eram como miragens: alianças frágeis e ocas baseadas apenas no dinheiro e no status social. Em Bedford Hills, ela pôde observar um tipo diferente de amizade entre mulheres, uma amizade nascida da adversidade e fortalecida pelo sofrimento. Se uma pessoa dizia uma palavra gentil para você ali, estava sendo sincera. Devagar, com cuidado, Grace começou a criar laços com Karen, com algumas das garotas que trabalhavam com ela no centro infantil, até com Cora Budds.

Cora era um poço de contradições. Violenta, mal-humorada e mal-educada, ela certamente podia ser ameaçadora, como Grace aprendera na sua segunda noite em Bedford Hills. Mas Cora Budds também era uma amiga fiel e mãe devotada. Depois da tentativa de suicídio de Grace, o lado maternal de Cora assumiu o controle. Foi Cora, até mais do que Karen Willis, que liderou a campanha para mudar a ideia que as outras detentas faziam de Grace Brookstein. Quando um grupo de mulheres no centro deu um gelo em Grace, se recusando a falar com ela ou mesmo comer na mesma sala, foi Cora quem as confrontou:

— *Vamo dá* uma chance pra vadia. Ela *num* roubou nada. Tá brincando comigo, ela nem ia saber como.

— Ela é rica, Cora.

— Ela nem é mãe. Como conseguiu ir pro centro infantil? O diretor tá fazendo favores pra ela.

— Deixa eu falar uma coisa pra vocês. O diretor queria que ela morresse. Por isso mandou ela pra minha cela. Mas tô dizendo pra vocês, Grace é legal. Ela *num* é do jeito que fizeram ela parecer na televisão e no tribunal. *Vamu dá* uma chance pra ela.

Devagar e com má vontade, as mulheres começaram a incluir Grace em suas conversas. Conquistar a aceitação delas, e depois o afeto, significava mais do que Grace podia expressar. A sociedade rotulava as detentas de Bedford Hills como criminosas, párias. Agora, pela primeira vez, Grace se perguntava se talvez a sociedade não fosse criminosa por excluí-las. Grace vivera o Sonho Americano durante toda a sua vida. A fantasia de riqueza, liberdade e a busca pela felicidade haviam sido sua realidade desde o dia em que nasceu. Ali, em Bedford Hills, ela testemunhou o outro lado daquela moeda de ouro: a pobreza desesperada, o ciclo interminável de famílias partidas, pouca educação, drogas e crime, o punho de ferro da cultura das gangues.

Tudo é uma grande loteria. A prisão era o destino dessas mulheres, da mesma maneira que a riqueza e o luxo eram o meu.
Até que alguém roubou isso de mim.

Grace tinha mais sorte do que a maioria das presidiárias. Ela tinha algo raro, inestimável, uma coisa que outras garotas em Bedford Hills dariam um olho para ter: um objetivo. Ali, na cadeia, Grace finalmente tinha algo para fazer, além de comprar roupas de estilistas famosos ou planejar a próxima festa. Ela tinha de descobrir o que realmente acontecera no Quorum. Não dizia respeito à liberdade. E sim à justiça. À verdade.

Se Grace tivesse de escolher uma palavra para descrever como seu primeiro ano na prisão fez com que se sentisse, seria *livre*. Essa, talvez, fosse a maior ironia de todas.

DAS 9 ÀS 15 HORAS, todo dia, Grace trabalhava no centro infantil. O trabalho era recompensador e divertido. Crianças vinham diariamente passar um tempo com suas mães, e embora o laço entre mães e filhos geralmente seja óbvio, ambos os lados se esforçavam para encher as horas em um ambiente tão artificial. O trabalho de Grace era facilitar isso, lhes oferecendo alguma estrutura: histórias, aulas de leitura, de artes, qualquer coisa que mães e filhos pudessem fazer juntos sem precisar pensar muito em onde estavam e por quê. O centro infantil era o único lugar em Bedford Hills onde as detentas podiam usar roupas "comuns", que as Irmãs de Caridade lhes davam. A irmã Theresa, que dirigia o lugar, foi convincente com o diretor McIntosh.

— As crianças ficam com medo dos uniformes. Já é difícil o bastante reconstruir o relacionamento maternal sem fazer a mãe parecer uma estranha.

Grace adorava sentir o toque do algodão comum em sua pele. Adorava a rotina alegre do trabalho: planejar atividades, preparar as mesas com potes de tinta, pincéis e papel, fazer brincadeiras com as crianças que a lembravam de sua infância. Melhor de tudo, amava as crianças. Quando Lenny estava vivo, nunca sentiu vontade de ser mãe. Mas agora que ele se fora, era como se a ficha tivesse caído. Todo seu instinto maternal estava aflorando.

Trabalhando no centro, Grace sentia uma paz interior, como um zumbido de contentamento que a seguia onde quer que fosse. Era o único lugar onde conseguia não pensar em Lenny, John Merrivale e em como ele os traiu. Usando uma blusa simples de algodão e saia longa de lã, era difícil distinguir Grace das freiras que dirigiam o centro. Ocorreu-lhe que a vida na prisão não era muito diferente da vida em um convento: enclausuradas, cumprindo ordens, os dias consistiam na mesma série de tarefas simples e satisfatórias. No centro infantil, Grace sentia a mesma paz interior que uma freira ao encontrar sua vocação. Exceto que ela não encontrara Deus. Sua missão era de outro tipo.

O único lado negativo do trabalho de Grace no centro vinha na forma de Lisa Halliday. Outra habitante da Ala A, Lisa fora mandada para Bedford Hills depois de um assalto a mão armada em uma loja em que o balconista ficou permanentemente paralisado. Uma sapatão violenta com cabelo louro bem curto e uma cicatriz no queixo, Lisa Halliday era vista como a líder das presidiárias brancas, uma minoria que tinha voz ativa. As líderes das presidiárias desempenhavam um papel importante na administração de qualquer prisão. E isso era algo que o diretor

McIntosh entendia muito bem. Ele dera a Lisa Halliday um trabalho agradável no centro infantil que a deixou calma por um tempo. Até Grace Brookstein aparecer. Lisa Halliday não escondia de ninguém seu ódio por Grace, que considerava o "bichinho de estimação" de Cora Budd e uma traidora das mulheres brancas de Bedford. Sem mencionar uma vadia que tinha o diretor na palma da mão. Lisa não perdia uma oportunidade de implicar com Grace ou tentar metê-la em alguma confusão.

O trabalho de verdade de Grace começava depois das 15 horas, quando ela tinha permissão para passar duas horas na biblioteca da prisão. Davey Buccola prometera ajudá-la, mas Grace não tinha nenhuma notícia dele há meses. Impaciente para fazer algum progresso, ela dedicava todas as suas horas livres à pesquisa sobre o Quorum. Havia muito o que aprender. Seguindo o conselho de Davey, começara pelo começo. Leu sobre o mercado de capitais, o que era e como funcionava. Descobriu pela primeira vez o que um fundo de hedge realmente fazia — nunca lhe ocorreu perguntar a Lenny. Pesquisou incontáveis artigos de economia. No passado, escutava termos como arrocho de crédito e socorro financeiro o tempo todo. Mas não fazia ideia do que realmente significavam. Agora seu dever era saber. Queria entender por que empresas como a Lehman Brothers faliram. Por que tantas pessoas perderam seus empregos e suas casas por causa do Quorum. Os primeiros meses foram como pintar o fundo de uma enorme tela. Só quando terminasse o céu e o mar agitado, Grace poderia começar a trabalhar no navio: a fraude que a colocara aqui. Isso, claro, era a parte mais difícil e complicada do quadro.

Grace descobriu que o maior problema com fundos de hedge era que eles funcionavam por trás de um véu de segredos. Executivos como Lenny nunca contavam suas estratégias de investimento, muito menos detalhes específicos sobre transações individuais. E isso era perfeitamente legal.

Karen Willis perguntou:

— Então, como as pessoas sabiam o que estavam comprando? Se era um segredo tão grande?

— Não sabiam — respondeu Grace. — Elas olhavam o desempenho passado e apostavam no futuro.

— Quer dizer como apostar em um cavalo?

— Acho que sim.

— Um risco e tanto, não acha?

— Isso depende do quanto você confia em quem vai cuidar do seu dinheiro.

As pessoas confiaram em Lenny. Confiaram no Quorum. Mas alguma coisa dera terrivelmente errado. Quanto mais ela estudava as matérias que tinham saído em jornais e revistas, mais Grace entendia por que o FBI fracassara de forma tão singular em rastrear o dinheiro desaparecido. Com tantos segredos e fundos passando por diversas contas diferentes, no país, fora dele, por todo o mundo, era como passar um pente fino na praia para encontrar um determinado grão de areia. Ações eram vendidas antes mesmo de terem sido compradas, criando lucros "fantasmas", que depois eram alavancados, multiplicados por três, quatro, dez vezes antes de serem reinvestidos em estruturas derivativas tão complicadas que deixavam os olhos de Grace cheios de água.

DAVEY BUCCOLA finalmente foi visitá-la. Pela expressão do rosto dele, Grace podia perceber que ele tinha novidades. Ela mal conseguia conter sua animação.

— Foi John Merrivale, não foi? Ele roubou o dinheiro. Eu sabia.

— Eu não sei quem roubou o dinheiro.

A animação de Grace sumiu.

— Ah.

— Minha investigação tomou um rumo diferente.

A expressão de Davey era sóbria, os lábios pressionados formando uma linha cruel. Grace sentiu um aperto no estômago.

— Como assim? Que tipo de rumo?

Davey pensou: *quando eu entrei aqui, ela parecia tão feliz. Estou prestes a fazer o mundo dela desabar. E se eu estiver errado?* Então, ele pensou: *Eu não estou errado.* Ele se debruçou sobre a mesa e pegou a mão de Grace.

— Sra. Brookstein.

— Grace.

— Grace. Sinto muito por ter de lhe dizer isso. Mas acredito que seu marido foi assassinado.

— Como? — A sala começou a girar. Grace segurou a mesa para não cair.

— Lenny não se matou.

— Eu sei disso. Foi um acidente. A tempestade... — As palavras se calaram, deixando um silêncio.

— Não foi um acidente. Passei meses investigando as atividades de John Merrivale no Quorum — disse Davey, — mas percebi que estava correndo atrás do meu próprio rabo. Então decidi investigar seu marido. Retrocedi até o desaparecimento dele, a investigação, o que aconteceu em Nantucket no dia daquela tempestade. Finalmente, vi a necropsia.

Grace engoliu em seco.

— Continue.

— Uma vergonha. Parecia uma piada. Eles assumiram que a morte foi por afogamento porque o corpo estava molhado e havia água nos pulmões. Quando toda a merda do Quorum veio à tona, eles declararam suicídio porque viram que havia um motivo. Mas água nos pulmões não significa necessariamente que a pessoa morreu afogada.

— Não?

— O corpo estava na água havia mais de um mês. É claro que o pulmão estava cheio de água. A primeira pergunta que temos que nos fazer em uma morte assim é como a pessoa foi *parar* na água e se estava viva ou morta quando isso aconteceu.

— Então você acha...

— Acho que seu marido já estava morto quando foi parar na água. Não havia sangue nos pulmões dele. Quando uma pessoa se afoga no mar, em uma tempestade como aquela... a pressão de tanta água entrando nos pulmões de forma tão repentina quase com certeza provocaria uma hemorragia.

— *Quase* com certeza?

— Não foram apenas os pulmões. Havia outros sinais, os machucados no torso. Arranhões nos dedos e parte superior dos braços que podem ser um indício de luta. E a forma como a cabeça estava machucada. Vi as fotos. E as vértebras. Aquilo não foi peixe. Só se o peixe tivesse uma guilhotina. Ou uma faca de açougueiro.

Grace colocou a mão na boca, enjoada.

— Ah, droga, desculpe. Minha intenção não era ser tão explícito. Você está bem?

Grace balançou a cabeça. Nunca mais ficaria bem. Respirou fundo, se esforçando para controlar suas emoções.

— Por que nada disso veio à tona durante as investigações?

— Alguma coisa veio. Os machucados foram mencionados, mas esquecidos. Ninguém queria ver a verdade. Não naquele momento. Você deve se lembrar, seu marido era o homem mais odiado do país. Talvez tenha sido simplesmente mais fácil achar que ele tinha se suicidado, como um covarde, em vez de vê-lo como uma vítima.

— *Mais fácil?* — A cabeça de Grace estava girando. Era muita coisa para absorver.

— Eu queria lhe dizer isso primeiro — disse Davey. — Sei que é um choque e tanto, mas, na verdade, é uma notícia boa. Acho que temos o suficiente aqui para reabrir a investigação, Grace. Seria o primeiro passo para uma investigação de assassinato.

Grace ficou em silêncio por um bom tempo. Finalmente, disse:

— Não. Não quero a polícia envolvida.

— Mas, Grace.

— Não.

Alguém tinha matado Lenny como se mata um animal e o jogado no mar. De que adiantaria a polícia ou os tribunais, ou o sistema de justiça corrupto e nojento? *Que justiça há para Lenny ou para mim? O país nos amaldiçoou simplesmente porque era "mais fácil". Eles deixaram o assassino de Lenny escapar impune e me jogaram aqui para apodrecer. Bem, que se dane o país. O tempo de justiça acabou.*

Davey estava confuso.

— O que você quer que eu faça?

— Quero que descubra quem fez isso. Se foi John Merrivale ou qualquer outra pessoa. Quero saber quem matou meu marido. Quero saber como fez isso. Quero saber tudo e quero ter certeza. Não estou interessada em dúvida razoável.

Davey disse:

— Tudo bem. E depois?

— E depois pensaremos nos próximos passos.

E depois vou matá-lo.

Depois que as luzes se apagaram, Grace ficou deitada na cama acordada, sua mente a mil por hora.

Quem quer que tenha matado Lenny tinha de estar em Nantucket no dia da tempestade. Pode ter sido um estranho. Mas ela sabia que era pouco provável. *Foi alguém próximo de nós. Só pode. Alguém próximo do Quorum. Do dinheiro desaparecido.*

Pensou nas férias, nos convidados.

Connie e Michael.

Honor e Jack.

Maria e Andrew.

Caroline e John.

A família Quorum. Exceto que eles não eram família. Não eram amigos. Todos abandonaram Grace na hora em que ela mais precisara.

Um deles matara Lenny.

Grace não queria mais justiça. Queria vingança. *Teria* vingança.

Naquela noite, Grace Brookstein começou a planejar sua fuga.

Capítulo 13

KAREN WILLIS ESFREGOU os olhos. Eram 2 horas e Grace Brookstein estava subindo na sua cama.

— Grace? O que houve? Está doente?

Grace balançou a cabeça. Embaixo do cobertor, as duas se aninharam em busca de calor. Karen sentiu a maciez dos seios de Grace nas suas costas. O cheiro de sua pele, o carinho suave de sua respiração. Instintivamente, colocou a mão por baixo da camisola de Grace, procurando a umidade sedosa entre suas coxas.

— Eu amo você. — Karen se virou e pressionou os lábios nos de Grace. Por alguns gloriosos momentos, Grace correspondeu ao seu beijo. Então, se afastou.

— Desculpe, eu... eu não posso.

Grace ficou dividida. Parte dela queria aceitar o conforto que Karen estava oferecendo. Afinal, Lenny estava morto. E Grace amava Karen também, de uma forma. Mas sabia que não era certo. Não amava Karen *daquela* forma. Não realmente. Mesmo se amasse, seria errado dar esperanças a ela. Principalmente levando em consideração o que estava prestes a lhe dizer.

Karen pareceu angustiada. Como podia ser tão estúpida? Interpretara errado os sinais dela.

— Ah, meu Deus. Está com raiva de mim?

— Não, de forma alguma. Por que eu estaria?

— Eu nunca tentaria nada se não tivesse achado... Quer dizer, você veio para a minha cama.

— Eu sei. Desculpe. Foi culpa minha — disse Grace. — Eu precisava conversar com você. Preciso do seu conselho.

— Meu conselho?

— É. Vou fugir.

Era a quebra na tensão de que Karen precisava. Riu tanto que quase acordou Cora.

Grace não entendeu.

— O que é tão engraçado?

— Ah, Grace! Você não pode estar falando sério!

— Nunca falei tão sério em toda a minha vida.

— Querida, é impossível. Nunca ninguém fugiu de Bedford Hills.

Grace deu de ombros.

— Para tudo tem uma primeira vez, não é mesmo?

— Não para isso. — Karen não estava mais rindo. — Você está falando sério mesmo, não está? Você perdeu a cabeça, Grace. Já olhou para fora ultimamente? Tem nove cercas de arame farpado entre nós e a liberdade, todas elas eletrificadas. Tem guardas, cães, câmera e armas para todos os lados.

— Sei de tudo isso.

— Então você não está pensando direito. Olhe, mesmo se você encontrasse uma forma de fugir, o que não vai porque é impossível, você tem um dos rostos mais conhecidos do país. Até onde você acha que vai chegar?

Grace passou a mão pelo nariz quebrado.

— Não é mais tão fácil me reconhecer. Não sou mais como eu era antes. Além disso, posso me disfarçar.

— Quando te pegarem, vão te matar. Não vão querer saber de nada.

— Também sei disso. É um risco que estou disposta a assumir.

Karen acariciou o rosto de Grace na escuridão. Isso era loucura. Ninguém nunca fugira de Bedford Hills. Se Grace tentasse, ela certamente seria morta. Mesmo se, por algum milagre, ela fosse capturada viva, isso significava que Karen nunca mais a veria. Grace seria transferida para a solitária. Mandada para fora do estado. Trancada em alguma prisão da CIA para ninguém mais ouvir falar dela.

— Não faça isso, Grace. Por favor. Não quero perder você.

Grace viu os olhos de Karen se encherem de lágrimas. Inclinando-se, ela lhe deu um beijo na boca. Foi um beijo apaixonado, demorado. Um beijo para se lembrar. Um beijo de adeus.

— Tenho que fazer isso, Karen.

— Não, não tem. Por quê?

— Porque Lenny foi assassinado.

Karen se sentou.

— *O quê?* Quem disse isso?

— Davey Buccola. Ele encontrou provas, coisas que não apareceram na investigação.

Então, Davey Buccola colocou isso na cabeça dela. Vou matá-lo.

— Preciso descobrir quem matou meu marido.

— Mas, Grace...

— Vou encontrar quem fez isso. E, então, vou matar essa pessoa.

Grace esperou a raiva, o choque, mas eles não apareceram. Em vez disso, Karen lhe deu um abraço apertado. Karen lembrou-se de Billy, o namorado de sua irmã. Como pareceu *certo* quando aquela bala entrou entre os olhos dele. Apesar de tudo o que aconteceu desde então, nunca se arrependera do que fizera. Não queria perder Grace. Mas compreendia.

— Imagino que você tenha um plano.

— Na verdade, era sobre isso que eu queria falar com você.

A IRMÃ AGNES observou enquanto Grace Brookstein arrumava um quebra-cabeça e rezou silenciosamente:

Obrigada, Senhor, por me entregar esta alma perdida. Obrigada por me permitir ser o instrumento de sua redenção.

A irmã Agnes era freira havia apenas cinco anos. Antes disso, ela era Tracey Grainger, uma adolescente nada popular e solitária de Frenchtown, Nova Jersey. Tracey Grainger se apaixonara por um garoto chamado Gordon Hicks. Gordon lhe dissera que a amava e Tracey acreditara. Quando Gordon a engravidou e a abandonou logo em seguida, Tracey foi para casa e tomou todos os comprimidos que encontrou. O bebê não sobreviveu.

Nem Tracey Grainger.

A garota que acordou da overdose em uma cama horrível de hospital, segurando a barriga e chorando de culpa, não era a mesma em que Gordon Hicks dera o fora. Não era mais a aluna medíocre que desapontava os pais desde o dia em que nasceu. Não era mais a aluna antissocial e indesejada que ninguém convidou para o baile. Esta garota era uma pessoa totalmente nova. Uma pessoa amada por Deus. Uma pessoa de valor. Uma pessoa cujos pecados foram perdoados por Deus, que um dia se uniria a Jesus sob a mão direita do Pai. Se alguém acreditava na força da redenção, essa pessoa era Irmã Agnes. Deus a redimira. Ele salvara sua vida. Agora em seu infinito amor e misericórdia, Ele redimira Grace Brookstein também.

E Ele permitira que *ela*, irmã Agnes, desempenhasse um pequeno papel nesse milagre.

Naquela mesma manhã, Grace lhe dissera:

— Sinto-me tão completa aqui, irmã. Trabalhando com essas crianças. Com a senhora. É como se eu recebesse uma segunda chance na minha vida.

Que satisfação essas palavras trouxeram ao seu coração! A irmã Agnes esperava não ser culpada do pecado mortal do orgulho. Precisava se lembrar que fora Deus quem transformara Grace, não ela. Mesmo assim, Irmã Agnes não podia deixar de achar que sua amizade contribuíra para algumas das mudanças em Grace.

Grace também mudara a irmã Agnes. A vida de uma freira podia ser solitária. A maioria das Irmãs de Misericórdia tinha idade suficiente para ser sua mãe, se não avó. Nos últimos meses, passara a valorizar a amizade fácil que parecia ter crescido entre ela e Grace Brookstein. Os olhares. Os sorrisos. A confiança.

Grace guardou as peças do quebra-cabeça na caixa, depois colocou-a de volta na prateleira. Irmã Agnes sorriu.

— Obrigada, Grace. Já terminamos por hoje. Sei que quer ir para a biblioteca.

— Tudo bem — disse Grace, satisfeita. — Fico *feliz* em ajudar. Ah, a propósito, sabe aquela argila que recebemos na semana passada? Precisamos devolver.

— Precisamos? Por quê?

— Abri seis ou sete caixas esta manhã e todas estavam secas por dentro. Tentei molhar com água, mas ficam lamacentas. Vamos ter que devolver.

Que pena, pensou a irmã Agnes. Ela passara boa parte do dia arrumando aquelas caixas no almoxarifado com irmã Theresa. Agora teria de tirar tudo de novo.

— Mandei um e-mail para a empresa de entrega — disse Grace. — Eles vêm buscar na terça-feira às 16 horas.

— Terça-feira? — Irmã Agnes pareceu aflita. — Ah, Grace, foi tanta gentileza sua providenciar tudo. Mas não posso supervisionar a entrega na terça. Infelizmente. Uma delegação do departamento penitenciário estará aqui para uma inspeção. Depois, eu e Irmã Theresa teremos a nossa reunião sobre o orçamento para o trimestre. Ficaremos a tarde toda fora.

— Ah. — Grace parecia decepcionada. Então, de repente, se iluminou. — Talvez eu possa fazer isso pela senhora?

Detentas da Ala A não podiam ajudar em entregas e carregamentos. O diretor considerava um risco em potencial à segurança. Mas Grace estava indo tão bem em sua reabilitação. Irmã Agnes detestaria passar a impressão de que não confiava nela.

Grace disse:

— As crianças já esperaram semanas. É uma pena atrasar isso ainda mais.

— Aquelas caixas são pesadas, Grace — disse a irmã Agnes, sem jeito. — Precisa de duas pessoas para fazer o trabalho.

— Cora pode me ajudar.

— Cora Budds? — Essa ideia estava indo de mal a pior.

— Ela trabalha na cozinha às terças-feiras, mas costuma acabar por volta das 15 horas.

Grace parecia tão esperançosa, tão ansiosa para ajudar. Irmã Agnes hesitou. *Que mal pode haver? Só desta vez.*

— Bem, acho que... se você tem certeza e Cora pode ajudar...

Grace sorriu.

— Carregar um caminhão? Sim, irmã Agnes. Podemos fazer isso sozinhas, sim.

Seu coração estava batendo tão alto que ficou surpresa de Irmã Agnes não escutar. Ela era uma mulher doce e generosa e Grace se sentia mal por enganá-la. Mas não tinha outro jeito. *Estava começando.*

O PLANO DE TENTATIVA de fuga de Grace logo se tornou o segredo mais mal guardado de Bedford Hills. A ideia era simples: o caminhão de entrega chegaria ao centro infantil. Grace e Cora Budds começariam a carregar as caixas de argila. Enquanto Cora distraía o motorista, Grace voltaria para o almoxarifado, esvaziaria uma das caixas e entraria ali dentro. Cora terminaria o trabalho sozinha, certificando-se de que a tampa da caixa de Grace não estivesse totalmente fechada, para deixar entrar um pouco de ar e de forma a ficar bem escondida entre as outras.

A fase seguinte do plano era uma incógnita. Tudo dependeria da revista de segurança. Caminhões entravam e saíam de Bedford Hills todos os dias, entregando tudo, de papel higiênico a detergente e comida. A prisão estava equipada com os sistemas de segurança mais sofisticados que existiam. Além de buscas manuais, os guardas usavam cães farejadores e até escâner infravermelho para inspecionar os caminhões, além de câmeras que se espalhavam por todos os cantos de Bedford Hills. Geralmente, as buscas mais completas aconteciam nos caminhões entrando na prisão. Havia menos ênfase no que estava saindo. Mas todas as buscas ficavam a critério dos guardas. Se eles não gostassem da cara do motorista ou da aparência de um veículo, ou se simplesmente estivessem com vontade, podiam segurar as pessoas por horas, passando os raios X em cada centímetro quadrado do veículo e da pessoa. Grace esperava que, em uma noite fria de janeiro, os guardas não estivessem com a menor disposição para inspecionar caixas e mais caixas de argila do centro infantil. Mas não poderia saber até que chegasse a hora.

Uma vez que o caminhão fosse liberado, se fosse liberado, e eles se afastassem de Bedford Hills, Grace sairia da caixa e se aproximaria das portas traseiras. Assim que o motorista parasse em um cruzamento, ela abriria a porta do caminhão e pularia para a liberdade.

Fácil.

— NÃO VAI funcionar.

Karen se debruçou em cima da mesa e se serviu do aguado purê de batatas de Grace. Estavam almoçando, poucos dias antes da tentativa de fuga.

— Obrigada pelo voto de confiança.

— Você já pensou no que vai fazer se *conseguir* sair daqui?

Grace pensara em pouca coisa além disso. Quando fantasiava a fuga, se imaginava como uma caçadora, desmascarando o assassino de Lenny, conseguindo sua vingança. Mas a realidade era que *ela* também seria caçada. Para sobreviver, precisaria de comida, abrigo, dinheiro e um disfarce. Não fazia ideia de como conseguir nada disso.

— E amigos do lado de fora? Tem alguém em quem possa confiar? Qualquer pessoa que possa acobertá-la?

Grace balançou a cabeça.

— Não. Ninguém.

Havia apenas uma pessoa em quem confiava. Davey Buccola. Davey estava trabalhando para conseguir mais informações, verificando os álibis de todos que estavam com Grace e Lenny em Nantucket no dia em que ele morreu. Se Grace fosse procurar alguém do lado de fora, seria ele. Mas não queria contar isso para Karen.

— Nesse caso, precisamos providenciar um kit de sobrevivência para você daqui.

— Um kit de sobrevivência?

— Claro. Você vai precisar de uma nova identidade. Na verdade, algumas novas identidades, para poder seguir em frente. Carteiras de motorista, cartões de crédito, dinheiro. Você não vai muito longe como Grace Brookstein.

— Onde vou arranjar uma carteira de motorista, Karen? Ou um cartão de crédito? É impossível.

— E falou a mulher que acha que vai fugir de Bedford Hills! Não se preocupe com esses detalhes, Grace. Deixe comigo.

Karen avisara Grace que precisaria contar para "algumas meninas" sobre seu plano de fuga para conseguir o que precisavam em tão pouco tempo. Para horror de Grace, "algumas meninas" se tornou quase toda detenta de Bedford Hills. Falsificar uma carteira de motorista e um cartão de crédito não era uma tarefa fácil. Karen foi forçada a pedir ajuda por toda a prisão. Internas que trabalhavam no escritório do diretor, na biblioteca e na sala de computadores digitaram, fizeram ajustes no Photoshop e plastificaram durante dias, todas arriscando suas condicionais e seus futuros por uma chance de ajudar Grace e participar da Grande Fuga. As únicas pessoas que não sabiam sobre o plano eram os guardas e Lisa Halliday.

Era discutível se Lisa entregaria Grace; internas fortes podiam bater em suas rivais e sair impunes, mas dedurar outra presidiária era considerado tabu. Mesmo assim, Karen não estava disposta a arriscar.

Grace era grata pela ajuda de todo mundo, mas estava nervosa.

— Pessoas demais estão sabendo.

— Não são "pessoas" — disse Karen. — São suas amigas. Pode confiar nelas.

Confiança. Era uma palavra de outra vida, de outro planeta.

A TERÇA-FEIRA amanheceu cinza e fria. Grace mal conseguira dormir. Durante toda a noite vozes a perseguiram:

Lenny: *Independentemente do que acontecer, Grace, eu amo você.*

John Merrivale: *Não se preocupe, Grace. Apenas faça o que Frank Hammond mandar e você vai ficar bem.*

Karen: *Quando te pegarem, vão te matar. Não vão querer saber de nada.*

Grace não tocou no seu mingau de aveia no café da manhã.

— Você precisa de força — disse Cora Budds. — Come alguma coisa.

— Não consigo. Vou vomitar.

A negra enorme estreitou os olhos.

— Não tô pedindo, Grace. Tô mandando. É melhor se controlar, menina. Vou colocar meu traseiro na reta por você, hoje. Todas nós. Agora come.

Grace comeu.

— TEM CERTEZA DE que está bem, Grace? Talvez deva ir se deitar um pouco.

Era meio-dia e Grace estava no centro infantil. A delegação deveria chegar às 12h30. Tinha passado a manhã arrumando e limpando os brinquedos, as mesas, pendurando trabalhinhos para que o centro ficasse com a melhor aparência possível. Se a delegação ficasse impressionada, podia aumentar o orçamento. Ou, pelo menos, não diminuir. Grace trabalhara de forma incansável como sempre, mas Irmã Agnes estava preocupada com ela. A pele dela estava verde quando chegou naquela manhã. Agora estava terrivelmente pálida. Poucos minutos antes, ao tentar alcançar uma prateleira mais alta, ficara tonta e quase desmaiara.

— Estou bem, Irmã.

— Não acho que esteja bem. Você deve ir à enfermaria para darem uma olhada em você.

— Não! — Grace sentiu sua garganta ficar seca de pânico. *A senhora não pode me mandar para a enfermaria. Não hoje. E se eles me segurarem lá a tarde toda?* Lembrou-se do que Cora dissera no café da manhã. Precisava se controlar. — Só estou um pouco desidratada, só isso. Talvez um copo d'água?

A irmã Agnes foi buscar a água. Quando ela saiu, Grace beliscou as bochechas e respirou fundo algumas vezes, para se acalmar. Quando a freira voltou, ela parecia um pouquinho melhor.

Do canto da sala, Lisa Halliday assistia à cena, desconfiada.

— O que está acontecendo com a Sra. Brookstein? — perguntou ela para uma das mães, uma jovem negra que estava há pouco tempo em Bedford Hills. — Ela tá agindo de um jeito estranho a manhã toda, até para os padrões dela.

— Você também não estaria se fosse se mandar daqui? — disse a garota. Só de olhar para o rosto de Lisa, ela viu que tinha estragado tudo. Mas já era tarde demais.

— O que que você disse?

— Nada. Eu só... Não sei o que estou falando. São só uns boatos malucos.

Lisa Halliday ficou com o rosto a poucos centímetros do da garota.

— Diga.

— Por favor. Eu... eu não podia ter falado nada. Cora vai me matar.

— Conta tudo agora ou vou dar um jeito de o diretor nunca mais deixar você ver seu filho.

— Por favor, Lisa.

— Acha que não consigo?

A garota pensou no filho, Tyrone. Ele tinha 3 anos, era fofinho e gordinho como um urso de pelúcia. Ele chegaria em meia hora, aninhando-se nela, fazendo desenhos para ela colocar na cela.

Começou a falar.

As SOBRANCELHAS de Hannah Denzel formavam uma única e furiosa linha de pelos enquanto guiava os VIPs pelo corredor até o centro infantil.

— Por aqui, senhoras e senhores.

Denny não gostava de mostrar Bedford Hills para as "delegações". O grupo de políticos e policiais do importante grupo de hoje era tão ruim quanto todos os outros: os benfeitores que vinham visitar a prisão, os padres, os assistentes sociais, os terapeutas, as freiras, todo o exército de intrometidos que infestava seu território duas vezes por ano com pranchetas e recomendações. Nenhum deles parecia perceber que essas mulheres eram nocivas. Que estavam em Bedford Hills para serem punidas, não salvas. Isso enojava Denny.

O grupo aplaudiu o centro infantil, se espalhando pelos locais de trabalho arrumadíssimos e as áreas de brincadeira. O diretor McIntosh ficou observando-os como um pai orgulhoso. Então, seu rosto mudou. Grace Brookstein estava vagando por uma das estações de trabalho, muito pálida e com cara de doente. *Droga*. Tinha se esquecido completamente de Grace. A última coisa de que precisava era que sua detenta mais ilustre distraísse a atenção do grupo da joia da coroa de Bedford Hills.

Ele sussurrou no ouvido de Hannah Denzel:

— Tire-a daqui. Sem chamar a atenção. Ela é uma distração.

Os olhos cruéis da agente se iluminaram.

— Sim, senhor. — Era disso que ela gostava. Ao se aproximar de Grace, agarrou-a pelo braço com força. — Vamos, Brookstein, para a sua cela.

— Minha cela? Mas eu... eu não posso — gaguejou Grace. — Estou trabalhando.

— Não está mais. Vamos.

Grace abriu a boca para protestar mas nenhum som saiu. O pânico subiu pela sua garganta como vômito.

— Algum problema? — a irmã Agnes se intrometeu. — Posso ajudar?

— Não — respondeu Denny, empurrando Grace para a porta. Ela não aprovava a presença das freiras em Bedford Hills. A irmã Agnes devia voltar para o convento, rezar seu rosário e deixar as presidiárias para os profissionais. — O diretor quer que esta aqui fique trancada na cela. E ela *não* quer uma cena.

Grace lançou um olhar que implorava: *Me ajude!*

A freira sorriu com ternura para a amiga.

— Não fique triste, Grace. Acho que descansar vai lhe fazer bem. Aproveite sua tarde de folga. Ainda estaremos aqui amanhã.

Eu sei, e agora eu também, pensou Grace. Teve vontade de chorar.

Lisa Halliday só conseguiu sair do centro infantil às 15h45. A feitora irmã Theresa lhe dera uma lista de afazeres tão comprida quanto seu histórico policial. Correndo para o escritório do diretor, ela se aproximou da mesa da recepção.

— Preciso ver o diretor — disse ela, ofegante. — É urgente.

A recepcionista olhou para a mulher grosseira na sua frente, com trejeitos masculinos e ficou tensa.

— O diretor McIntosh não pode receber ninguém hoje. Ele está com uma delegação...

— Eu já disse, é urgente.

— Sinto muito — disse a garota. — Ele não está aqui.

— Bem, cadê ele?

O tom de voz da recepcionista ficou mais gelado.

— Fora. Ele tem reuniões o dia inteiro. Algo em que eu possa ajudar?

— Não — disse Lisa, grosseiramente. — Preciso falar com o rei e não com o bobo da corte. — Precisava falar com o diretor, e precisava fazer isso sozinha. Se a notícia de que ela fora a dedo-duro de Grace Brookstein se espalhasse, estaria acabada em Bedford Hills.

— Então, não há nada que eu possa fazer.

Lisa sentou o traseiro enorme em uma das cadeiras duras que ficavam encostadas na parede.

— Tudo bem. Eu espero.

Cora Budds saiu da cozinha, onde trabalhava, às 16h10 e correu para o centro infantil como combinado. Duas mães estavam se despedindo de seus filhos enquanto um agente entediado tomava conta.

Cora perguntou a uma das mães:

— Cadê a Grace?

— Na cela. Denny a tirou daqui horas atrás. Ela não parecia nada bem.

Cora pensou: *Aposto que não parecia mesmo. É isso, então. Se Grace está na cela, o plano todo foi por água abaixo.*

Foi sozinha para o almoxarifado. *Talvez seja melhor assim.*

Grace estava sentada em seu beliche, olhando para o nada. Estava exausta demais para chorar. Era o fim. Só Deus sabia quando teria outra chance. Talvez demorasse anos para isso acontecer. Anos nos quais quem matou Lenny ficaria solto, livre, feliz, impune. Esse pensamento era insuportável.

Desatentamente, olhava para o relógio na parede: 15h55... 16 horas... 16h05... O caminhão já devia estar lá. Cora devia estar carregando-o, sozinha, imaginando o que tinha acontecido.

Às 16h08, Grace escutou o barulho de chave no cadeado. O turno de Karen devia ter acabado mais cedo. Pelo menos, *ela* ficaria feliz pelo plano de fuga ter dado errado. A porta se abriu.

— Levante-se. — Os olhos de Denny brilhavam de ódio. Passara a tarde toda ruminando as palavras da Irmã Agnes para Grace: *Aproveite sua tarde de folga.* Como se isso aqui fosse algum tipo de acampamento de verão! Não havia nenhuma *tarde de folga* em Bedford Hills.

— Você perdeu quatro horas de trabalho esta tarde, sua vadia ordinária. Achou que estava de férias, não foi? Um passe livre?

Grace disse baixinho:

— Não, senhora.

— Bom. Porque não existem férias na Ala A. Não enquanto eu estiver no comando. Você pode compensar essas horas de trabalho, começando agora mesmo. Vá para o centro infantil e comece a esfregar o chão.

— Sim, senhora.

— Quando terminar, esfregue de novo. E pode esquecer de comer hoje à noite. Vai ficar esfregando aquele chão até que eu vá buscar você, entendeu?

— Sim, senhora.

— VÁ!

Grace saiu da cela e começou a correr pelo corredor. Denny observou-a se afastar com um sorriso de satisfação no rosto.

Não fazia a menor ideia de que Grace estava correndo por sua vida.

CORA BUDDS JÁ tinha quase terminado de carregar o caminhão com as caixas.

O motorista reclamou:

— Achei que fosse ter duas. Se eu soubesse, tinha trazido alguém.

Cora deu de ombros.

— A vida é uma merda, né? — Já estava quase escuro no pátio úmido atrás do almoxarifado do centro infantil. A temperatura estava abaixo de zero, mas o vento tornava ainda mais frio. As caixas eram pequenas, mediam um metro por um. Olhando para elas, Cora não conseguia imaginar como Grace ia se apertar dentro de uma. Elas também eram pesadas. O peso, combinado com o frio de gelar os dedos, tornava o trabalho ainda mais lento.

— Desculpe o atraso.

Grace estava tremendo de frio sob a luz do poste. Ainda de saia e uma fina blusa de algodão, suas roupas eram ridículas para a noite de inverno. O vento cortava a sua pele como lâminas. Cora Budds arregalou os olhos, surpresa, mas não disse nada.

O motorista parecia irritado.

— Tá brincando comigo? Essa é a número dois? Ela não consegue nem levantar uma xícara de café, muito menos uma caixa de argila.

— Claro que consegue — disse Cora. — Deixa isso com a gente.

— Por mim, tá bom. — O motorista voltou para o gostoso calor da cabine do caminhão. — É só me avisar quando acabarem.

De volta ao almoxarifado, Cora e Grace trabalharam rápido. A irmã Agnes ou um dos guardas podia voltar a qualquer minuto. Cora tirou os documentos de Grace do bolso de seu uniforme, enfiando-os no sutiã de Grace. Havia quatro identidades falsas com cartões de crédito com os mesmos nomes, um pedacinho de papel com um e-mail anônimo escrito e um pequeno rolo de dinheiro.

— Karen tem uma amiga do lado de fora que vai mandar mais dinheiro pra você quando precisar. É só mandar um e-mail dizendo quanto precisa, o código postal de onde está e as iniciais da identidade falsa que estiver usando, e essa pessoa fará o resto. Leve isso também. — Ela entregou um estilete prateado a Grace. — Nunca se sabe.

Grace fitou a lâmina sobre a palma de sua mão por um segundo, hesitando, então, escondeu-a no sapato. Cora abriu a tampa de uma das caixas, esvaziando-a em velocidade recorde. De alguma forma, a caixa parecia ainda menor quando estava vazia.

— Acho que é impossível, Grace. Não ia caber um gato aí dentro — falou Cora.

Grace sorriu.

— É possível. Eu era ginasta quando era mais nova. Olhe.

Cora observou admirada enquanto Grace entrava na caixa, o traseiro primeiro, dobrando seus pequenos membros em volta de si como uma aranha.

— Menina, isso deve doer. — Ela recuou. — Está bem?

— Não é exatamente uma viagem de primeira classe, mas vou sobreviver. Coloque a tampa. Estou totalmente dentro?

Cora colocou a tampa. Fácil. Com uns 3 centímetros de sobra. Abriu de novo.

— Tá toda dentro. Vou carregar as outras caixas agora. Vou colocar você três filas atrás da porta, para que ninguém te veja no portão, mas vou deixar a tampa solta pra entrar ar.

— Obrigada.

— Fique bem quietinha até passar pelo portão. Quando estiver lá fora, assim que o caminhão parar, pule.

— Entendido. Obrigada, Cora. Por tudo.

Boa sorte, Amazing Grace.

Cora Budds recolocou a tampa e carregou Grace para a escuridão.

O DIRETOR MCINTOSH olhou Lisa Halliday com desconfiança.

— É melhor você não estar enganada.

— Não tô.

— Grace Brookstein está na cela dela desde a hora do almoço. Além disso, as detentas da Ala A não têm permissão para trabalhar em entregas. A irmã Agnes conhece as regras.

— A irmã Agnes não sabe a diferença entre a boceta dela e o pai-nosso.

— Basta! — mandou o diretor. — Não vou admitir que desrespeite uma voluntária.

— Olha. *Num* quer checar o caminhão? Tudo bem. Depois, *num* diz que *num* avisei.

O diretor McIntosh não queria checar o caminhão. O dia tinha sido longo. Queria acabar com a papelada e ir para casa ficar com sua esposa. Mas sabia que não tinha escolha.

— Tudo bem, Lisa. Deixe comigo.

A ESCURIDÃO ERA desorientadora. Grace escutou as portas de trás do caminhão se fecharem. Por um momento, o medo tomou conta dela. *Estou presa!* Mas, então, relaxou, forçando-se a respirar fundo. Era desconfortável ficar encolhida dentro da caixa como uma marionete, mas podia aguentar. O frio, por outro lado, era debilitante. Membro a membro, Grace sentiu seu corpo ficar dormente. Sua cabeça doía muito, como se a tivesse enfiado em água gelada.

O motor ganhou vida. *Estamos nos movendo.* Logo, o único som que Grace conseguia escutar era o de seu próprio coração batendo. Rezou silenciosamente:

Por favor, Deus, faça com que eles não verifiquem todas as caixas.

O BARULHO FOI tão alto que o motorista escutou apesar do som alto de seu CD do Bruce Springsteen. Uma das caixas deve ter caído.

— Que diabo? — Freando, ele saiu da cabine. *Malditas sapatões imbecis. Qual é a dificuldade de empilhar um monte de caixas? Só precisavam colocar uma em cima da outra.*

Grace escutou as portas de trás se abrirem. Feixes de uma lanterna entraram pela brecha que Cora deixara aberta acima de sua cabeça. Prendeu a respiração.

— Droga.

Caixas arrastavam pelo chão de metal do caminhão. Depois disso, Grace viu que sua própria caixa estava se movendo. *Ah, Deus, não! Ele vai me ver.* Mas o motorista não a viu. Em vez disso, ao puxar sua caixa para a frente, notou a tampa aberta e fechou-a com um soco. Então, pegou outra caixa e colocou por cima da de Grace. As portas se fecharam. Ela sentiu quando o caminhão começou a andar.

Grace começou a suar frio.

Não tinha ar.

Vou sufocar.

Capítulo 14

O DIRETOR MCINTOSH ENTROU no centro infantil, irritado. Todas as crianças já tinham ido para casa. Uma única interna estava guardando os últimos brinquedos.

— Você está sozinha?

— Sim, senhor. Estou esperando a irmã Agnes voltar para trancar tudo.

— Havia uma entrega marcada para às 16 horas. Ela aconteceu?

— Acho que sim. Cora Budds estava no almoxarifado.

— E Grace Brookstein? Você a viu esta tarde?

— Não, senhor. Cora me disse que ela estava na cela.

O diretor McIntosh relaxou. *Lisa Halliday tinha entendido errado. Não se podia confiar nos boatos de Bedford Hills.* Ainda assim, os protocolos tinham de ser seguidos. Tirou do gancho o telefone da mesa da irmã Agnes.

VOU morrer!

Grace já estava hiperventilando. Quando sentiu o caminhão parando, suas esperanças aumentaram. Deviam estar no portão. Tentou gritar.

— Socorro! Alguém me ajude!

Durante semanas, aquele momento a aterrorizara, com medo de que os guardas a descobrissem. Agora tinha medo do contrário. Sem ar, ela morreria naquela caixa muito antes de o caminhão chegar ao depósito.

— Socorro! — Ela estava gritando o mais alto que podia, mas seus pulmões pareciam não estar funcionando adequadamente. As palavras saíam baixinhas e sopradas, abafadas pelas caixas acima e em volta dela. Os guardas não escutaram nada.

— O que temos aí?

O motorista entregou a papelada.

— Argila para modelar. Umas 2 toneladas.

— Tudo bem, vamos dar uma olhada.

Os dois guardas começaram a abrir a primeira fila de caixas.

Por favor! Estou aqui!

Naquele momento, Grace soube que não queria morrer. Ainda não. Não daquela forma.

Preciso encontrar o assassino de Lenny primeiro. Preciso fazê-lo pagar.

Ela começou a ficar tonta. Percebendo que estava começando a perder a consciência, gritou de novo.

Um dos guardas parou.

— Escutou alguma coisa?

Seu companheiro balançou a cabeça.

— Só os meus dentes rangendo. Está congelando aqui fora, cara. Vamos acabar logo com isso. — Puxou outra caixa, jogou-a no chão, abriu e olhou dentro. Fez o mesmo com outra. Depois outra. Quando ia abrir a quarta, o motorista implorou:

— Vamos lá, caras! Sabem quanto tempo levou pra colocar toda essa merda aí dentro? Ainda tenho seis horas de estrada pela frente e estou congelando.

Os guardas se olharam. Escutaram o telefone tocando a distância, no calor da confortável torre de vigilância.

— OK, pode ir. — Eles assinaram os papéis do motorista e entregaram a ele. — Dirija com cuidado.

Sessenta segundos depois, o caminhão estava cruzando os portões de Bedford Hills.

Grace Brookstein ainda estava lá dentro.

GRACE ACORDOU com o som do motor ganhando velocidade. O alívio tomou conta dela.

Estou respirando! Estou viva!

Um dos guardas devia ter soltado a tampa de sua caixa! *Por que eles não me encontraram? É um milagre. Alguém lá em cima deve estar olhando por mim. Talvez seja Lenny, ou será o meu anjo da guarda?*

Por alguns segundos, Grace ficou eufórica. *Consegui sair de Bedford Hills. Consegui!* Mas a realidade logo se impôs. Ainda faltava muito para estar em casa e livre. Desdobrando-se devagar e dolorosamente, Grace levantou a tampa e saiu de seu esconderijo. O caminhão estava gelado e um breu. Levou um minuto para a circulação voltar para as suas pernas. Assim que se sentiu forte o suficiente, começou a andar aos tropeços na direção da porta, com os braços esticados para a frente como um zumbi, procurando a saída. Depois do que pareceu uma eternidade, seus dedos encontraram um trinco. Estava duro. Não conseguia movê-lo. Bem quando ela começou a se perguntar se o motorista tinha trancado por fora de forma que não conseguiria abrir por dentro, o trinco se mexeu.

Tudo aconteceu em um instante. A porta de trás se abriu com tanta força que Grace foi puxada junto. De repente, estava do lado de fora, segurando-se como à própria vida, suas pernas batendo no para-choque dolorosamente enquanto ela estava pendurada por apenas uma das mãos um pouco acima do solo. Estavam em uma estrada vazia e sem iluminação, movendo-se a uma velocidade incrível. *Qual era a velocidade? 100 quilômetros por hora? Cento e vinte?* Grace tentou calcular suas chances de sobreviver se caísse. Antes que encontrasse uma resposta, a estrada se bifurcou. O motorista virou para a esquerda. Grace sentiu o trinco escorregar de sua mão, como se alguém tivesse passado manteiga. Quando se deu conta, estava voando pelo ar como uma boneca de pano, indo na direção das árvores. A última coisa que escutou foi sua cabeça batendo no chão.

Depois, nada.

O DIRETOR MCINTOSH gritou com Hannah Denzel.

— Por que diabos você a mandou de volta para o centro? Quem lhe deu essa autoridade?

Denny ficou furiosa. Se Grace Brookstein realmente *tinha* escapado, não ia levar a culpa mesmo. Isso era problema do diretor.

— Eu *tenho* essa autoridade, senhor. O trabalho das detentas da Ala A é responsabilidade minha. A delegação já tinha ido embora e Grace tinha trabalho para terminar. Quem deu autoridade às freiras para deixar detentas da Ala A supervisionarem entregas?

Os dois guardas do portão norte também estavam no gabinete. O diretor McIntosh os interrogou:

— Têm certeza de que Grace Brookstein não estava naquele caminhão? Olharam todas as caixas?

Pela expressão no rosto de McIntosh, os guardas perceberam que a honestidade certamente não era o melhor caminho.

— Todas as caixas. O caminhão estava limpo.

A cabeça do diretor McIntosh estava latejando. *Então, onde ela está?* Ele se virou para Hannah Denzel.

— Quero Cora Budds e Karen Williams aqui agora. Enquanto isso, alerte todas as unidades policiais. Quero que encontrem o caminhão, façam-no parar e o revistem. — Ele olhou de forma ameaçadora para os dois guardas. — Se vocês dois fizeram besteira, vou querer a cabeça dos dois em uma bandeja.

— Sim, senhor. — Mas todo mundo na sala sabia que a primeira cabeça a rolar seria a do diretor.

Grace abriu os olhos devagar. Embaixo dela, havia um cobertor de mato. Flexível e espinhoso como um colchão velho de palha, deve ter amortecido sua queda. Ouvia um zumbido alto em sua cabeça.

Não. Não é a minha cabeça. É lá em cima. São helicópteros. Estão me procurando.

Não fazia ideia de quanto tempo ficara inconsciente. Minutos? Horas? O que sabia é que estava congelando, mal conseguia se mover de tanto frio. Sabia também que estava correndo sério perigo. Durante o curto período em que ficara dentro do caminhão, não podiam ter se afastado mais do que alguns quilômetros de Bedford Hills. Precisava se distanciar mais do presídio.

Cuidadosamente, se levantou. Por algum milagre, parecia que nada estava quebrado. Lentamente, seus olhos se acostumaram com a escuridão e ela conseguiu ver as sombras à sua volta. Estava em uma floresta a poucos metros de uma tranquila estrada rural. *Tranquila não. Silenciosa.* Pisar em um simples galho soava como um trovão.

Preciso sair daqui.

Seu lado esquerdo estava machucado e rígido, mas ela percebeu que conseguia andar sem muito problema. À sua direita, o caminho das árvores levava a uma subida íngreme. Vindo do topo do monte, Grace escutou o fraco barulho do tráfego.

A polícia vai patrulhar a estrada principal. Se eu subir até lá, triplico as minhas chances de ser pega.

Se não subir, nunca vou conseguir uma carona para sair daqui.

Ela começou a escalar.

No topo, alguém plantara uma fileira de álamos, provavelmente para isolar o som. Grace agachou-se atrás dela, tentando recuperar o fôlego. A escalada a deixara exausta. A estrada estava movimentada, quase tanto quanto na hora do rush. Mais uma vez, Grace imaginou que horas seriam, mas não tinha tempo para ficar pensando nisso. Tirando as folhas congeladas de sua saia, ela foi para a beira da estrada e levantou o polegar, como vira as pessoas fazendo na TV.

Quanto tempo será que vai levar até alguém parar? Se eu não entrar em um carro logo, vou morrer de hipotermia.

Um carro de polícia soou na escuridão, luzes azuis piscando, sirenes tocando. Instintivamente, Grace voltou para trás das árvores, torcendo o tornozelo no solo duro e gelado. Doeu muito mas ela não ousou gritar, prendendo a respiração na escuridão, esperando o carro da polícia diminuir a velocidade e parar. Não parou. Após alguns segundos, o som das sirenes enfraqueceu até que ela não conseguiu mais escutá-lo. Grace voltou para a beira da estrada.

Parada ali, com o polegar estendido, batendo o pé para se aquecer da temperatura abaixo de zero, Grace começou a se balançar. Ela mal tinha comido o dia todo e a queda do caminhão a deixara fraca e tonta. As luzes dos faróis dos carros começaram a se juntar até formar um único feixe laranja. No estado confuso e congelado de Grace, pareceu quente e acolhedor. Semiconsciente, ela se dirigiu tropeçando até ele. O som ensurdecedor da buzina de um caminhão a despertou.

— Você ficou maluca, moça?

Um homem tinha parado. Com um ombro para fora, ele estava falando com Grace pela janela do lado do motorista. Um homem de meia-idade, com bigode grosso e preto e olhos escuros quase enterrados no rosto, ele parecia ser parte asiático, mas era difícil ter certeza na escuridão. Dirigia um caminhão em que estava escrito SERVIÇOS GERAIS TOMMY com letras pretas na lateral.

— Você não tem casaco?

Grace balançou a cabeça. Logo seu corpo inteiro estava tremendo, em resposta ao frio e à exaustão. O homem estendeu o braço e abriu a porta do carona.

— Entre.

LIVRO DOIS

Capítulo 15

O DETETIVE MITCH CONNORS voltou para sua mesa pensativo.
Isso é bom ou ruim?

Alto, louro, atlético e grande demais para seu escritório de paredes envidraçadas, Mitch Connors parecia mais um jogador de futebol americano profissional do que um policial. Mergulhando na desconfortável cadeira (Helen comprara a maldita cadeira para ele dois anos antes, por causa de sua dor nas costas. Aparentemente ganhara vários prêmios de design e custara uma pequena fortuna, por isso não podia jogá-la fora, mas Mitch sempre a detestara), ele esticou as pernas e tentou pensar.

Eu realmente quero este caso?

Por um lado, seu chefe acabara de lhe dar o que se tornaria, em algumas horas, a maior e mais famosa investigação do país. Na noite anterior, Grace Brookstein conseguira fugir de uma penitenciária de segurança máxima. O trabalho de Mitch seria encontrá-la, prendê-la e levá-la de volta para a cadeia.

O chefe dele dissera:

— Você é o melhor, Mitch. Não o colocaria neste caso se não fosse.

E Mitch sentira uma agradável sensação de orgulho. Mas sentira outra coisa também. Algo ruim. Mas Mitch não conseguia discernir o que era.

Culpou a cadeira. Era uma tortura tão grande ficar sentado nela que não conseguia se concentrar. *Ergonômica, até parece. Acho que Helen comprou essa cadeira para me atormentar. Para se vingar de tudo que a fiz passar.* Então, pensou: *é besteira, Connors, e você sabe disso.*

Helen não era desse tipo. Ela era um anjo. Santa Helena de Pittsburgh, santa padroeira da tolerância.

E você a deixou ir embora.

MITCH CONNORS crescera em Pittsburgh. Nascera no próspero subúrbio de Monroeville, onde sua mãe era considerada a mulher mais bonita do local. Ela se casou com o pai de Mitch, um inventor, quando tinha 19 anos. Mitch chegou um ano depois e a felicidade do casal ficou completa.

Por uns seis meses.

O pai de Mitch era um inventor brilhante... à noite. Durante o dia, ele era um vendedor ambulante de enciclopédia. Mitch costumava acompanhar o pai nas viagens. O garotinho assistia admirado enquanto o pai enganava uma dona de casa atrás da outra.

— A senhora sabe quanto custa, em média, uma faculdade, madame?

Pete Connors estava de pé na porta da frente de uma casa deteriorada em Genette, Pensilvânia, usando terno, gravata e sapatos pretos brilhantes, o chapéu de feltro respeitosamente na mão. Ele era um homem bonito. Mitch achava que se parecia com Frank Sinatra. A mulher parada na porta, usando um penhoar manchado, era gorda, parecia deprimida e derrotada. Crianças famintas corriam à sua volta como ratos.

— Não. Não sei dizer, senhor.

A porta estava fechando. Peter Connors deu um passo à frente.

— Deixe-me lhe falar. Mil e quinhentos dólares. Pode imaginar isso?

Ela não podia.

— Mas e se eu lhe dissesse que por 1 dólar por semana, isso mesmo, 1 dólar, a senhora pode dar aos seus filhos o presente dessa mesma educação bem aqui na sua casa?

— Eu nunca pensei nisso...

— Claro que não! A senhora está sempre ocupada. Tem contas a pagar, responsabilidades. Não tem tempo para sentar e ler livros como este. — A um determinado sinal, Mitch corria até o pai e lhe entregava um livreto com as palavras *Pesquisa Educacional* na frente. — Livros que provam que crianças que têm uma enciclopédia em casa têm *seis vezes* mais chances de conseguir empregos de colarinho-branco.

— Bem, eu...

— O que a senhora acha de ver esse pequenininho aqui crescer e se tornar um advogado, hein? — Pete Connors deu uma bala para a criança com o rosto sujo. — Por apenas um dólar por dia a senhora pode tornar isso realidade, madame.

Ele era como um furacão. Uma força da natureza. Algumas mulheres, ele intimidava. Outras, ele seduzia. E outras ainda, ele levava para o andar de cima para aplicar algumas técnicas "secretas" de venda que Mitch nunca podia ver. Sempre levava uns 15 minutos, e sempre funcionava.

— Essas mulheres da Pensilvânia! — exclamava o pai de Mitch depois. — Elas são sedentas por conhecimento. Nunca vi uma com tanta sede por conhecimento como esta, Mitchy!

Depois de toda venda, eles iam até a cidadezinha mais próxima ou posto de gasolina, e Pete Connors comprava um enorme sorvete para o filho. Mitch voltava para a mãe cheio de excitação, admiração e calda de chocolate por todo o rosto. "O papai foi incrível. Devia ter visto o que o papai fez! Adivinhe quantas vendemos, mãe. Adivinhe!"

Mitch não entendia por que a mãe nunca queria adivinhar. Por que olhava para o pai com tanta amargura e decepção. Mais tarde — tarde *demais* — ele entendeu. Ela podia aguentar a infidelidade. Mas não podia perdoar a negligência. Pete Connors era um vendedor natural, mas também era um sonhador que costumava torrar todo o seu dinheiro investindo em uma invenção após a outra. Mitch se lembrava de algumas delas. Houve o aspirador de pó que não precisava empurrar. Ia render milhões. Depois o frigobar para o carro. Os sapatos de corrida que massageavam a sola do pé. O cabide de roupas que tirava os vincos. Mitch observava o pai trabalhar em cada novo projeto por semanas até tarde da noite. Sempre que terminava um protótipo, ele o "revelava" na sala de estar na frente da mãe de Mitch.

— E aí, Lucy? — perguntava, esperançoso, o rosto iluminado de orgulho e expectativa, como um menininho. A tragédia era que Peter Connors amava a esposa. Precisava tanto de sua aprovação. Se ela tivesse lhe dado essa aprovação, pelo menos uma vez, talvez as coisas tivessem sido diferentes. Mas a resposta dela era sempre a mesma:

— Quanto você torrou dessa vez?

— Jesus, Lucy, me dá um tempo, tá bom? Sou um homem de ideias. Você sabia disso quando se casou comigo.

— Mesmo? Bem, vou te dar uma ideia. Que tal pagar a nossa hipoteca este mês?

A mãe de Mitch costumava dizer que a única coisa que o pai conseguia economizar era verdade.

No sexto aniversário de Mitch, eles já tinham se mudado da casa em Monroeville. O novo lugar era um apartamento em Murraysville. Depois, foi Millvale, uma área cheia de casas velhas de moleiros. Quando Mitch tinha 12 anos, ele estavam morando em Hill District, o Harlem de Pittsburgh, um antro de drogas que cercava o próspero centro da cidade. Pobres demais para se divorciar, os pais de Mitch se "separaram". Um mês depois, a mãe estava com um novo namorado. Eles acabaram se mudando para a Flórida, para uma bonita casa com palmeiras no jardim. Mitch decidiu ficar com o pai.

Pete Connors ficou animado.

— Isso é ótimo, Mitchy! Vai ser como nos velhos tempos, só nós dois. Vamos jogar pôquer à noite. Dormir tarde aos domingos. Trazer umas garotas bonitas para cá, hein? Animar um pouco as coisas!

Havia garotas. Algumas até bonitas, mas essas eram pagas. Os dias de Frank Sinatra de Pete Connors tinham se acabado havia muito tempo. Ele parecia exatamente o que era: um trapaceiro cansado com a data de validade vencida. Partia o coração de Mitch. Conforme o garoto foi crescendo, o pai começou a ficar com ciúmes da beleza do filho. Aos 17 anos, Mitch tinha o cabelo louro e os olhos azuis da mãe e as pernas compridas e os traços fortes e masculinos do pai. Também dele herdou a lábia.

— Só estou passando o verão em casa, ajudando meu velho. Volto para a faculdade de administração no outono...

— Meu carro? Ah, eu vendi. Minha priminha ficou doente. Leucemia. Ela só tem 6 anos, pobrezinha. Eu quis ajudar com as despesas médicas.

As mulheres acreditavam em tudo.

Helen Brunner era diferente. Tinha 25 anos, uma deusa ruiva de olhos verdes, e trabalhava para uma instituição de caridade de veteranos de guerra que ajudava os ex-militares pobres oferecendo refeições e os ajudando em casa. Mitch nunca soube como o pai convenceu a instituição de caridade de Helen de que ele fora da Marinha. Pete Connors não sabia nem nadar. Fotos de barcos o deixavam enjoado. De qualquer forma, Helen começou a aparecer no apartamento três vezes por semana. Pete ficou louco por ela.

— Aposto que é virgem. Dá pra notar. Só de pensar naqueles pentelhos ruivos, já fico com tesão.

Mitch detestava quando o pai falava assim. A respeito de qualquer mulher, mas principalmente de Helen. Era constrangedor.

— Vinte pratas como eu como ela antes de você.

— *Pai!* Não seja ridículo. Nenhum de nós dois vai comer ela.

— Fale por você, garoto. Ela quer. Acredite em quem sabe das coisas. Todas querem.

Helen Brunner não queria. Pelo menos não com um bêbado que dizia ser ex-suboficial da Marinha com idade para ser pai dela. Mitch, por outro lado... Bem, ele era outra história. Helen fora criada como cristã. Acreditava na abstinência. Mas Mitch Connors estava testando sua fé até o limite.

Não me deixe cair em tentação. Ao observar Mitch enquanto ele andava pelo apartamento apertado, sentir os olhos dele discretamente a fitarem de cima a baixo enquanto lavava a louça ou arrumava a cama, parecia que Deus a tinha colocado bem diante da tentação. Mitch se sentia da mesma forma. Começou a fazer listas.

Razões para não transar com Helen:
1. Ela é uma garota legal.
2. Vou ser atingido por um raio divino durante o ato.
3. Se Deus não acabar comigo, papai vai.

Até que um dia, Helen entrou na lavanderia e encontrou Mitch só de cueca.

Ela fez uma oração silenciosa. *Afaste-me do mal.*

Mitch fez a mesma coisa. *Pai, me perdoe, pois estou prestes a pecar.*

O sexo foi incrível. Fizeram em cima da máquina de lavar, no chuveiro, no chão da sala de estar e, finalmente, na cama de Pete Connors. Depois, Mitch caiu sobre os travesseiros, tomado por felicidade. Tentou se sentir culpado mas não conseguiu. Estava apaixonado.

Helen se sentou de repente.

— Não me diga que você quer *de novo*? — resmungou Mitch.

— Não. Escutei alguma coisa, acho que é o seu pai!

Helen se vestiu em um segundo. Correndo para a cozinha, ela começou a lavar panelas. Mitch, cujas pernas pareciam ter desenvolvido Parkinson repentinamente, tropeçou pelo quarto, cego de pânico. A porta da frente se abriu.

— Mitch?

Merda. Não havia mais nada a fazer. Completamente nu, Mitch entrou no armário embutido, fechando a porta. No fundo do armário, havia um alçapão que levava a uma pequena área no telhado. Mitch mal conseguiria passar seu corpo de 1,80m pelo alçapão quando escutou os passos de Pete no quarto.

— MITCH! — Era um rugido. O velho não era burro. A combinação do rosto corado e culpado de Helen e lençóis amassados deve tê-los denunciado. Mitch escutou a porta da frente abrir e fechar. Inteligentemente, Helen fora embora. Como Mitch gostaria de estar com ela!

A porta do armário se abriu. A luz penetrou pelo alçapão. Mitch prendeu a respiração. Houve uma pausa. Camisas sendo empurradas nos cabides. Então, a porta do armário fechou.

Graças a Deus. Juro que nunca mais vou transar com ninguém na cama do meu pai.

Os passos de Pete Connors voltaram. Então, de repente, pararam. O coração de Mitch também. *Ah, Deus! Por favor! Nós tínhamos um acordo!*

A porta do armário abriu de novo. Então, o alçapão. Quando Peter fitou o corpo nu do filho, sentiu na mesma hora o cheiro de sexo.

— Oi, pai. Você sabe onde encontro uma toalha?

Dois minutos depois, Mitch estava na rua. Nunca mais viu seu pai vivo.

— Quero me casar, Mitch.

Helen e Mitch estavam morando juntos havia três anos. Com quase 21 anos, Mitch estava ganhando um bom dinheiro trabalhando em um bar. Helen largara seu trabalho voluntário para trabalhar como trainee de bibliotecária três vezes por semana, mas não era o que queria. Já tinha quase 30 anos e sua vontade era ter um filho.

— Por quê?

— *Por quê?* Você está falando sério? Porque estamos vivendo em pecado, por isso.

Mitch sorriu.

— Eu sei. Mas não tem sido divertido até agora?

— Mitchell! Eu não estou brincando. Quero ter um filho. Quero fazer um juramento, começar uma família, fazer as coisas de maneira careta. Não é isso que você quer também?

— Claro que sim, amor.

Mas a verdade era que Mitch não sabia o que queria. Crescer vendo os pais brigando o deixara desacreditado no casamento para a vida toda. Amava Helen, esse não era o problema.

Ou talvez esse *fosse* o problema. Estar com alguém tão boa, tão perfeita, o deixava desconfortável. Mitch tinha muito de seu pai. Um mentiroso por natureza, flertar estava em seu sangue. *Mais cedo ou mais tarde, eu vou decepcioná-la. Ela vai me odiar, me desprezar pela minha fraqueza.* Helen era o navio, mas Mitch precisava de botes salva-vidas: outras garotas que podia ter como estepe caso Helen enxergasse a realidade e percebesse que podia conseguir alguém muito melhor do que um bartender de Pittsburgh.

— Ano que vem — disse ele. — Assim que meu pai aceitar a ideia. — Ele disse a mesma coisa no ano seguinte, e no outro. Então, em um espaço de um mês, aconteceram dois eventos sísmicos que mudariam sua vida para sempre.

Primeiro, Helen o largou.

Depois, seu pai morreu.

DUAS SEMANAS depois de Helen Brunner largar Mitch, Pete Connors morreu esfaqueado do lado de fora de seu apartamento. Ele perdeu a vida por causa de um Rolex falso, uma aliança de casamento barata e 23 dólares em dinheiro. A mãe de Mitch, Lucy Connors, compareceu ao funeral. Estava glamorosa e bronzeada e nem um pouco triste. E por que estaria?

Ela deu um abraço apertado em Mitch.

— Você está bem, querido? Sem querer ofender, mas você está horrível.

— Estou bem.

Eu não estou bem. Eu devia estar lá. Eu o abandonei e agora ele está morto e eu nunca vou poder me desculpar, nunca vou poder dizer o quanto o amava.

— Tente não ficar tão chateado. Sei que parece cruel, mas se isso não tivesse acontecido, logo a bebida teria acabado com ele.

— É cruel.

— Eu vi o relatório da necrópsia, Mitch. Sei do que estou falando. O fígado do seu pai estava igual a nozes em conserva.

— Cruzes, mãe!

— Sinto muito querido, mas é a verdade. Seu pai não queria mais viver.

— Talvez não. Mas certamente também não queria que um drogado enfiasse uma faca em seu coração. Ele não queria isso. Não merecia isso! — A mãe de Mitch ergueu uma sobrancelha como se para dizer: *há controvérsias*, mas ela o deixou terminar: — E a polícia? O que eles estão fazendo? Deixaram quem matou meu pai solto por aí. Como se a vida dele não valesse nada.

— Tenho certeza de que fizeram tudo o que podiam, Mitch.

— Papo furado.

Era papo furado mesmo. A polícia de Pittsburgh fizera o mínimo, que era preencher a papelada sobre o assassinato de Peter Connors sem fazer o menor esforço para tentar encontrar o assassino. Mitch prestou um monte de queixas, todas educadamente ignoradas. Foi quando ele percebeu:

Pessoas como o meu pai não têm a menor importância. No final, ele não era diferente daquelas donas de casa que ele enganava com promessas de uma vida melhor e bons empregos. Essas pessoas não recebem justiça. Os pobres. Ninguém se importa com o que acontece com eles.

Duas semanas depois do enterro do pai, Mitch ligou para Helen.

— Tomei uma decisão.

— Hm? — A voz dela parecia cansada.

— Vou ser policial. Detetive.

Não era o que ela estava esperando.

— Ah!

— Mas não aqui. Preciso ir embora de Pittsburgh. Começar do zero. Pensei em, talvez, Nova York.

— Que ótimo, Mitch. Boa sorte. — Helen desligou.

Dez segundos depois, Mitch telefonou de novo.

— Estava pensando se você não gostaria de vir comigo. A gente se casaria primeiro, claro. Achei que poderíamos...

— Quando? Quando a gente se casaria?

— Assim que você quiser. Amanhã?

Seis semanas depois, eles se mudaram para Nova York como marido e mulher.

Sete semanas depois, Helen estava grávida.

DERAM O NOME de Celeste para a filha, porque ela era um presente dos céus. Helen se realizou na maternidade, andando pelo minúsculo apartamento deles no Queens com a menina no colo por horas a fio. Mitch também amava o bebê, claro, com seu cabelo preto e olhos cinza inteligentes e questionadores. Mas estava trabalhando muitas horas, primeiro treinando, depois nas ruas. Geralmente, quando ele chegava em casa, Celeste estava dormindo no berço e Helen, apagada no sofá, exausta. Imperceptivelmente, conforme os meses foram passando, Mitch achava cada vez mais difícil penetrar o casulo de amor que envolvia sua esposa e filha.

Ele foi promovido e pôde alugar um lugar maior para eles morarem, esperando que isso fosse deixar Helen feliz. Mas não deixou.

— Nós nunca vemos você, Mitch.

— Claro que veem. Poxa, meu amor, não exagere.

— Não estou exagerando. Outro dia, escutei Sally-Ann perguntar a Celeste se ela tinha pai.

Furioso, Mitch disse:

— Isso é ridículo. E quem é Sally-Ann?

— Ela é a melhor amiga da nossa filha. Sally-Ann Meyer? Ela e Celeste estão sempre juntas há dois anos, Mitch.

— Mesmo?

— Mesmo.

Mitch se sentiu mal. Queria passar mais tempo em casa. O problema, como ele disse para Helen, era que os caras maus nunca tiravam férias. Assaltantes, drogados, líderes de gangue, estupradores, eles andavam pelas ruas da cidade todos os dias, fazendo como vítimas os vulneráveis, pobres, desprotegidos. *Pegando pessoas como o meu pai.* Ser detetive era mais do que o emprego de Mitch. Era sua vocação, da mesma forma que ser mãe era a de Helen. E ele era ótimo no que fazia.

O divórcio veio do nada, de repente. Mitch chegou em casa uma noite, esperando encontrar seu jantar na mesa. Em vez disso, encontrou os papéis do divórcio. Helen e Celeste não estavam mais lá. Em retrospecto, ele percebeu que as pistas estavam claras havia muito tempo. Desde que a economia implodira, o crime vinha crescendo continuamente. Depois do colapso do Quorum, o desemprego em Nova York aumentou e, da noite para o dia, uma situação ruim se tornou vinte vezes pior. Mitch Connors estava na linha de frente de uma guerra. Não podia simplesmente guardar sua arma e chegar em casa a tempo para o jantar.

Bem, talvez pudesse. Mas não fazia. Quando percebeu que sua dedicação exigira em troca seu casamento, já era tarde demais.

O Departamento de Polícia de Nova York era a vida de Mitch. Mas isso não significa que ele o adorava. Homens entravam para a polícia por diferentes razões, nem todas louváveis. Uns curtiam a autoridade que o distintivo lhes dava. *Viciados em poder*. Esses eram os piores. Outros procuravam um senso de camaradagem. Para esses caras, o departamento era como uma equipe de softball ou uma fraternidade. Preenchia um vazio na vida deles que casamento, família e amizades civis não conseguiam. Mitch Connors compreendia esses caras, mas não se incluía entre eles. Ele não se tornara policial para fazer amigos nem para se impor sobre seus colegas cidadãos. Ele entrara para a polícia como uma forma de reparação pela morte de seu pai. E porque ainda acreditava que podia fazer a diferença.

Quem quer que tenha matado seu pai tinha saído impune. Isso não era certo. Culpados mereciam ser punidos. Quanto a pessoas culpadas ricas, educadas, como Grace e Lenny Brookstein, esses eram os piores de todos.

MITCH SE LEVANTOU, chutando a cadeira da tortura de Helen para longe de seu caminho. *Havia algum problema em pegar esse caso. Um lado negativo. Mas qual era?*

De repente, percebeu. *Claro. O FBI estaria envolvido.*

Fazia dois anos desde que a audaciosa fraude dos Brookstein viera à tona, mas como todos os Estados Unidos sabiam, os bilhões roubados do Quorum ainda estavam desaparecidos. Harry Bain, o simpático diretor assistente do FBI em Nova York, comandava a força-tarefa para encontrar o dinheiro desaparecido do Quorum, e até agora não tinha encontrado nada. Os agentes de Bain interrogaram Grace inúmeras vezes na prisão, mas ela se mantivera fiel à sua história. Ela dizia que não sabia de nada sobre o dinheiro, e seu falecido marido também não.

Como a maioria dos homens do Departamento de Polícia de Nova York, Mitch desconfiava do FBI. Com Grace Brookstein solta, era inevitável que Harry Bain começasse a intrometer o nariz formado em Harvard dele no caso de Mitch, fazendo perguntas, interferindo com testemunhas, valendo-se de sua superioridade hierárquica. Como o chefe de Mitch, de forma tão eloquente, colocaria:

— Bain vai ficar grudado no seu rabo como um caso grave de herpes. É melhor se preparar para se livrar dele.

Mitch estava preparado.

O dinheiro é problema de Harry Bain. Grace Brookstein é meu. Talvez, se ele capturasse Grace e se tornasse um herói nacional, Helen o aceitasse de volta. Era isso que realmente queria? Não sabia mais. Talvez ele não tivesse sido feito para o casamento.

Estava na hora de começar a trabalhar.

Capítulo 16

Quando entrou no caminhão, o calor atingiu Grace como um soco.

Seus dedos dos pés e das mãos latejavam enquanto a circulação começava a voltar. Era bom estar fora da estrada, mas sabia que não podia confiar em ninguém. Quanto tempo levaria até que sua fuga se tornasse notícia? Horas? Um dia, no máximo. Talvez já estivesse nas rádios? Logo distribuiriam sua foto atualizada...

— Para onde você vai?

Boa pergunta. Para onde ela ia?

Grace olhou para a bússola no painel.

— Para o norte.

O "plano" dela, se é que podia ser chamado de plano, era encontrar Davey Buccola em três semanas. Tinham um encontro marcado em Manhattan: Times Square. Foi Davey quem convenceu Grace a não ir atrás de John Merrivale assim que fugisse.

— Não arrisque estragar o seu disfarce até que a gente saiba tudo o que há para saber. — Davey estava convencido de que estava perto de provar quem tinha matado Lenny. — Só mais algumas semanas. Confie em mim. — A proposta do lugar e da hora do encontro fora dele. A teoria dele era que a Times Square era *tão* público, *tão* óbvio, que ninguém pensaria em procurar Grace lá. — Mesmo que alguém a reconheça, achará que é um engano. E se Deus quiser, até lá, ninguém vai reconhecer você. Você já vai ter tido tempo para mudar sua aparência.

Grace preferia encontrar Davey antes, mas ele foi inflexível.

— Só quando eu tiver mais coisa para contar. Até eu ter certeza. Todo encontro é um risco. Precisamos que valha a pena.

Enquanto isso, Grace encontraria um lugar seguro para ficar, colocaria a cabeça no lugar e, claro, começaria a desenvolver um disfarce decente. Já estava completamente diferente da mulher que os Estados Unidos conheceram em seu julgamento. Ninguém que conviveu com Grace em seus dias de glória como a rainha de Wall Street a reconheceria agora. O nariz quebrado, a pele pálida, o cabelo curto e escorrido, os olhos sofridos e sem brilho; tudo isso a ajudaria a se proteger nas primeiras horas e dias. Mas Grace sabia que logo isso não seria o bastante. Precisaria mudar sempre, todo dia, toda semana, como um camaleão.

Não era só a aparência que precisava mudar. *Preciso mudar por dentro também*. Mestres do disfarce, assim como atores bem-sucedidos, aprendiam como se *tornar* outra pessoa. Eles projetavam uma autoconfiança, uma credibilidade, que funcionava mais do que qualquer máscara ou peruca ou tinta no cabelo. Grace repetira o mantra sem parar nos dias que precederam sua fuga.

Grace Brookstein está morta.
Meu nome é Lizzie Woolley.
Sou uma arquiteta de 28 anos de Wisconsin.
— Norte, é?

A voz do motorista trouxe Grace de volta à realidade.

— Onde no norte?

Grace hesitou.

— Só estou perguntando porque você não está carregando nenhuma mala nem nada. E parece que se vestiu para ir para a Flórida. — Ele riu. Grace notou a forma como ele olhou para suas pernas descobertas. Instintivamente, ela as cruzou, puxando a saia para baixo.

— Saí correndo. Minha... irmã ficou doente.

Era uma mentira tão óbvia que Grace corou. O motorista pareceu não notar.

— Qual é seu nome, doçura?

— Lizzie.

— Bonito nome. Você é realmente bonita, Lizzie. Mas já deve saber disso, né?

Grace puxou a gola da blusa para cima, procurando mais algum botão para fechar, mas não tinha mais nenhum. Aquele cara estava lhe dando arrepios.

Sem avisar, ele desviou para o acostamento, parando de repente. Grace deu um pulo.

— Desculpe. Preciso mijar. — Soltando o cinto de segurança, ele saiu.

Grace observou enquanto ele desaparecia atrás do caminhão. Sua mente estava a mil.

Devo sair? Correr? Não, isso era loucura. Precisava de uma carona e conseguira uma. Seguiria com ele por uns 80 quilômetros, mais ou menos, depois desceria perto de alguma cidadezinha. *Não posso me dar ao luxo de ficar com medo de qualquer cara que se aproximar de mim. É isso o que os homens fazem, não é? Ele é legal.*

Dois minutos depois, o motorista voltou. Estava carregando uma garrafa térmica e um pote de plástico cheio de sanduíches. Ele deve ter pegado na traseira do caminhão.

— Com fome?

O estômago de Grace roncou alto.

— Estou.

Ele virou a chave e voltou para a estrada.

— Bem, então sirva-se, Lizzie. Eu já comi, mas a minha esposa sempre faz a mais.

Então, ele é casado. Na mesma hora, Grace relaxou.

— Obrigada. Muito obrigada mesmo.

Ela começou a comer.

GRACE ACORDOU na traseira do caminhão com o rosto no chão. Sua saia de lã tinha sido puxada até os quadris e sua calcinha, até os tornozelos. O motorista estava em cima dela, com as mãos entre suas pernas.

— Tudo bem, Lizzie. Boazinha e abertinha. Agora abre pro papai aqui.

Grace gemeu. Tentou se mexer, mas seu corpo estava pesado como chumbo. E com o peso extra do motorista em cima dela, era impossível. Com a mão livre, ele forçou o pênis para dentro dela.

— Não! — Grace não sabia se tinha dito isso alto ou apenas em sua cabeça. Não fazia diferença. O homem continuava entrando, cada vez mais fundo e mais forte. Mas não havia nada de frenético nos movimentos dele. Ele estava indo devagar. Satisfazendo-se. Grace sentiu as mãos dele subirem, entrarem por baixo de seu sutiã até encontrar seus seios.

— E esses peitinhos? — ele estava sussurrando no ouvido dela, provocando-a. Grace podia sentir os pelos do bigode dele em seu rosto.

— Está acordada agora, não está, Lizzie? Estou sentindo você se mexer lá embaixo. — Mais uma penetração. — Qual é a sensação, doçura? É bom ser comida? Aposto que é. Bem, não se preocupa, Lizzie, a gente tem a noite inteira.

Ele continuou estuprando-a. Incapaz de se mexer, Grace tentou pensar. *Ele deve ter me drogado. A garrafa térmica. Ele deve ter colocado alguma coisa no chá.* Ela imaginou que horas deviam ser e onde eles estavam agora. Não estava escutando o som de tráfego.

Provavelmente estamos em algum lugar escondido. Floresta. Algum lugar em que ninguém vai me escutar gritar.

O que ele faria quando terminasse: a jogaria na floresta, a mataria? Devagar, a névoa que tomara conta de sua mente começou a clarear. Ansioso para penetrá-la, o motorista não tirara suas roupas, nem os sapatos.

Meus sapatos...

Ao se aproximar do clímax, os movimentos dele estavam ficando mais rápidos. Grace cerrou os dentes, esperando-o gozar, mas, de repente, ele parou, saindo de dentro dela e virando-a para cima como uma boneca de pano. Ao olhar para o rosto dele, para aqueles olhos asiáticos dançando com um prazer sádico, Grace soube: *Ele vai me matar.*

O estupro era apenas a preliminar.

— Abre a boca — mandou ele.

Grace levantou as pernas, abrindo-as bem e depois fechando-as em torno das costas dele, puxando-o de volta para dentro dela.

— Me obrigue. — Ela fitou os olhos dele, as pupilas dilatando de excitação.

Ele sorriu.

— Então, quer dizer que você gosta disso, Lizzie? Melhor ainda. Vai ser uma noite e tanto.

Ele começou a transar com ela de novo, mais rápido agora. Grace apertou suas pernas em volta da cintura dele. Dentro de seu sapato esquerdo, ela começou a mexer os dedos até sentir o estilete de Cora.

— Isso! Isso mesmo, doçura!

Grace sentiu os músculos se contraírem nos ombros e nas costas dele. Ele começou a ejacular, e então, de repente, saiu de dentro dela. Segurando o grotesco pênis com uma das mãos, ele ajoelhou, abrindo a boca dela com a outra mão. Grace sentiu o jato quente de sêmen na sua língua, depois descendo por sua garganta. Ela engasgou. Ele estava rindo, com os olhos fechados, perdido no prazer sexual. *É agora. Essa é minha chance.* Arqueando as costas, com um único e fluido movimento, Grace arrancou seu sapato, agarrou o estilete, abriu-o e enfiou no meio das costas dele.

Por uma fração de segundo, o motorista continuou ajoelhado, um olhar de choque e perplexidade no rosto. Então, ele caiu para a frente, em silêncio, a lâmina ainda cravada em suas costas como a corda de um brinquedo. Grace precisou de toda a sua força para sair de baixo dele e tirar a faca. Sangue espirrou do ferimento como água da torneira.

Grace o empurrou para o lado. Ele estava tentando falar, mexendo a boca, mas ela só conseguia escutar o sangue borbulhando. Ela deu um chute forte na virilha dele. Ele já parecia incapacitado, mas é sempre bom ter mais certeza. Após revirar os bolsos dele à procura de dinheiro ou qualquer outra coisa de valor, ela rapidamente puxou a calcinha, endireitou suas roupas, se certificando de que o "kit de sobrevivência" de Karen com os documentos ainda estava com ela. Então, foi para a frente do caminhão e pegou as chaves e o casaco grosso que ele estava usando quando lhe dera carona.

Pronto.

Indo de novo para a traseira do caminhão, Grace abriu a porta. O motorista ainda estava vivo, mas por pouco tempo.

Embaixo dele, a poça de sangue estava ficando maior, como uma poça de chuva vermelha. Quando ele viu o estilete na mão de Grace, arregalou os olhos.

— Não! — murmurou ele. — Por favor...

Sua intenção era terminar o trabalho. Cravar a faca no coração dele, bem fundo, como o pênis doentio de estuprador dele, até que estivesse morto. Mas ao vê-lo implorar por misericórdia, escutando-o suplicar pela vida de forma patética, Grace mudou de ideia.

Por que permitir que ele morra rapidamente? Ele não merece. Vou deixar o cretino onde está. E deixá-lo sangrar até morrer, devagar e sozinho.

Grace fechou o estilete, virou-se e saiu correndo.

GRACE LEVOU DUAS horas até chegar aos arredores da cidadezinha mais próxima. As placas na estrada diziam que se chamava Richardsville, no condado de Putnam. O dia estava amanhecendo. Uma faixa de luz laranja abrindo passagem pelo céu negro da noite. De tempos em tempos, durante a longa caminhada, Grace escutara o inconfundível som de helicópteros no céu. *Já estão me procurando.* Será que eles tinham encontrado o motorista do caminhão? Se eles estavam perto? A adrenalina corria pelo seu corpo ferido, junto com uma torrente de sentimentos conflitantes: nojo. Terror. Dor. Fúria. Ela tinha sido estuprada. Ainda podia sentir o homem repugnante dentro dela, ferindo-a, violando-a. Ela também tinha matado um homem. Pensando no medo que ele iria sentir enquanto a vida se esvaísse dele, sozinho naquela assustadora floresta, Grace reconheceu um outro sentimento que não lhe era familiar: ódio. Não se arrependia do que tinha feito. Mas todos os seus sentimento e pensamentos estavam sendo eclipsados por uma sensação dominante: exaustão.

Precisava dormir.

O Up All Night, um hotel de beira de estrada, parecia saído de um filme de terror. Na frente, um letreiro de neon quebrado piscava prometendo LUXUOSOS BANHEIROS INDIVIDUAIS E TELEVISÃO COLORIDA EM TODOS OS QUARTOS! Dentro, o homem mais velho que Grace já vira na vida roncava tranquilamente na mesa da recepção. O rosto retorcido dele era coberto de rugas e seu corpo parecia uma relíquia encolhida. Ele fez Grace se lembrar de alguém: *Yoda*.

— Com licença.

Ele acordou com um pulo.

— Posso ajudar?

— Quero um quarto, por favor.

Yoda olhou Grace de cima a baixo. Ela sentiu seu estômago derreter. *Ele está me reconhecendo?* Estava tão nervosa que seus dentes tremiam, mas podia justificar isso com o frio. Tentara fazer sua voz soar autoritária e firme quando pediu o quarto mas o que saiu foi um suspiro amedrontado. *Será que ele está percebendo que fui atacada? Será que está sentindo o cheiro do cretino em mim? Talvez eu não deva ficar aqui. Devo seguir em frente?* Mas sabia que estava exausta demais para continuar.

O velho, porém, parecia mais irritado com a presença dela do que interessado. Após uma longa pausa, ele rosnou:

— *Vem comigo* — E levou-a por um corredor longo e sem graça. No final, havia uma porta sem número. — Tá bom aí?

Havia uma cama de solteiro, arrumada com lençóis de poliéster, cortinas de tecidos florais e um carpete cor de café coberto de manchas. Em um canto, havia uma minúscula televisão pendurada na parede. Ao lado, a porta do "luxuoso banheiro individual" estava aberta, mostrando um luxuoso vaso sanitário individual sem assento ou tampa e um luxuoso boxe individual com lodo entre os azulejos.

— Está bom. Quanto lhe devo?

— Quanto tempo vai ficar?

— Não sei ainda. — De repente, se conscientizando de sua aparência desgrenhada e do fato de que não tinha bagagem, Grace disse: — Briguei com meu namorado, saí correndo.

Yoda deu de ombros, entediado.

— Vinte dólares por esta noite.

Grace colocou uma nota na mão dele, e ele foi embora. Trancou a porta e fechou as cortinas. Tirou toda a sua roupa e foi para o banheiro. Então caiu de joelhos, debruçou-se no vaso e vomitou. Quando seu estômago estava vazio, levantou-se e foi para o chuveiro. Embaixo dos jatos fracos de água, ela se esfregou com o sabonete usado até sua pele sangrar. Ainda podia sentir as mãos imundas do motorista em seus seios, o sêmen de estuprador dele em seu rosto, na sua boca. Na traseira da van havia duas garrafas de água mineral que ela tinha usado para se lavar da melhor forma que pôde horas antes, para não levantar suspeitas. Na longa caminhada até ali, se forçara a se concentrar no banho que a esperava, em ficar limpa. Mas ela sabia que nunca mais ficaria limpa de novo.

Ao se secar, Grace teve ânsia de vômito de novo, mas não havia mais nada dentro dela para colocar para fora. Ela foi para o quarto e mergulhou na cama. Era um quarto quente. Recostando-se no travesseiro barato de espuma, ligou a televisão e viu seu rosto estampado lá. Ou melhor, seu rosto como ele já fora, havia muito, muito tempo.

Então já se tornou público. Pelo menos, eles estão usando uma foto antiga. A primeira coisa que vou precisar fazer amanhã de manhã é providenciar um disfarce antes que divulguem uma foto nova.

O âncora estava falando.

— *Notícia de última hora: Grace Brookstein fugiu de uma penitenciária de segurança máxima do estado de Nova York. Brookstein, viúva do bilionário Lenny...*

A reportagem continuou, mas Grace não escutou. Nunca se sentira tão cansada em toda a sua vida. O sono a envolveu como cobertores de cashmere. Fechou os olhos e deixou que ele a levasse.

Gavin Williams estava gritando:

— Vocês estão cegos? É isso! É a brecha de que estávamos precisando. Grace vai nos levar diretamente para o dinheiro!

Gavin Williams, Harry Bain e John Merrivale estavam tomando café da manhã no antigo prédio do Quorum. Era a manhã seguinte à fuga de Grace e a notícia estava em todos os jornais.

Harry Bain balançou a cabeça.

— Duvido. Mesmo se ela soubesse...

— Ela sabe onde está.

— Mesmo se soubesse, não chegaria tão longe. A polícia de Nova York inteira está atrás dela. Aposto que ela vai estar atrás das grades no final do dia de hoje. Ou isso ou algum policial com o dedo pesado vai atirar nela.

— Não! Não podemos deixar isso acontecer! — Não era comum Gavin Williams se descontrolar, mas ele parecia prestes a chorar. — Grace Brookstein continua sendo a chave para o nosso caso. Precisamos assumir o controle. Temos que insistir para que a polícia de Nova York entregue a investigação para o FBI.

Harry Bain riu.

— Ah, claro. Vou insistir. Tenho certeza de que o chefe de polícia vai adorar isso.

Gavin Williams olhou para John Merrivale em busca de apoio. Mas, é claro que John só fitou os sapatos, como o covarde que era. Furioso, Gavin Williams se levantou e saiu.

John Merrivale disse:

— Sei que não é meu pa-papel dizer isso. Mas acho que talvez o estresse desse caso esteja sendo pesado demais para o agente Williams.

Harry Bain concordou.

— Você está certo. Vou transferi-lo. Grace Brookstein se tornou uma obsessão. Isso está atrapalhando o julgamento dele. A fuga dela é uma distração e não podemos nos dar a esse luxo.

— Exatamente.

John Merrivale respirou aliviado.

Não descansaria em paz até que Grace fosse capturada. Ou melhor, levasse um tiro. A notícia da fuga dela o abalara demais. Mas a reunião de hoje fora tranquilizadora. Com Gavin Williams fora de cena, seria ainda mais fácil levar Bain e sua equipe para a direção errada. Eles acabariam ficando sem energia, ou dinheiro, ou ambos, e cancelariam a investigação. Então, finalmente, ele estaria livre. Livre para ir embora de Nova York, para largar Caroline. Uma vida sem correntes! No final, tudo teria valido a pena.

— Vo-você acha que vão encontrá-la rápido?

Harry Bain disse:

— Tenho certeza. Ela é Grace Brookstein, pelo amor de Deus. Onde vai se esconder?

EM SEUS SONHOS, Grace escutou alguém batendo na porta, de maneira fraca mas rápida e insistentemente, como um pica-pau a distância. O barulho ficou mais alto, mais próximo. Ela acordou.

Tem alguém na porta!

Levantando da cama de um pulo, ela pegou seu estilete e se enrolou no lençol, tropeçando na escuridão até a porta.

— Quem é?

— É eu.

Yoda. Grace abaixou o estilete e abriu um pouco a porta.

— Vai ficar mais uma noite?

A luz do corredor a deixou cega. Grace piscou.

— Como?

— Perguntei se vai ficar mais uma noite. Já é meio-dia. O check-out é daqui a meia hora. Se não for ficar, tem que sair do quarto até lá.

— Ah. Não. Vou ficar.

— Vinte dólares.

Grace pegou mais uma nota do rolo que Karen lhe dera e a entregou para o velho. Ele pegou sem dar nenhuma palavra, voltando para sua mesa na recepção como um besouro decrépito.

Meio-dia! Meu Deus! Eu devia estar apagada mesmo. Grace abriu a cortina, depois fechou de novo. Claro demais. Jogou água gelada no rosto, vestiu suas roupas — fediam ao cretino, mas era tudo o que tinha. Compraria roupas novas naquele dia. A televisão estava ligada desde a noite anterior. Grace aumentou o volume. Daquela vez, a matéria era sobre economia. Mas poucos momentos depois, seu rosto estava de volta à tela, agora, a foto que tiraram no dia em que entrou em Bedford Hills. *Ainda não se parece nada comigo.*

A âncora estava falando:

— *Grace Brookstein está desaparecida há 17 horas e até agora a polícia não tem nenhuma pista. O detetive Mitch Connors, que está conduzindo as investigações sobre a fuga de Grace Brookstein, está aqui comigo. Detetive, as pessoas já estão di-*

zendo por aí que o senhor e sua equipe estão perdidos. Acha que é uma declaração justa?

Um policial louro e atraente respondeu:

— Não, Nancy, não acho justa. Estamos seguindo diversos caminhos. Essa investigação começou apenas há algumas horas. Acreditamos que a presidiária será capturada rapidamente e estamos trabalhando para conseguir isso.

Grace analisou o rosto do policial. O detetive Mitch Connors parecia ter sido desenhado por um cartunista da Marvel Comics, maxilar bem quadrado e firme, olhos azuis. Fisicamente, ele a lembrava de uma versão mais rústica de Jack Warner. Mas a expressão dele não parecia nem um pouco com a de Jack. Talvez parecesse mais com a de Lenny. *São os olhos dele. Ele tem olhos generosos.*

Ele ainda estava falando.

— *Grace Brookstein e o marido trouxeram um enorme sofrimento a milhares de pessoas, principalmente aqui em Nova York. Acredite em mim, Nancy, ninguém quer ver essa mulher condenada de volta à cadeia mais do que eu. Não se engane. Nós a encontraremos.*

Grace desligou a televisão.

O detetive Connors pode ter olhos generosos, mas ele é meu inimigo.

Não podia se esquecer disso.

NAQUELA TARDE Grace caminhou até a cidade. Era tudo o que podia fazer para que seus dentes parassem de tremer, considerando que seu rosto estava em todos os noticiários e que a qualquer momento alguém poderia reconhecê-la e entregá-la para as autoridades. Mas não podia se esconder no hotel barato para sempre. Precisava de algumas coisas, e tinha de sair de Richardsville. Karen e Cora tinham lhe prevenido sobre os perigos de ficar muito tempo em um lugar só.

Escondida dentro da jaqueta do motorista, Grace andou pelos corredores do Walmart com a cabeça abaixada. No caixa, seu coração batia tão forte que ela achou que fosse desmaiar. Felizmente, a adolescente mal-humorada que trabalhava ali parecia mais interessada na lasca que saíra de uma de suas unhas de acrílico do que na cliente nervosa ou nas suas compras.

— Oitenta e oito dólares; dinheiro ou cartão?
— Dinheiro.
— Obrigada, bom-dia.

A garota nem levantou os olhos. Quando Grace voltou para seu quarto no Up All Night, já eram quase 16 horas. Trancou a porta e esvaziou as sacolas do Walmart em cima da cama: tinta de cabelo, tesoura, maquiagem, desinfetante, calcinha, sutiã, um pacote com três camisetas, jeans, um gorro e uma bolsa de ginástica cinza.

Pôs mãos à obra.

O VELHO DA RECEPÇÃO analisou a foto no jornal. Seus olhos não eram mais os mesmos.

Podia ser?

O nariz da garota era diferente. E o cabelo. Ainda assim, definitivamente, elas eram parecidas. Ela tinha chegado no meio da madrugada, sem nenhuma mala. Ele olhou o jornal de novo. O policial na televisão disse para notificar qualquer coisa suspeita, por mais trivial que parecesse.

O velho pegou o telefone.

GRACE OLHOU-SE no espelho quebrado do banheiro. Mas não era ela. Era outra pessoa, a primeira de suas quatro identidades. Lizzie Wooley.

Olá, Lizzie.

Cuidadosamente, Grace limpou todos os rastros de tinta e mechas de cabelo que tinham caído no chão, jogou-os em uma sacola vazia do Walmart junto com uma caixa da tinta e suas roupas velhas, amarrou-a pelas alças e enfiou dentro de sua bolsa. Vestiu-se rapidamente. As roupas limpas lhe causaram uma sensação maravilhosa. Por um momento, Grace pensou em sua antiga vida e sorriu. Naquela época, ela nunca poderia imaginar que, algum dia em sua vida, uma calça jeans do Walmart lhe pareceria um luxo! Já gastara dois terços do dinheiro que Cora e Karen tinham lhe dado. Logo, teria de entrar em contato por e-mail com o "amigo" misterioso de Karen e pedir mais. Cora lhe assegurara que receber dinheiro pelo correio era anônimo e fácil. Só precisava ir a um dos vários postos, apresentar a identidade falsa e pegar o dinheiro.

— É como todos os imigrantes ilegais deste país pagam o aluguel, querida. O trabalho deles é não fazer perguntas.

Mesmo assim, Grace esperava não precisar ter de fazer isso com muita frequência.

Ela vira os horários dos ônibus mais cedo. O ônibus seguinte para a cidade saía às 18h15.

Tempo suficiente.

O VELHO bateu à porta.

Ninguém respondeu. O oficial McInley, o melhor e único de Richardsville, parecia irritado.

— Achei que você tinha dito que ela estava aqui com certeza.

McInley soube no momento em que o Velho Murdoch ligou que isso não daria em nada. Grace Brookstein, hospedada no Up All Night? Até parece. Ela provavelmente estava dividindo um quarto com Caco, o sapo, e o coelhinho da Páscoa. Todo mundo em Richardsville sabia que Murdoch já estava senil havia anos.

— Ela tá aqui, ora. Eu vi ela entrar com meus próprios olhos, e ela *num* saiu mais. Deve tá dormindo.

Pegando a chave-mestra no cinto, o homem destrancou a porta.

— Senhorita?

O quarto estava vazio. Não apenas vazio, mas impecável. A cama estava feita, as superfícies limpas. Parecia que ninguém se hospedava ali fazia semanas.

O oficial McInley revirou os olhos.

— Ela tava aqui, tô te dizendo. Duas noites. Juro por Deus. Deve ter fugido pela janela.

— A-hã. — *Em um macaco voador.* — Bem, se você vir a mulher outra vez, primeiro tenha certeza, depois nos avise.

Capítulo 17

MARIA PRESTON ENTROU como que flutuando no restaurante Caprice, no sexto andar do hotel Four Seasons de Hong Kong. Usando uma túnica de chiffon e as pérolas recém-compradas no distrito de joias da cidade de Cantão, ela sacudiu o jornal para o marido.

— Você viu isso, Andy?
— Vi o quê, meu amor?
— Grace Brookstein fugiu da prisão!

Andrew Preston ficou branco.

— Fugiu? Como assim, fugiu? Não é possível. — Pegando o jornal, ele leu a matéria da primeira página.

Uma enorme operação policial foi armada ontem à noite em Nova York depois que a golpista condenada Grace Brookstein aparentemente fugiu de uma penitenciária de segurança máxima no condado de Westchester. Acredita-se que Brookstein, uma das mulheres mais famosas dos Estados Unidos, tenha roubado mais de 70 bilhões de dólares em uma conspiração comandada por seu marido, Leonard...

— Dá para acreditar? — Maria riu enquanto se servia de um grande copo de suco de laranja. — *Fugiu da prisão*. Parece coisa de *Desperate Housewives*. Daqui a pouco, vão encontrá-la desmaiada no banheiro com amnésia e os vinte últimos anos nunca aconteceram! Você acha que vão conseguir pegá-la?

Andrew estava perplexo demais para falar. Isso era um desastre. Uma catástrofe. Justo agora que achava que o pesadelo tinha ficado para trás, Grace tinha de reaparecer assim e reabrir velhas feridas. Maria parecia achar que isso era algum tipo de piada. Mas por que não acharia? Ela não fazia a menor ideia do estresse pelo qual ele vinha passando. Contanto que tivesse dinheiro para gastar — a viagem para Hong Kong já custara mais de 40 mil dólares, não incluindo a quantia astronômica que Maria "investira" em pérolas —, ela estava feliz. O que importava se Andrew não dormia bem havia um ano? Se ele deitava na cama deles, na suíte presidencial de 12 mil dólares por noite com vista para Victoria Harbour e Kowloon Bay, se contorcendo com dores no estômago e enxaquecas terríveis, assombrado por pesadelos envolvendo Lenny Brookstein e o rosto terrível e cheio de cicatrizes de um homem chamado Donald Anthony Le Bron? Se não fosse por Maria, nunca teria feito o que fez. Nunca teria traído um amigo, nunca teria se tornado um ladrão, nunca teria se associado a tipos como Le Bron. E, ainda assim, não podia contar para ela. Simplesmente não podia.

O mais angustiante de tudo era a perda de cabelo. No último Natal, o cabelo de Andrew começara a cair em tufos, como um cachorro sarnento. Ele entrou em pânico. *Estou me desfazendo. Literalmente. É o começo do fim.*

Graças a Deus foi John Merrivale quem precisou ficar com o FBI, e não ele. O estresse teria acabado com ele. Andrew ainda podia ouvir a voz de John Merrivale em sua cabeça, repetindo seu mantra:

— *Mantenha a nossa história e você vai fi-ficar bem. Nós dois vamos.*

Até agora, tinha dado certo. Mas a fuga de Grace mudava tudo.

— Andy, você está me escutando? Eu perguntei se você acha que eles vão conseguir capturá-la?

— Tenho certeza que sim. — *Eles têm que capturá-la.*

— O que que você acha que vai acontecer com ela, depois?

— Não sei. Acho que devem levá-la de volta para a prisão.

Andrew pensou em Grace Brookstein, a menina doce e ingênua com quem convivera por tantos anos. Pobre Grace. Ela era a única vítima inocente de toda essa história. Infelizmente, isso era o que acontecia com carneirinhos inocentes. Eram levados para o abate.

Maria bebericou seu suco de laranja contente.

— Não fique com essa cara horrível, Andy. Até parece que a polícia está atrás de você, e não dela. Agora, me dê o jornal. Tem um lindo vestido Balenciaga no caderno de moda. Acho que vou mandar copiar.

JACK WARNER VIU a notícia na televisão. Estava em um bar com Fred Farrel, seu gerente de campanha, discutindo sua estratégia de reeleição. Quando viu o rosto de Grace na tela da televisão, engasgou com o pistache.

— Minha mãe do céu! Dá para acreditar nisso?

Fred não podia. As pessoas não fugiam de lugares como Bedford Hills assim. Não na vida real. Muito menos, esposas "troféu" louras e lindas como Grace Brookstein.

— Você vai ter de fazer uma declaração.

A brilhante mente política de Fred Farrel já estava a mil. Aquele não era um bom momento para o escândalo do Quorum voltar à tona para assombrá-los. Grace provavelmente seria capturada em poucas horas, mas isso renovava o interesse da mídia no caso Brookstein, o que poderia levar meses. Jack não podia ser arrastado para dentro disso.

— Vou escrever alguma coisa. Enquanto isso, vá para casa e fique lá.

Jack Warner foi para casa. Durante a viagem de uma hora até Westchester, ele colocou os pensamentos em ordem. Fred Farrel não sabia nem da metade. Sabia sobre as dívidas de jogo e da recusa de Lenny Brookstein em pagá-las. Mas Jack Warner tinha alguns outros esqueletos em seu armário além do jogo. Segredos explosivos que podiam destruí-lo e dar um fim às suas esperanças políticas.

Lenny sabia a verdade. Mas Lenny está morto, queimando no inferno, que é onde ele merece estar.

A questão era se ele tinha levado o que sabia com ele para o túmulo? Ou se tinha contado para a sua amada esposa? Enquanto Grace estava trancada na prisão, isso não importava. Mas agora ela estava solta, correndo pela própria vida. Descontrolada, com nada a perder.

Não posso deixar aquela vadia me destruir. E não vou.

Honor correu para a entrada para encontrá-lo. Os olhos dela estavam vermelhos e inchados. Era óbvio que ela tinha chorado.

— Ah, Jack! Você viu os jornais?

— Claro que vi. — Ele a empurrou para dentro. A imprensa poderia chegar a qualquer momento. — Pelo amor de Deus, se controle. Por que está chorando?

Honor não sabia. Sempre invejara Grace, se ressentira com ela, chegara até a odiá-la. Ao mesmo tempo, a condenação de sua irmãzinha a perturbava. Grace era tão capaz de participar de uma fraude sofisticada quanto de trocar um pneu ou preencher uma declaração de imposto de renda. Honor sabia disso melhor do que ninguém. *Eu devia ter deposto a favor dela no julgamento. Ou, pelo menos, ter ido visitá-la na prisão. Mas não fui. Eu fiz o que Jack me mandou fazer. Eu sempre faço o que Jack manda.*

— Disseram na televisão que ela pode até levar um tiro. Que o público em geral é um risco maior para ela do que a polícia.

— E daí? — Jack não estava interessado nos problemas de Grace. Estava interessado nos seus. — Fred está escrevendo um pronunciamento para mim. Até lá, quero que você e as crianças fiquem em casa. Não fale com ninguém sobre Grace. Entendeu?

Honor assentiu.

— Se ela tentar entrar em contato com você, deve me avisar imediatamente. Não à polícia, mas a mim.

— Sim, Jack.

Ele começou a subir as escadas. Ela chamou:

— Jack? Por que você acha que ela fez isso?

— Como assim?

— Por que ela fugiu? Ela devia saber do risco em que estava se colocando. Sem mencionar que assim ela acaba com qualquer chance para uma apelação. Apenas me parece tão... imprudente. Tão pouco característico dela.

Jack Warner deu de ombros.

— Talvez ela tenha mudado. A prisão muda as pessoas, sabia?

Assim como a política, pensou Honor. Olhou-se no espelho do corredor e estremeceu. Não reconheceu a pessoa que se tornara.

— FUGIU? Meu Deus!

Michael Gray tinha passado o dia em seu novo barco, um presente de aniversário de casamento de Connie. Não soube da notícia até se sentar à mesa para jantar.

— Eu sei. Nunca diria que ela faria algo assim. Escondida em um caminhão de entrega, dá para acreditar? E dizem que é "segurança máxima".

Michael pareceu triste.

— Você acha que nós devíamos... não sei, tentar ajudá-la de alguma forma?

Connie arregalou os olhos.

— *Ajudá-la?* O que você está querendo dizer? Como poderíamos ajudá-la? Sendo mais específica, *por que* deveríamos ajudá-la depois do que ela fez?

Michael Gray amava a esposa e cedia às opiniões dela sobre a irmã. Mas nunca se sentira à vontade com todo mundo lavando as mãos e virando as costas para Grace depois do julgamento. Na época, não lhe pareceu certo. Agora, de alguma forma, parecia menos certo ainda.

Tanta coisa tinha acontecido desde a maldita viagem para Nantucket um ano e meio atrás. Naquela época, Grace e Lenny tinham tudo: um casamento perfeito, fortuna, e ele e Connie não tinham nada. Michael Gray não tinha se esquecido daqueles dias sombrios. Perder seu emprego na Lehman foi como perder o pai ou a mãe. A Lehman Brothers era muito mais do que um empregador. Dera a Michael sua identidade, seu valor. Quando a empresa faliu, foi como a morte. Mas Michael não teve tempo para ficar de luto. Foi atingido por uma crise após a outra, vendo suas economias desaparecerem, depois a casa. O pior de tudo foi a distância crescente entre ele e Connie. Michael Gray sentia que seria capaz de enfrentar qualquer coisa com o apoio da esposa. Mas a cada golpe, Connie se afastava mais dele. Até a forma como ela olhava para ele naquela época, tão *decepcionada,* tão *enojada*, quase como se o que tinha acontecido fosse culpa dele, como se ela o culpasse pelo sofrimento deles... Só de lembrar já começava a suar frio.

Tudo isso fora há apenas 18 meses, mas parecia em outra vida. Desde então, passaram pelo colapso do Quorum, a morte de Lenny, a prisão de Grace, o julgamento... E agora isso. Era surreal. Conforme a sorte de Grace começou a ir embora, alguma corda invisível pareceu começar a levantar a vida de Michael e Connie, para fora da lama e de volta para o calor do sol. Michael conseguiu um emprego em um pequeno escritório de consultoria. O salário não era ótimo mas ele tinha participação acionária. Mais importante, ele tinha uma razão para se levantar da cama todos os dias. Isso não tinha preço. Connie se tornou menos distante e mais carinhosa. A decepção sumiu. Em seu lugar, apareceu o velho olhar de amor, aquela combinação única de confiança, desejo e respeito que fazia Michael achar que podia mover montanhas. Ele a amava tanto.

Ela é a minha força e a minha fraqueza. Eu morreria por ela e mataria por ela. E ela sabe disso.

Mas o melhor ainda estava por vir. Alguns meses depois que Grace começou a cumprir sua pena em Bedford Hills, o advogado de Connie a chamou para uma reunião. Aparentemente, algum parente idoso e distante tinha deixado para ela alguma coisa no testamento. Michael esperara algumas ações ou talvez uma joia.

Na verdade, sua esposa recebera 15 milhões de dólares.

Naquela noite, ela fez amor com ele com uma paixão que Michael não via desde que tinham se casado. Ele até brincou:

— Acho que ser uma mulher rica combina com você, amor.

Connie sorriu.

— Acho que sim. Vamos comprar uma casa nova, Mike. Esta casa tem muitas recordações dolorosas.

— Ei, mas também tem muitas recordações boas, não tem? Foi aqui que as crianças nasceram. Você realmente quer sair daqui?

Connie não hesitou:

— Quero sim. Quero um recomeço. Para todos nós. Sem olhar para trás.

Eles venderam a casa.

— NÃO POSSO ACREDITAR que você realmente queira ajudar Grace. De onde tirou essa ideia?

Eles estavam na sala de estar da casa nova. Connie fizera todo o possível naquele Natal, decorando toda a casa em branco e prata. Sendo uma mulher tradicionalista, se recusava a tirar qualquer enfeite antes da noite de Reis. Ao voltar para casa, Michael sentia como se estivesse entrando na gruta do Papai Noel.

— Não sei. De nenhum lugar específico. Nós temos tanto, só isso.

— E Grace não tem? — Connie riu amargamente. Sempre que conversavam sobre Grace ou Lenny, o ódio dela parecia ressurgir, como um demônio enjaulado quando era solto. — Aquele dinheiro do Quorum está em algum lugar, Mike. O FBI tem certeza de que a pobre Grace sabe onde ele está. Quem somos nós para dizer o contrário?

Mike queria dizer *a família dela,* mas não disse. Tinha medo.

Ao ver o medo nos olhos dele, Connie se acalmou.

Bom. Ele não vai forçar esse assunto. Ele me ama demais.

Connie estava estarrecida com a fuga da irmã. A Grace que ela conhecia nunca teria a audácia para planejar nada tão ousado, muito menos passar a perna na polícia. Bem no fundo, Connie sabia que Grace não tinha nada a ver com o roubo dos bilhões do Quorum.

Ela não está atrás do dinheiro. É alguma outra coisa.

Da verdade, talvez?

Mike ainda não fazia ideia do envolvimento de Connie com Lenny Brookstein. Nem questionara a herança misteriosa. *Ele é tão crédulo. Como Grace.* Connie queria que as coisas continuassem assim.

Passando os braços em volta do pescoço de Michael, ela sussurrou:

— Quero que sejamos felizes, querido. Deixar o passado para trás. Você não quer?

— Claro que quero, meu amor. — Ele a abraçou com força.

— Então, não vamos mais falar sobre ajudar Grace. Esse capítulo das nossas vidas está encerrado.

Capítulo 18

Estar em Nova York de novo, revisitando os locais e sentindo os cheiros, não era bem como estar de volta à sua casa. Ela se sentia mais segura na cidade. Sua nova aparência também ajudava: cabelo bem curto, cor de chocolate, maquiagem escura, roupas largas e masculinas. Uma garota em Bedford Hills lhe dissera que mudar a maneira de andar alterava drasticamente a percepção das pessoas. Grace passara horas aperfeiçoando um modo de andar menos feminino, com passos longos. Ainda ficava nervosa ao ver seu "antigo rosto" em todas as televisões e bancas de jornal. Mas conforme os dias foram passando, ela ficou mais confiante com a combinação do seu disfarce e do anonimato que a multidão da cidade lhe oferecia, pelo menos.

No seu segundo dia na cidade, ela se aventurou em um pequeno cibercafé e mandou um e-mail para o endereço que Karen lhe dera usando o código especificado: 200011209LW. Grace esperava que isso significasse "por favor, mande 2 mil dólares para o CEP 11209 em Nova York no nome de Lizzie Wooley", mas ainda tinha medo que alguma coisa desse errado. Dois mil era muito para pedir ou pouco? Um pouco tarde demais ela percebeu que não fazia ideia se o amigo de Karen tinha muito dinheiro ou não, ou quanto estava disposto a mandar para ela. Por outro lado, não queria se arriscar a precisar fazer isso toda semana, não com metade da polícia do país atrás dela.

Na verdade, pegar o dinheiro foi tão tranquilo quanto Cora dissera que seria. Havia um balcão dos correios na farmácia da esquina. Um homem gordo e deprimido de mais ou menos 40 anos olhou a identidade de Grace e, sem nem mesmo fazer contato visual com ela, muito menos examinar seus traços, entregou a ela um envelope cheio de dinheiro e um recibo.

— Aqui está, Srta. Wooley. Tenha um bom dia.

Grace começou a pensar menos em ser capturada e mais em seu iminente encontro com Davey Buccola. Davey vinha pesquisando os álibis de todo mundo que ela e Lenny convidaram para Nantucket naquele maldito final de semana. Ainda não parecia muito real para Grace a ideia de que os Preston ou os Merrivale ou mesmo uma de suas irmãs tivessem feito algo tão terrível: roubado todo o dinheiro, matado Lenny, causado a sua prisão e saído impune. Mas que outra explicação havia? Esperava que quando visse o resultado concreto da pesquisa de Davey Buccola, tudo ficasse mais claro. Tudo dependia desse encontro.

Sozinha no minúsculo estúdio, Grace pegou vários recortes de jornais e os arrumou em cima da cama. Ali estavam todos: Honor e Jack, Connie e Mike, Andrew e Maria, e, claro, John e Caroline. Entre eles, esses oito rostos continham a chave para a verdade. Ao lado deles, um pouco afastado, Grace colocou uma nona foto: a do detetive Mitch Connors, o homem cujo dever era capturá-la. Definitivamente, ele era atraente. Grace se pegou perguntando se ele era casado e se amava a esposa tanto quanto ela amara Lenny.

É claro que ele acabaria conseguindo capturá-la. A sorte dela não duraria para sempre. Mas isso não importava para Grace. O que importava era fazer o que tinha de fazer.

Fechando os olhos, ela falou com Lenny, suas palavras meio promessa, meio oração:

Conseguirei fazer isso, meu amor. Farei por nós dois. Vou descobrir quem o tirou de mim e fazê-lo pagar. Prometo.

Ela dormiu e se sentiu mais forte.

— MAIS CHÁ, detetive? Meu marido deve chegar a qualquer momento.

Honor Warner estava visivelmente nervosa. Mitch percebeu como as mãos dela tremiam ao levantar o bule de prata da bandeja. Líquido marrom e quente respingou por toda a toalha branca que cobria a mesinha.

— Não, obrigado, Sra. Warner. Foi a senhora mesma quem eu vim ver. Sua irmã tentou entrar em contato com a senhora depois da fuga?

— Entrar em contato comigo? Não, de forma alguma. Se Grace tivesse ligado, eu teria avisado a polícia imediatamente.

Mitch virou a cabeça para o lado e sorriu de forma simpática.

— Teria mesmo? Por quê?

Aquela mulher o deixava intrigado. Ela era irmã de Grace Brookstein. Em determinada época, para todos os fins, haviam sido próximas. Elas até se pareciam. Mas quando Grace perdeu tudo, Honor Warner desapareceu.

— Como assim? Não entendi.

— Só estou querendo dizer que Grace é sua irmã — explicou Mitch. — Seria compreensível se a senhora quisesse ajudá-la. Não seria errado.

Isso pareceu abalar Honor. Ela olhou em volta, como se procurasse uma forma de fugir. Ou talvez estivesse procurando microfones ou câmeras escondidos? Será que ela achava que estava sendo observada? Ela acabou dizendo:

— Grace fez muitos inimigos, detetive. Ela está correndo mais perigo fora da prisão do que dentro. Estou pensando na segurança dela.

Mitch se esforçou para não rir. *Até parece.*

— A senhora não foi ao julgamento.

— Não.

— Pelo que estou sabendo, a senhora nunca visitou sua irmã em Bedford Hills.

— Não.

— Por quê?

— Eu... meu marido... nós achamos que seria melhor assim. Jack trabalhou tanto para chegar onde ele está hoje. Se os eleitores o associarem ao Quorum... bem. O senhor entende.

Mitch não fez o menor esforço para esconder seu nojo. Entendia perfeitamente.

Lendo os pensamentos dele, Honor disse, na defensiva:

— Meu marido fez muita coisa boa para seus eleitores, detetive. *Muita* coisa boa. É certo que a imagem dele fique manchada por causa da ganância de Lenny Brookstein? Grace fez as escolhas dela. Estou preocupada com ela, mas... — Ela deixou o final da frase no ar.

Mitch se levantou.

— Obrigado, Sra. Warner. Sei o caminho da porta.

Foi a mesma história com Connie Gray.

— Minha irmã mais nova nunca aprendeu a se responsabilizar pelos próprios atos, detetive Connors. Grace acredita que tem *direito* à riqueza, à beleza, à felicidade, à liberdade. Não importa o quanto isso custará aos outros. Então, respondendo à sua pergunta, não, não sinto pena dela. E certamente não tive notícias dela. E nem espero ter.

Com amigos como os de Grace Brookstein, quem precisa de inimigos?

Falando com a amarga e fria irmã de Grace, Mitch quase sentiu pena da mulher cuja ganância deixara Nova York de joelhos. A raiva de Connie era como uma presença física na sala, emanando do corpo dela como calor de um radiador. O ambiente estava pesado.

— Tem mais alguém de quem você se lembre? Alguém para quem Grace poderia ligar ou com quem poderia contar? Uma amiga de escola talvez? Um namoradinho de infância?

Connie balançou a cabeça.

— Ninguém. Quando Grace se casou com Lenny, ela foi completamente envolvida pelo mundo dele.

— Você parece não aprovar.

— Eu e Lenny... Digamos que nós não éramos próximos. Sempre achei que ele e Grace não combinavam. De qualquer forma, ela não tem velhos amigos. John Merrivale apoiou Grace por um tempo, até que Caroline conseguiu colocar juízo na cabeça dele. Coitado do John.

— Por que coitado do John?

— Ah, detetive. Você o conheceu. Ele adorava Lenny. Foi cachorrinho de Lenny durante anos.

— Ele certamente era mais do que isso, não?

— John? Não. Nunca. — Connie riu de forma cruel. — A mídia faz com que ele pareça um mago das finanças, *uma pessoa essencial do Quorum*. É uma farsa! Ele não era nem sócio, mesmo depois de vinte anos. Lenny o usou. Grace também. E ele está até agora limpando a sujeira do Quorum. Não é de admirar que seus colegas do FBI ainda não tenham encontrado o dinheiro. É como um cego guiando outros.

O CLIMA DA coletiva de imprensa foi hostil. O povo queria respostas e Mitch Connors não as tinha.

Já fazia quase uma semana desde a dramática fuga de Grace Brookstein de Bedford Hills e a pressão estava cada vez maior em cima de Mitch e sua equipe para mostrar algum progresso. A mídia parecia ter colocado na cabeça que a polícia estava escondendo informações. Mitch sorriu. *Quem dera!* A verdade era que ele não tinha nada. Grace Brookstein fugira da cadeia e sumira. Ela não entrara em contato com ninguém, nem com a família nem com os amigos. No dia anterior, em uma ação que foi interpretada corretamente como desesperada, a polícia de Nova York ofereceu uma recompensa de 200 mil dólares para quem desse alguma informação que os levasse a capturar Grace. Foi um erro. Em duas horas, a equipe de Mitch recebeu mais de oitocentas ligações. Aparentemente, Grace Brookstein fora vista em todos os lugares de Nova York à Nova Escócia. Duas pistas pareciam poder levar a algum lugar, mas acabaram em nada. Mitch se sentia como uma criança tentando pegar bolhas de sabão, sem saber para que lado se virar e destruindo tudo que tocava. E pensar que ele tinha achado que este caso seria fácil.

— Só isso por hoje, pessoal. Obrigado.

O grupo de jornalistas dispersou. Mitch voltou para seu escritório para se esconder, mas parecia que naquele dia não teria trégua. O tenente-detetive Henry Dubray não era fácil na maior parte do tempo. Sentado na cadeira de tortura de Mitch como um sapo gigante, ele parecia ainda pior do que de costume. Sua pele estava manchada e destruída pela bebida, e o branco de seus olhos estava amarelo como girassol. A pressão do caso Brookstein estava cobrando tributo de todos eles.

— Mitch, me dê uma boa notícia.

— Os Knicks ganharam ontem à noite.

— Estou falando sério.

— Eu também. Foi um jogo ótimo. Você não viu?

Mitch sorriu. Dubray não.

— Desculpe, chefe. Não sei o que dizer. Não temos nada.

— O tempo está acabando, Mitch.

— Eu sei.

Dubray saiu. Não havia mais nada a dizer. Ambos sabiam da realidade. Se Mitch não conseguisse alguma pista concreta nas próximas 24 horas, ele seria afastado do caso. Rabaixado, certamente. Talvez até demitido. Mitch tentou não pensar em Celeste e na cara escola particular em que Helen queria matriculá-la. No momento, odiava Grace Brookstein.

Olhou para o quadro branco na parede de seu gabinete. A foto de Grace estava no meio. Em volta dela, como as pontas de uma estrela, havia vários grupos de fotos: funcionários e presidiárias de Bedford Hills; família e amigos de Grace; conexões no Quorum; pessoas do público em geral que tinham dado as pistas mais significativas. *Como tantas fontes podiam levar a lugar nenhum?*

O telefone tocou.

— Ligação para o senhor na linha um, detetive Connors.

— Quem é?

— Grace Brookstein.

Mitch deu uma gargalhada.

— Ah, obrigado, Stella. Não estou no clima para trotes.

Ele desligou. Trinta segundos depois, o telefone tocou de novo.

— Stella, já disse, tenho problemas o suficiente sem...

— Bom-dia, detetive Connors. Aqui é Grace Brookstein.

Mitch congelou. Após escutar a horas de gravação do testemunho de Grace no julgamento, ele teria reconhecido sua voz em qualquer lugar. Ele acenou freneticamente para seus colegas do lado de fora do gabinete.

— É ela — disse ele, apenas com os lábios. — Rastreiem a ligação.

Ele fez um esforço consciente para falar devagar. Não podia demonstrar sua excitação. Mais importante ainda, precisava fazê-la falar por tempo suficiente para conseguir rastrear.

— Olá, Sra. Brookstein. O que posso fazer pela senhora?

— Pode me escutar.

A voz era a mesma das gravações do julgamento, mas o tom era diferente. Mais duro, mais determinado.

— Estou escutando.

— Alguém incriminou meu marido e a mim. Eu nunca roubei dinheiro nenhum, nem Lenny.

Mitch fez uma pausa, tentando mantê-la na linha.

— Por que está me dizendo isso, Srta. Brookstein? Não sou do júri. Sua condenação não teve nada a ver comigo.

— É *Sra.* Brookstein, sou viúva e não divorciada, detetive.

Você é uma tola. Nunca devia ter feito esta ligação. Apenas continue falando.

— Estou falando isso porque eu o vi na televisão e o senhor parece um homem bom. Honesto.

O elogio surpreendeu Mitch.

— Obrigado.

— O senhor parece um homem que gostaria de saber da verdade. Não é?

Na verdade, eu sou um homem que quer manter você na linha pelos próximos dez segundos, nove... oito.

— Sabe, Sra. Brookstein, a melhor coisa que a senhora poderia fazer neste momento é se entregar. — *Seis... cinco...*

Grace riu.

— Por favor, detetive. Não insulte a minha inteligência. Preciso ir agora.

— Não. Espere! Posso ajudá-la. Se a senhora for inocente, como diz, existem canais legais...

Desligou.

A linha ficou muda. Mitch olhou, cheio de esperança, para os colegas do outro lado do vidro, mas a forma como balançaram a cabeça mostrou a ele o que já sabia.

— Mais dois segundos e nós teríamos conseguido.

Mitch afundou em sua cadeira e apoiou a cabeça nas mãos. Na mesma hora, o telefone tocou de novo. Mitch atendeu como um amante esperando o telefone tocar, na esperança de que fosse ela.

— Grace?

Uma voz de homem respondeu.

— Detetive Connors?

Mitch sentiu a esperança se esvair dele como sangue de uma veia aberta.

— É ele.

— Detetive, meu nome é John Rodville. Sou o chefe de internações do Centro Médico Putnam.

— Sim — disse Mitch, exausto. O nome não dizia nada para ele.

— Temos um paciente aqui que foi trazido na semana passada com uma facada nas costas. Ele estava em coma até esta manhã. Não achamos que ele iria sobreviver, mas conseguiu.

— Que ótimo, Sr. Rodville. Fico feliz por ele.

Mitch estava prestes a desligar quando o homem disse, contente:

— Realmente achei que fosse ficar. Principalmente porque ele identificou Grace Brookstein como a pessoa que o atacou.

Capítulo 19

Mitch entrou no centro de terapia intensiva.

— Detetive Connors. Estou aqui para ver Tommy Burns.
— Ele mostrou o distintivo para a enfermeira de plantão.

— Por aqui, detetive.

O chefe da internação contara toda a história do motorista do caminhão para Mitch. Segundo Tommy Burns, ele era um jardineiro autônomo que, por acaso, dera carona para uma moça a poucos quilômetros de Bedford Hills na terça-feira à noite. A mulher usava o nome de Lizzie. Eles já tinham percorrido uns 60 quilômetros para o norte quando ela, de repente, puxou uma faca, forçou-o a entrar na floresta, o esfaqueou, roubou seu dinheiro e o deixou ali para morrer.

— Umas crianças locais o encontraram. Estavam caçando. Mais umas horas e ele teria sangrado até morrer.

— Ele acredita que essa Lizzie que o atacou, na verdade, é Grace Brookstein?

— Ele parece certo disso. Algumas horas depois que ele acordou, pediu para ligar a televisão. O rosto de Grace Brookstein apareceu no jornal e ele ficou louco. Tivemos que sedá-lo. Ele quer falar com o senhor, mas ainda está muito fraco, então, pegue leve. A mulher e os filhos dele ainda não o viram.

Mitch pensou: *Esposa e filhos. O coitado é pai de família. Mas é claro que Grace Brookstein não ligava para isso. Ela pegou uma carona, usou-o para o que queria, depois deixou-o para morrer na floresta, sozinho.* Lembranças dolorosas sobre a morte de seu pai voltaram. O assassino de Pete Connors nunca seria preso. Mas Grace Brookstein com certeza seria. Homens como Tommy Burns mereciam justiça. Mereciam ser protegidos.

Mitch se aproximou da cama de Tommy Burns cheio de compaixão.

Quando deixou o hospital 15 minutos depois, se viu desejando que Grace Brookstein tivesse acabado com o serviço. Tommy Burns era tão agradável quanto um caso grave de hemorroida. E também era um mentiroso safado.

— Jesus, detetive, eu já falei. Eu fui o bom samaritano, *tá* bem? Vi uma moça em apuros e fiz a coisa certa. Um minuto, nós estávamos seguindo pela estrada, ouvindo rádio, tudo tranquilo. No minuto seguinte, *bam*! A vadia estava com uma faca no meu pescoço. Eu não tive a menor chance.

Mitch queria acreditar nele. Muito. Naquele momento, Tommy Burns era a única testemunha que tinha. Mas não acreditava. Alguma coisa no cara não estava certa.

— Vamos voltar para quando você a pegou. Certo, Sr. Burns? Você disse que parecia que estava em apuros?

— Ela estava com pouca roupa. Estava muito frio, nevando até. Ela estava apenas com uma blusa fina. Dava para ver através da blusa. — Um meio sorriso apareceu no rosto dele com a lembrança. Logo em seguida uma enfermeira bonita entrou para colocar mais água na jarra. Mitch Connors observou enquanto Tommy Burns a acompanhava com olhos lascivos enquanto ela se virava e saía do quarto. Uma luz se acendeu na cabeça de Mitch.

— O senhor não pensou em perguntar por que ela estava vestida daquela forma em uma noite fria de inverno?

— Não. Por que deveria? Não era da minha conta.

— Acho que não. Ainda assim, nem por curiosidade...

— Não sou uma pessoa curiosa.

— É, dá para perceber.

Tommy Burns estreitou os olhos. Alguma coisa no tom de voz de Mitch o deixou com a impressão de que estava zombando dele.

— O que o senhor está querendo dizer?

— Não quis dizer nada. Só estou concordando com o senhor quando diz que não é curioso. Por exemplo, o senhor parece não ter se perguntado por que, depois de todo o esforço para tentar matá-lo, essa mulher não terminou o serviço.

Tommy Burns ficou agitado.

— Ei, não me venha agora com essa de "essa mulher". Era Grace Brookstein. Eu a vi na televisão. Se o senhor a pegar, vou cobrar meus 200 mil dólares de recompensa.

— Está certo — disse Mitch. — Digamos que *foi* Grace Brookstein que o atacou.

— Foi ela.

— Se fosse comigo, eu ainda estaria me perguntando a mesma coisa: por que ela me deixou viver? Por que não terminou o trabalho? Mas eu sou uma pessoa curiosa. Detetives costumam ser.

Tommy Burns pensou a respeito.

— Acho que ela achou que tinha me matado. Estávamos no meio do nada. Ela provavelmente achou que eu morreria devagar.

Mitch partiu para o ataque:

— Mesmo? Por que o senhor acha que ela ia querer que morresse devagar?
— Como?
— De acordo com o senhor, ela fez isso para roubá-lo. Ela precisava de uma carona e precisava de dinheiro. Sendo esse o caso, consigo entender que ela o quisesse morto. Ela não ia querer testemunhas, certo?
— Certo.
— Mas qual razão ela teria para fazê-lo sofrer? Para prolongar sua agonia?
— Qual razão? Que diabos, eu não sei. Ela é mulher, não é? Elas são todas umas vadias safadas.

Mitch assentiu devagar.

— Você está certo. Quer dizer, se um *homem* tivesse feito isso, ele teria levado o caminhão. Não?
— Como?
— Depois que ele tivesse se livrado do *senhor*, ele poderia ter usado o seu veículo para se afastar uns 60, 70 quilômetros da cena do crime antes de largá-lo em algum lugar. Isso seria o mais inteligente a fazer, não acha?
— Acho que sim.
— Mas as mulheres não são tão inteligentes quanto nós, são?
— Não mesmo!

Mitch se inclinou de forma conspiratória.

— Nós dois sabemos no que as mulheres são boas, não é, Tommy? E não é em pensar!

Tommy Burns sorriu estupidamente. *Agora*, o policial estava falando a língua dele...

— Tommy, me diga, você costuma dar carona sempre?
— Às vezes.
— Elas costumam ser tão atraentes quanto Grace Brookstein?
— Não, senhor, não muitas.

— Ou tão boas de cama?

— Não, senhor! — Tommy Burns sorriu. — Ela era bem diferente.

Demorou uns cinco segundos até que ele percebesse seu erro. O sorriso sumiu.

— Ei, não coloque palavras na minha boca! Eu não... Quero dizer... Eu sou a vítima aqui — gaguejou ele. — Eu sou a maldita vítima!

JÁ ERA TARDE quando Mitch chegou em casa naquela noite. Se é que se podia chamar de "casa" a porcaria do apartamento de dois quartos que era só o que ele podia pagar desde que Helen o abandonara. Helen ficara com tudo na separação: Celeste, a casa deles, até o cachorro, Snoopy. *Meu cachorro.* Mitch conseguia entender os motivos que levavam homens a odiarem mulheres. Homens como Tommy Burns. Era fácil seguir por esse caminho. Às vezes, precisava tomar cuidado.

Aquele tinha sido um dia e tanto. A coletiva de imprensa, o telefonema da própria Grace Brookstein e, finalmente, Tommy Burns. Burns era a primeira pista concreta, real, de Mitch. Sabia que deveria estar feliz. Mas, em vez disso, se sentia desconfortável.

Depois do ato falho de Tommy Burns naquela tarde, eles tinham chegado a um acordo: Mitch não investigaria mais a respeito de um possível estupro. Por sua vez, Tommy Burns esqueceria a recompensa de 200 mil dólares e diria a Mitch tudo de que conseguisse se lembrar daquela noite: as roupas de Grace, seu comportamento, qualquer coisa que ela possa ter feito ou dito que pudesse dar alguma pista dos planos dela. O caminhão de Tommy tinha sido levado para perícia. Quando Mitch falara com eles horas antes, estavam esperançosos. Poderia ser um achado de novas evidências.

Então, por que eu me sinto um merda?

Mitch fora para aquele hospital à tarde cheio de ódio e raiva. Grace Brookstein era uma criminosa, uma ladra sem coração e possível assassina que tinha atacado violentamente um homem de família inocente. Exceto que, se Tommy Burns era um homem de família, Mitch Connors era o Papai Noel. Finalmente, o e-mail chegou, depois da meia-noite. Mitch tinha mandado checar a ficha policial de Tommy Burns. É claro que ele tinha um histórico de acusações de crimes sexuais de quase vinte anos. Duas queixas de estupro tinham sido retiradas por falta de provas. *Bom samaritano sim.*

Alguma coisa tinha acontecido naquele caminhão. Burns era um predador sexual e Grace tinha se defendido. Nesse caso pelo menos, ela era a vítima. Mitch de repente percebeu: *Eu não quero que ela seja a vítima. Quero que ela seja o vilão da história.* Ele geralmente não se equivocava em relação a seus casos e às pessoas que entregava à justiça. Para Mitch, todos eram versões mais pálidas de quem quer que tivesse matado seu pai: homens maus, que mereciam ser presos. Mas aquele caso já parecia diferente. Parte dele odiava Grace por seus crimes. Sua ganância e falta de remorso estavam bem documentadas. Mas outra parte dele sentia pena dela. Pena por ela precisar lidar com tipos como Tommy Burns. Pena por ela ter duas irmãs sem coração.

Mitch fechou os olhos e tentou imaginar como Grace Brookstein teria se sentido no caminhão de Tommy Burns. Sozinha, fugindo, desesperada, e o primeiro homem em quem confiou se revelou um pervertido psicótico. Tommy Burns não era um homem grande, mas era forte e, presumivelmente, determinado. Grace devia ter sido muito corajosa para lutar com ele daquela forma.

Qual seria o passo seguinte dela?

Ela não pegaria outra carona. Não se Burns a estuprou. Ela seguiu a pé. O que significa que não pode ter ido muito longe naquela noite. Uns 5 quilômetros. Oito no máximo.

Pegando um mapa, Mitch colocou um alfinete no ponto onde o caminhão de Burns ficara abandonado. Com uma caneta vermelha, fez um círculo de 8 quilômetros de raio.

Só havia uma cidade no círculo.

O VELHO AGITOU os braços com empolgação. Mitch Connors esforçou-se para não rir. *Ele parece o Yoda tendo convulsões.*

— Eu disse pra eles! Eu disse que ela *teve* aqui naquela noite, mas ninguém acreditou. Acharam que um velho que nem eu não sabe o que vê. Ela apareceu no meio da noite, *no meio da noite*. Sem mala! Eu disse pra eles! Eu disse que ela *num* tinha mala. Isso *num* é certo. Mas alguém me *escutô*? Não, senhor.

Mitch acabou descobrindo que a cidade de Richardsville só tinha um hotel. Quando ele ligou e mencionou o nome de Grace Brookstein, o proprietário do Up All Night ficou louco. *Sim, Grace Brookstein esteve aqui, eu já falei com a polícia. Vocês não se falam, seus imbecis?*

— Espero que aquele oficial seja despedido. McInley. Arrogante de merda. Desculpa a língua, detetive. Mas eu falei pra eles.

Mitch chamou um técnico para procurar impressões digitais no quarto. O técnico balançou a cabeça.

— Limpíssimo, chefe. Desculpe. Se ela esteve aqui, fez um ótimo trabalho e não deixou pistas.

O velho parecia que ia explodir:

— *Se* ela *teve* aqui? *Num* tem "se". Ela *teve* aqui! Quantas vezes mais vou ter que repetir? Grace Brookstein esteve aqui.

— Tenho certeza que sim — disse Mitch. *Mas ela não está aqui agora.* Outro beco sem saída.

— E a minha recompensa? O moço na televisão disse 200 mil dólares.

— Entraremos em contato.

Havia recados esperando por Mitch na delegacia.

— Sua mulher ligou — disse a sargento para ele.

— Ex-mulher — corrigiu ele.

— Que seja. Ela estava gritando alguma coisa sobre a apresentação no colégio da sua filha. Não estava nada feliz.

Mitch resmungou. *Droga. A peça da escola de Celeste. Era hoje?* Mitch jurara que estaria lá, mas, com toda a agitação das últimas 48 horas, esquecera totalmente. *Sou o pior pai do mundo e o pior policial. Alguém deveria me dar uma medalha.* Sentindo-se culpado, ele começou a discar o número de sua antiga casa quando a sargento o interrompeu:

— Mais uma coisa, senhor. Um homem esteve aqui mais cedo. Ele disse que tinha informações sobre Grace Brookstein; disse que a conhecia. Queria falar com o senhor, mas não podia esperar.

— Bem, você pegou as informações dele?

Ela balançou a cabeça.

— Ele não quis me dizer nada. Mas disse que o esperaria nesse bar até as 18 horas. — Ela entregou para Mitch um pedaço de papel sujo com um endereço rabiscado ali.

Mitch suspirou. Provavelmente, era outro louco. Por outro lado, o bar só ficava a dois quarteirões dali. E qualquer coisa era preferível a ter de enfrentar a ira de Helen, ou escutar a decepção na voz de Celeste.

ÀS 18 HORAS EM PONTO, Mitch entrou no bar, exatamente quando um homem de boa aparência, de cabelo escuro e nariz aquilino, estava saindo. Quando Mitch viu que não havia mais nenhum outro cliente, correu para a rua e o alcançou.

— Ei. Era você que queria me ver? Sou o detetive Mitch Connors.

O homem de cabelo escuro olhou para o relógio.

— Você está atrasado.

Mitch ficou irritado. *Quem esse imbecil acha que é?*

— Olhe, cara, não tenho tempo para joguetes, está bem? Você tem informações para mim, ou não?

— Sabe, se eu fosse você, seria um pouco mais educado comigo. Seu traseiro está na reta, Connors, e eu posso salvá-lo. Por um preço, claro. Sei onde Grace Brookstein vai estar amanhã ao meio-dia. Se você for legal comigo, legal mesmo, eu te levo até ela.

CELESTE CONNORS chorou até dormir naquela noite.

Seu pai não ligou.

Capítulo 20

Davey Buccola andava de um lado para o outro em seu quarto de hotel como um tigre enjaulado. Sua suíte no Paramount, na Times Square, era luxuosa. Lençóis de linho, móveis modernos, cobertores de cashmere de 500 dólares colocados casualmente sobre o encosto da poltrona. Davey pensou: *Este seria um ótimo lugar para impressionar uma mulher.*

Infelizmente, não estava com uma mulher. E sim com um bando de policiais. E eles estavam começando a deixá-lo nervoso.

— Fique parado, Sr. Buccola. Precisamos verificar seu microfone.

Davey acendeu um cigarro, o terceiro em poucos minutos.

— De novo?

— Sim, de novo. — Mitch Connors estava de mau humor. — Se quer ver os 200 mil, Sr. Buccola, sugiro que coopere.

Davey pensou: *Ele provavelmente também está nervoso. Não quer que nada dê errado.*

Davey se sentia mal, fazendo essa sujeira com Grace Brookstein. Gostava dela. Mais que isso, estava convencido de que ela era inocente dos crimes pelos quais fora condenada. Mas 200 mil dólares... *Duzentos mil...* Tentou se convencer de sua decisão. Estava protegendo Grace. Assim, ela poderia ser capturada sem se machucar. Não contara para Mitch Connors nem para nenhum outro policial o que tinha descoberto. Mais tarde, quando Grace estivesse a salvo, ele usaria essas informações para entrar com um recurso contra a condenação dela e reabrir a investigação sobre a morte de Lenny. *Ou isso ou vender a informação. Quanto a* Vanity Fair *não pagaria por um furo desse?* Se tivesse sorte, poderia dobrar o dinheiro da recompensa!

Claro que, bem no fundo, Davey Buccola sabia a verdade. Estava traindo uma mulher inocente por dinheiro, da mesma forma que todas as outras pessoas a traíram. Não eram 200 mil dólares. Eram as trinta moedas de prata de Judas.

— Sr. Buccola, está ouvindo?

Davey levantou o olhar, assustado. Mitch Connors estava gritando com ele de novo.

— Só temos mais uma hora. Vamos rever o plano mais uma vez.

GRACE MERGULHOU o donut no café puro e quente e deu uma mordida generosa.

Delicioso.

Ela e Lenny costumavam ter os melhores chefs nas cozinhas de suas casas, prontos para preparar uma lagosta Thermidor ou um suflê de gruyère a qualquer hora do dia ou da noite. Mas até aquela semana, Grace nunca tinha experimentado um Dunkin' Donut. Não conseguia imaginar como vivera tanto tempo sem eles.

A semana tinha sido cheia de novas experiências. A familiaridade que sentira assim que chegara em Nova York fora substituída por um tipo de espanto prazeroso. Era a mesma cidade em que morara, indo e vindo, por toda a sua vida. Mas, mesmo assim, completamente diferente. *Esta* Nova York, a Nova York das pessoas comuns, dos pobres, era como um outro planeta para Grace, com seus metrôs, seus ônibus sujos, suas lojas de donuts, seus prédios sem elevador, com banheiros compartilhados e aparelhos de televisão com palha de aço na ponta da antena. Lenny sempre dissera a Grace que era horrível ser pobre. "A pobreza é o estado mais degradante e destruidor de alma a que um ser humano pode chegar." Grace discordava. Verdade, nunca tinha sido pobre, mas Lenny nunca tinha estado na cadeia. Grace tinha. Sabia o que significava "alma destruída". Sabia o que era ser degradada, privada de toda a sua dignidade. A pobreza não chegava nem perto.

Em todos os padrões objetivos, o hotel no Queens onde Grace estava hospedada era uma espelunca: sujo, minúsculo, com paredes deprimentes cor de mostarda e piso de linóleo. Mas ela passara a gostar do cheiro de cebola frita que vinha da barraca de cachorro-quente do lado de fora do hotel, e das discussões ridículas de um casal que vinham do outro lado da parede. Fazia com que se sentisse menos sozinha. Como se fosse parte de alguma coisa.

Ao se vestir naquela manhã para se encontrar com Davey Buccola, ela chegou a pensar: *Vou ficar com pena de sair daqui.* Mas sabia que não podia ficar. Primeiro porque não era seguro. Precisava se mudar sempre. E segundo, e mais importante, porque chegara a hora de começar sua missão. Munida das informações de Davey, ela poderia, finalmente, começar sua jornada. Sua vingança levantaria voo.

Estava usando uma roupa simples para o encontro. Calça jeans, tênis, um suéter com gola polo e um casaco, o gorro puxado por cima de seu cabelo recém-escurecido. A calça jeans já estava um pouco mais apertada na cintura do que em

Richardsville. Grace estava engordando, um efeito colateral de seu novo vício por donut. Tomando o resto de seu café, ela olhou o relógio. *Onze horas.*

E se dirigiu para o metrô.

Mitch Connors não tinha dormido. O plano era simples. Davey tinha um encontro marcado com Grace exatamente ao meio-dia, na frente da Toys "R" Us da Times Square. Àquela hora do dia, o marco de Nova York devia estar cheio de compradores procurando uma barganha da liquidação de inverno, além das hordas de turistas carregados de sacolas. Mitch colocara dois homens atrás de Davey, dentro da loja, outros dois na entrada da estação de metrô e outros seis espalhados pela multidão. Todos os dez estariam à paisana, com escutas e armados. Mitch não esperava nenhum problema, mas depois da forma como Grace lidara com o cretino do Tommy Burns, não queria correr nenhum risco. Assim que Davey visse Grace na multidão, ele usaria um microfone escondido para avisar os policiais, que a cercariam. Quando ela se aproximasse de Davey e apertasse a mão dele, seria o sinal para todos se moverem e pegarem-na. *Fácil.*

Mitch ficaria no hotel Paramount observando a operação. Seu rosto vinha aparecendo em todos os jornais fazia semanas. Se Grace o visse, saberia que algo estava para acontecer.

Davey Buccola acendeu outro cigarro. Eram 11h45. Hora de descer. Olhou alarmado quando um dos policiais checou sua arma antes de colocá-la no coldre embaixo de seu paletó.

— Para quê isso? Vocês não vão machucá-la, vão?

O policial olhou para Davey como se ele tivesse pisado no seu pé. Ele tinha dado uma boa informação para eles, mas era um dedo-duro.

— Tenho certeza de que a Sra. Brookstein ficaria comovida com a sua preocupação. Está pronto?

Davey assentiu. *Duzentos mil dólares. Minha casa própria.*

— Estou pronto. Vamos.

11H50.

— Você já a viu?

Davey Buccola batia os pés no chão frio. Resistindo à vontade de colocar a mão na orelha — detestava microfones e escutas —, ele murmurou:

— Negativo. Ainda não.

A Times Square estava ainda mais cheia do que esperara. A Toys "R" Us estava lotada. Metade de Nova York estava desempregada, mas as pessoas preferiam morrer de fome a ver seus filhos sem a última boneca da Hannah Montana ou a lanterna do agente especial Oso. *Triste isso*, refletiu Davey.

A MULHER SENTADA na frente de Grace estava encarando-a. Grace sentiu seu estômago revirar.

— Ei.

O trem estava lotado, mas ninguém falava. A voz da mulher soou como uma buzina.

— Ei! Estou falando com você.

Grace levantou o olhar. O sangue subiu todo para seu rosto. *Ela me reconheceu. Meu Deus. Ela vai dizer alguma coisa. Todos vão vir para cima de mim. O trem inteiro vai vir para cima de mim, eles vão acabar comigo!*

— Acabou de ler o jornal?

Jornal? Grace abaixou a cabeça. Havia um *New York Post* no seu colo. Não fazia ideia de como tinha ido parar ali. Sem falar nada, entregou para a mulher.

— Obrigada.

De repente, o trem parou. As luzes piscaram, depois apagaram. Todo mundo reclamou. As luzes acenderam de novo. Grace olhou para o relógio. 11h55.

— Esqueça — disse o homem ao seu lado cordialmente. — Aonde quer que você vá, vai chegar atrasada.

Uma voz saiu dos alto-falantes:

— Pedimos desculpas pelo inconveniente. Devido a problemas elétricos, teremos um pequeno atraso.

Não! Hoje não. Por que hoje?

Grace respirou fundo. Não podia chamar atenção para si mesma parecendo nervosa. Além disso, tudo bem. Eles disseram um pequeno atraso. Davey iria esperar.

Enquanto olhava pela janela, o coração de Mitch estava disparado.

Ela não vem.

Tivera tanta certeza de que daria certo. Estava tão certo. O relógio na parede zombava dele. Meio-dia e dez. O que poderia ter dado errado? Será que Davey Buccola ficara com a consciência pesada e a avisara? Será que Grace percebera que não podia confiar nele? Ou talvez fosse pior do que isso. Talvez tivesse acontecido alguma coisa com ela. Um acidente. Alguém a reconhecera e resolvera fazer justiça com as próprias mãos.

— Acho que estou vendo Grace.

A voz de Buccola soava crepitante na escuta de Mitch.

— Você *acha*? Não tem certeza?

Buccola não respondeu.

— Bem, onde? — Mitch não conseguia esconder sua agitação.

— Ela acabou de sair do metrô. Não consegui olhar bem para o rosto. Pode não ser ela.

— Danny, Luca. Vocês viram alguma coisa?

Dois dos homens de Mitch estavam bem na saída da estação do metrô, observando toda mulher que saía.

— Não.

— Nada.

Meu Deus.

— O que ela estava vestindo, Davey?

— Jeans. Casaco escuro. Um chapéu... acho. Merda.

— O quê?

— Eu a perdi.

— Você a *perdeu*? Bom, ela estava indo na sua direção? Ela viu você?

— Esquece. Não era ela.

GRACE SAIU DA estação do metrô para a rua. Estava atrasada. Muito atrasada. Será que Davey havia esperado por ela muito tempo? Deus, esperava que sim. Ele estava correndo um grande risco ao aceitar se encontrar com ela.

Ela penetrou na multidão, com a cabeça baixa. O letreiro colorido da Toys "R" Us chamou sua atenção do outro lado da rua. Grace foi na sua direção, procurando na multidão o rosto familiar de seu amigo.

O POLICIAL Luca Bonnetti estava decepcionado. Fizera tanto para participar do grande show. Mas era óbvio que Grace Brookstein tinha outros planos.

De qualquer forma, ser pago para olhar mulheres não era a pior forma de passar uma manhã. Uma morena bonitinha passou correndo por ele.

— Ei, benzinho. Como vai?

Ele deu um tapinha no bumbum dela, mas ela não parou.

— Qual é o seu problema, Bonnett? — O parceiro dele estava aborrecido. — Nós estamos aqui para encontrar a mulher mais procurada dos Estados Unidos e não para molestar mulheres comuns.

— Ah, relaxa, Danny. Ela era gostosinha. E se você ainda não percebeu, a Sra. Brookstein não vem.

O CORAÇÃO DE Grace estava disparado. *Idiota.*

Depois do que aquele cretino do motorista de caminhão fizera a ela, só de pensar em um homem a tocando ou mesmo a olhando com intenções sexuais lhe dava vontade de gritar o mais alto que podia. Mas não podia gritar. Não podia parar e berrar para o cara tirar as mãos fedorentas de cima dela. Precisava ser invisível, se misturar à multidão.

Cadê o Davey?

Assim que as palavras vieram à sua cabeça, ela o viu. Estava parado a poucos metros da entrada da loja. Foi na direção dele, sorrindo. Percebendo o sorriso dela, Davey levantou o olhar. Foi quando Grace notou.

— É ela! Estou vendo. Está vindo para cá. Jeans, casaco escuro. Gorro.

Mitch perguntou aos policiais na rua:

— Vocês estão vendo?

— Sim, senhor, estamos vendo. Vamos nos aproximar.

A CABEÇA de Grace estava a mil.

Ele disse que teria um arquivo com ele. As provas. Por que não trouxe?

Tinha alguma coisa errada. E não era apenas o arquivo. Era a expressão de Davey. Estava com cara de culpado. Foi quando dois homens passaram correndo por Grace, indo na direção da Toys "R" Us. Seu sexto sentido fez com que diminuísse o passo.

Policiais. É uma armadilha.

Não tinha tempo para pensar. Agindo por instinto, ela arrancou o gorro e o enfiou no bolso do casaco. Um grupo de crianças estrangeiras estava indo na direção oposta, de volta à estação de metrô. Grace entrou no meio deles, como um peixe em busca da segurança do cardume.

OS HOMENS colocavam a mão em suas escutas. Lá em cima no quarto do hotel, Mitch Connors gritava como um louco:

— Cadê ela? CADÊ ELA?

— Não sei. — Davey Buccola estava confuso. — Ela estava vindo bem na minha direção, mas aí... sumiu.

Mitch teve vontade de chorar.

— Espalhem-se, todos vocês. Continuem procurando. Ela está na multidão.

Ele não conseguiu mais se conter. Saiu correndo do quarto do hotel e foi para as escadas.

DO SEXTO ANDAR do Paramount, Mitch tinha uma visão privilegiada da rua abaixo. Agora, correndo na rua, mal conseguia ver alguns centímetros à sua frente. Havia pessoas por todos os lados, carregando suas inchadas sacolas de compras, empurrando carrinhos de bebê pelo caminho.

Jeans, casaco escuro. Gorro. Ela está aqui. Tem que estar.

Ele saiu empurrando para conseguir entrar na multidão de corpos.

Grace estava quase na estação do metrô. Os degraus de pedra a chamavam, prometendo segurança, fuga. *Apenas mais alguns segundos. Alguns poucos passos.*

Olhou para a direita. Um homem com boné dos Yankees estava olhando à sua volta freneticamente, resmungando para si mesmo. *Um dos policiais. Quantos estão espalhados por aqui?* Um homem vinha diretamente na direção do grupo de Grace. Agora estava perguntando alguma coisa ao guia de turismo. *Preciso escapar.*

De repente, Grace viu o canalha que tinha passado a mão na bunda dela pouco antes. Ele ainda estava na entrada do metrô. Olhando melhor, viu que era um jovem e atraente italiano, para quem gostava de babacas. Não que ela ligasse se ele parecesse com o Quasímodo. Foi na direção dele.

Mitch prendeu a respiração. *Lá está ela!* A multidão se movia quase imperceptivelmente e ele a viu, a menos de 50 metros de onde ele estava. Era pequena, media 1,50m talvez, usando jeans e casaco escuro, e já estava quase na estação de metrô. Mitch saiu correndo.

— Ei, cara! Olhe por onde anda!

— Devagar, babaca.

Mitch corria às cegas, empurrando os pedestres para saírem de seu caminho. Quando Grace chegou à escada, Mitch se arremessou para cima dela, jogando-a no chão, com o rosto para baixo. Ela gritou, mas era tarde demais. Sangue jorrou do nariz dela. Mitch a algemou. Estava acabado.

— Grace Brookstein, você está presa. Tem o direito de permanecer calada. Tem direito a um advogado. — Virando-a, ele tirou o gorro para ver melhor seu rosto.

— Ah, meu Deus.

Uma loura assustada o encarava.

Mitch nunca a vira na vida.

LUCA BONNETTI não podia acreditar na sua sorte.

— Ei, gostosa. Você voltou.

— Voltei. — A morena bonita ficou na ponta dos pés, passou os braços em volta do pescoço dele e começou a beijá-lo apaixonadamente. Luca retribuiu o agrado. Agora com as duas mãos na bunda dela.

Pelo canto do olho, Grace viu o policial com o boné dos Yankees, ainda falando com o guia de turismo. *Ele provavelmente está me descrevendo.* Se parecesse que eles eram um casal, ela conseguiria despistá-los. Esse idiota seria seu disfarce até que chegasse em segurança ao trem. Então, na estação seguinte sairia e o deixaria para trás.

Ela interrompeu o beijo e sorriu para ele.

— Quer dar uma volta comigo?

Luca sorriu.

— Se quero!

— Ele está ocupado. — Outro homem, mais velho, com bigode grisalho e grosso, tinha aparecido do nada e olhou furioso para Grace. — Ele está ocupado.

Luca Bonnetti protestou:

— Não estou não, me dá um tempo, Danny.

— *Você* me dá um tempo. — O homem se virou para Grace. — Olhe, moça, nós somos da polícia de Nova York e estamos aqui a serviço. Então, saia daqui antes que eu a acuse de obstrução.

Grace sentiu a bile subir pela garganta. *Ele é um deles.* Suas pernas começaram a tremer. Ela saiu correndo.

Mitch levou alguns momentos para reagir.

Estava se desculpando com a moça cujo nariz ele tinha quebrado quando uma garota passou correndo por ele, descendo dois degraus por vez. Virando a moça de costas, Mitch começou a tirar as algemas, quando viu um gorro cinza saindo do bolso da garota.

— Pare! — gritou ele. — Polícia!

Grace estava na plataforma. Atrás dela, podia escutar a gritaria.

— Polícia! Me deixem passar!

O carro estava lotado. Grace tentou forçar sua entrada, mas um homem a empurrou.

— Não está vendo, moça? Não tem mais lugar aqui. Saia.
— Polícia!

Os gritos estavam cada vez mais altos. Grace olhou para trás. Detetive Connors. Ela reconheceu o rosto dele das reportagens na televisão.

O carro seguinte também estava cheio. As pessoas estavam se afastando, para esperar pelo trem seguinte. Não havia lugar naquele também. As portas elétricas se fecharam. Era tarde demais. O trem começou a se mover.

— Grace Brookstein! Fique onde está. Você está presa.

Grace escutou seu nome. Assim como todo mundo. De repente, centenas de pares de olhos estavam olhando em volta, procurando pela plataforma. *Grace Brookstein? Onde? Ela está aqui?*

Mitch Connors estava correndo pela plataforma mais rápido que o trem. Passou pelo primeiro carro. Pelo segundo. Quando chegou ao terceiro, a multidão se afastou. Mitch e Grace estavam cara a cara.

Grace olhou nos olhos de Mitch e ele olhou nos dela. O caçador e a presa. Por um momento, alguma coisa ocorreu entre eles. Respeito mútuo. Afeto, talvez. Mas só por um momento.

O trem estava ganhando velocidade. Segura no calor do carro, Grace se afastou da janela.

Mitch Connors estava na plataforma, vendo-a desaparecer no túnel escuro.

De volta à estação, o tenente Dubray perdeu a paciência.

— Que diabos? Como você pôde perdê-la assim? *Como?*

— Não sei, senhor. — Mitch suspirou.

Tentou ver o lado bom. Agora sabiam mais do que 48 horas antes. Sabiam que Grace ainda estava em Nova York. Sabiam que agora ela estava morena e ganhara peso. Amanhã, lançaria uma nova foto dela na mídia.

E, graças a Luca Bonnetti, a equipe da polícia de Nova York tinha conseguido outra informação nova.

A mulher mais procurada dos Estados Unidos beijava muito bem.

Capítulo 21

Durante três dias, Grace se escondeu. Encontrou um novo lugar para ficar, outro estúdio, dessa vez no Brooklyn. Enquanto o outro lugar era feio mas aconchegante, o novo só podia ser descrito como nojento. Ela não se importava. Fechou as cortinas, trancou a porta e ficou na cama. A depressão tomava conta dela em ondas lentas.

Isto é pior que a prisão. É um inferno.

Na prisão, Grace tinha Karen e Cora. Tinha a irmã Agnes e as crianças do centro. Visitas de Davey Buccola. *Davey.* Grace já deveria estar acostumada à traição, mas o que Davey fizera a chocou. Realmente acreditara que ele estava do seu lado. Mais importante, ele tinha a chave para todas as suas esperanças de encontrar o assassino de Lenny. Grace colocara toda a sua fé em outro ser humano pela última vez. *A única pessoa em quem confiei se foi para sempre, traído e assassinado por causa de seu dinheiro.*

Como estava agora, Grace não confiava mais nem na própria sombra.

Ela chorou. Quando não conseguia mais chorar, se vestiu. Pela primeira vez em três dias, ela saiu.

Era um risco maluco. Insano. Mas Grace não se importava.

O cemitério Cypress Hills, no Brooklyn, tinha vista para a Jamaica Bay. Não tinha ligação com nenhuma religião, mas a maior parte das reformas dos últimos anos tinha sido feita por instituições de caridade judaicas. Grace se lembrava dos gritos quando os restos mortais de Lenny foram enterrados ali.

— Esse filho da puta traiu a comunidade judaica. Nós confiamos nele porque ele era um de nós. Agora ele quer descansar entre nós? De jeito nenhum.

Eli Silfen, presidente da fundação beneficente Beth Olom, era o que falava mais alto.

— Um memorial para Lenny Brookstein? Em Cypress Hills? Só por cima do meu cadáver.

Mas o rabino Geller se mantivera firme. Um homem de fala mansa, profundamente espiritualizado. O rabino Geller conhecia Lenny havia muito tempo.

— Na verdade, Eli, vai ser sobre o cadáver dele. A nossa religião ensina o perdão. A misericórdia. É Deus quem deve julgar, não o homem.

Grace nunca se esquecera da compaixão do rabino. Gostaria que estivesse ali agora, enquanto caminhava entre os túmulos e estátuas de anjos, sua respiração se tornando fumaça no gelado ar do inverno. O cemitério era enorme. Dezenas de milhares de túmulos, talvez mais, se estendendo até onde os olhos conseguiam ver. *Eu nunca vou encontrar. Não sem ajuda.*

Um coveiro idoso estava cuidando de um túmulo a poucos metros. Grace se aproximou dele.

— Com licença. Eu gostaria de saber se... Tem alguma pessoa famosa enterrada aqui? — Parecia mais seguro do que perguntar diretamente.

O senhor riu, revelando uma boca cheia de dentes podres.

— Alguma? Quantas você quiser. Aqui até parece a revista *People*. — Ele bateu na terra congelada com a enxada, rindo da própria piada. — Temos Mae West. Jackie Robinson. Temos uns caras maus também. Bill Lovett. Sabe quem é?

Grace não sabia.

— Ele era um gângster. Um assassino. Líder da Gangue da Mão Branca.

— Desculpe, não sei muito sobre criminosos — disse Grace, esquecendo que, pelo menos oficialmente, ela era uma.

— Temos um criminoso aqui que eu aposto que você conhece. Leonard Brookstein. Sr. Quorum. Já ouviu falar dele, não ouviu?

Grace corou.

— Já, já sim. O senhor sabe onde ele está enterrado?

— Claro que sei.

Ele começou a andar. Grace o acompanhou por quase dez minutos, como se fossem dois sargentos inspecionando um desfile silencioso de mortos, as lápides chamando atenção como se fossem soldados. Acabaram chegando ao topo da colina. Grace estava congelando. Uns 200 metros à frente, dois policiais armados bocejavam ao lado de uma única pedra branca. Ou pelo menos tinha sido uma pedra branca. Mesmo de onde estava, Grace podia ver que estava coberta de pichações, mensagens vermelhas de ódio que ninguém se importara de apagar. *É claro que há policiais aqui. Provavelmente estão esperando que eu cometa um deslize. Como este.*

— Qual é o problema? — perguntou o senhor. — Não chegamos ainda, sabe?

— Sei, eu... eu mudei de ideia. — O coração de Grace estava disparado. — Não estou me sentindo bem. Obrigada pela ajuda.

Ele a fitou de forma estranha, examinando seus traços como se fosse a primeira vez. Na esperança de distraí-lo, Grace colocou uma nota de 20 dólares na mão dele, rígida pela artrite, depois se virou e desceu correndo a colina.

Não parou de correr até chegar à estação de metrô, entrando em um café para recuperar o fôlego e se acalmar. Como as pessoas podiam pichar o túmulo de um homem? Que tipo de pessoa fazia isso? Ela não chegara perto o suficiente para ler o grafite, mas podia imaginar as coisas horríveis que estavam escritas. Seus olhos se encheram de lágrimas. Nenhuma dessas pessoas conhecia Lenny. O homem decente, generoso, carinhoso que ele era. Às vezes, até Grace achava que esse homem estava se afastando dela. Que a realidade de quem Lenny fora realmente estava perdida, esmagada embaixo de uma montanha de mentiras, inveja e ódio. As pessoas diziam que ele era mau, mas isso era mentira.

Você não era mau, meu amor. Este mundo é que é mau. Mau, ganancioso e corrupto.

Naquele momento, Grace percebeu que tinha uma opção. Podia desistir, se entregar, aceitar sua sorte desgraçada. Ou podia lutar.

Lembrou-se das palavras do rabino Geller: *É Deus quem deve julgar, não o homem.* Talvez Grace devesse deixar que Deus cuidasse de seus inimigos. Deixar que ele endireitasse as coisas erradas que o mundo fizera com ela e com seu querido Lenny. Será?

Talvez não.

Grace sabia exatamente qual deveria ser seu próximo passo.

Davey Buccola estava atrapalhado com a chave do seu quarto de hotel. Estava muito, muito bêbado.

Quando Grace escapou por entre seus dedos, o dinheiro foi com ela. Ele a tinha traído, e ela sabia disso, e tudo isso por nada. Deprimido demais para voltar para a casa de sua mãe, Davey ficara andando pela cidade, gastando o que restava de suas economias com bebidas e strippers.

— Seu estúpido. — Ele tentou a chave mais duas vezes, antes de perceber: *Estou no andar errado*. Enquanto cambaleava pelo corredor até o elevador, as paredes vinham em sua direção, e o chão fazia ondas, como se ele estivesse em um barco em alto-mar. Davey lembrou-se do parque de diversões em Atlantic City onde seu pai costumava levá-lo quando era criança. Estava enjoado. Foi um alívio entrar no elevador.

— Qual andar?

A mulher estava de costas para ele. Mesmo em seu estado etílico, o investigador em Davey percebeu o longo cabelo castanho-avermelhado e o brilhante casaco preto comprido. Ou seriam dois casacos?

— Qual andar? — perguntou ela de novo. Davey não conseguia se lembrar.

— Terceiro — chutou ele. A mulher apertou o botão.

Depois pressionou uma arma nas costas de Davey.

— Qualquer movimento e eu mato você.

EM SEU QUARTO no hotel, Davey estava sentado na beira da cama, bem sóbrio.

— Sei o que parece, mas posso explicar.

Grace levantou a arma e apontou bem para a cabeça dele.

— Estou escutando.

Conseguir uma arma fora bem mais fácil do que Grace imaginava que seria. Ela achava que seria um processo complicado, perigoso, mas descobriu que podia comprar uma na rua. Como amendoim. Tinha notado um homem vadiando na rua, trocando dinheiro com meninos da vizinhança, e imaginara que fosse um traficante de drogas. Na tarde anterior, se aproximara dele.

— Preciso de uma arma. Conhece alguém que possa me ajudar?

O cara havia olhado Grace de cima a baixo. Com o cabelo bem curto e roupas largas e masculinas, ele achou que ela fosse sapatão, que provavelmente acabara de sair da cadeia. Não gostava de lésbicas, de uma forma geral. Por outro lado, ela certamente não era policial, e ele poderia usar o dinheiro.

— Isso depende. Quanto você está pagando?

Eles combinaram um preço que era o dobro do valor da pistola. Na mesma hora, ele se arrependeu de não ter pedido mais.

Enquanto Grace se afastava, ele perguntou:

— Você sabe usar isso?

Grace parou, pensou e balançou a cabeça.

— Cinquenta paus e eu te dou uma aula particular. Dou até a munição.

— Vinte — Grace se surpreendeu dizendo.

— Trinta e cinco. Minha última oferta.

— Fechado.

— Ah, meu Deus, Grace, não atire!

Davey Buccola estava soluçando. Grace se sentia estranhamente imparcial. Era quase desagradável escutá-lo implorar pela própria vida; rios de lágrimas e muco escorriam pelo rosto distorcido e assustado. Como se qualquer palavra dele pudesse fazê-la mudar de ideia.

— Eu quero o arquivo.

— Arquivo?

— As informações que você me prometeu. As informações que você ia me dar na Times Square, lembra? Antes de a ganância subir à sua cabeça e você decidir me entregar por 200 mil dólares.

— Não foi bem assim, Grace. Eu estava tentando proteger você.

Grace colocou o indicador no gatilho.

— Mais uma mentira e eu juro por Deus que estouro seus miolos.

Davey chorou de medo. Ela estava falando sério. Aquela não era a Grace Brookstein que conhecera em Bedford Hills. Era uma pessoa totalmente diferente. Fria. Cruel. Impulsiva.

— Existe um arquivo, não existe, Davey? Espero, pelo seu próprio bem, que você não tenha mentido sobre isso também.

— Não, não, está aqui. Eu tenho.

Perdera a recompensa, mas Davey ainda tinha esperança de encontrar alguém disposto a pagar pelo seu mapa da mina. Até agora, nenhum editor tinha retornado suas ligações, mas estava tentando. Colocou a mão embaixo da cama.

— Pare! — mandou Grace.

Davey congelou.

— Fique com as mãos onde eu possa vê-las. Na cabeça.

Davey fez o que ela mandou.

— Bom. Agora, vá até o meio do quarto e se ajoelhe no chão.

Davey sentiu um nó no estômago. *Ah, meu Deus. A clássica pose de execução. Ela vai atirar na minha nuca.*

— Por favor, Grace...

— Fique quieto! — Com cuidado, mantendo a arma apontada para Davey, Grace se abaixou e procurou embaixo da cama. Tirou um envelope pardo.

— É isso?

Davey assentiu.

— Assim que você estivesse a salvo, eu ia levar isso para um advogado. Juro por Deus. Eu teria ajudado você a entrar com uma apelação.

Grace colocou o envelope sobre o peito como uma pessoa apaixonada.

— Você mostrou isso para alguém? Para a polícia, para a imprensa?

Davey balançou a cabeça veementemente.

— Ninguém. As únicas pessoas que sabem da existência desse arquivo somos eu e você.

Era a resposta certa. Grace sorriu. Davey ficou aliviado. *Ela vai me deixar viver.*

Grace pegou um travesseiro na cama. Colocando-o na frente da arma, ela disse friamente:

— Você me traiu. Sabe qual é o castigo para traidores, não sabe, Davey?

Antes que ele pudesse responder, escutou o som abafado do tiro, seguido por uma sensação quente em seu corpo.

Depois disso, mais nada.

MITCH CONNORS analisou a cena. A camareira do hotel que fizera a ligação tinha um inglês tão ruim e estava tão assustada e histérica que ele não sabia exatamente o que esperar. Mas, definitivamente, não era aquilo.

Sem querer, ele caiu na gargalhada.

— Isso não é engraçado.

Davey Buccola estava no meio do quarto, nu e amarrado como uma galinha com a corda da persiana. *Literalmente*, como uma galinha. Depois que ele desmaiou, alguém — Grace — tinha coberto ele de penas. Penas do travesseiro do hotel estavam coladas em seu corpo com gel de cabelo, e a palavra *traidor* estava escrita na sua testa com marcador permanente. O mesmo marcador, Mitch presumia, que agora estava enfiado no traseiro de Davey como um termômetro.

— De onde eu estou, cara, é um pouco engraçado. — Mitch estava começando a gostar cada vez mais de Grace.

Uma única bala estava presa na parede ao lado da janela. Embaixo dela, estavam as roupas molhadas de Davey. Buccola devia ter ficado tão assustado quando Grace atirara no travesseiro, que perdera o controle intestinal.

— Ela é psicopata! — soluçou Davey. — Ela podia ter me matado. Quero proteção da polícia.

— É, e eu quero que a Gisele Bündchen passe chantilly em mim e depois lamba, mas isso não vai acontecer — disse Mitch ironicamente. — Alguém poderia desamarrá-lo? Se eu tiver que olhar para esse traseiro mais uma vez, vou precisar de terapia. Talvez eu nunca mais coma galinha.

— Não devemos tirar algumas fotos primeiro, chefe? Para documentar a cena do crime?

— Para quem? — Mitch riu ainda mais. — O coronel Sanders?

— Você não está levando isso a sério! — Davey Buccola fez um enorme esforço para parecer indignado, o que não era fácil com uma coisa enfiada no traseiro. — Grace Brookstein me ameaçou com uma arma. Isso é assalto a mão armada! Você não se importa?

— Com você, Buccola? Não, eu não me importo. E o que você quer dizer com "assalto a mão armada"? Ela roubou alguma coisa?

Davey hesitou.

— Ou você me conta ou vou deixá-lo aqui assim.

— Se eu contar, você me dá proteção policial?

Mitch foi para a porta.

— Espere! — gritou Davey. — Tudo bem, eu conto. Havia um arquivo. Informações sobre a morte do marido dela. Nós achamos... nós acreditamos que Lenny Brookstein foi assassinado.

— *O quê?*

— Eu estava trabalhando para Grace. Investigando o caso. Foi por isso que ela fugiu de Bedford Hills. Ela não dá a mínima para o dinheiro. Só quer descobrir quem matou o marido. Quem armou para ela. Ela quer vingança.

Mitch entendia o fato de ela querer vingança. Pensou no dia em que Grace telefonara para ele. *"Eu não roubei dinheiro nenhum, detetive. Alguém colocou a culpa em mim e no meu marido." Isso era possível?*

— Por que você não me disse isso antes? — gritou ele. Mas assim que fez a pergunta, soube a resposta. — Você ia vender as informações, não ia, seu merda ganancioso?

Davey Buccola ficou em silêncio.

— Então, você deu o arquivo para ela?

— Eu tive que dar! Ela estava com uma arma apontada pra minha cabeça...

— Você tem uma cópia, não tem? Diga que você tem uma cópia.

A MENOS DE 5 quilômetros dali, Grace estava deitada em uma banheira, relendo as informações de Davey pela centésima vez.

De repente, ela sentou. Estava ali, preto no branco.

Sei quem matou Lenny.

Finalmente, a caçada tinha começado.

Capítulo 22

Andrew Preston estava andando por Wall Street com um familiar aperto no peito. Maria estava às voltas com um novo amante. Já conhecia os sinais. A gaveta da mesinha de cabeceira cheia de recibos da La Perla. A depilação que ela marcara depois que eles voltaram de Hong Kong, não antes. Naquela manhã, até a escutara cantando *La Traviata* no chuveiro.

Se pelo menos eu não a amasse tanto. Nada disso teria acontecido.

Eram 17h30, e a rua já estava cheia de corretores e funcionários indo para casa. Desde que começara no seu novo emprego no departamento de fusões e aquisições do Lazard, Andrew costumava trabalhar até as 21 ou 22 horas. Mas hoje era quinta-feira, noite em que fazia ginástica. O médico de Andrew fora bem enfático sobre como era vital para ele se exercitar regularmente.

— Nada combate melhor o estresse do que uma boa partida de raquetebol. Não adianta nada ser um poderoso em Wall Street se seu coração para aos 45, entende o que estou dizendo?

Andrew entendia o que seu médico estava falando. Embora não pudesse deixar de se questionar se alguém via Andrew Preston como um "poderoso de Wall Street". Maria certamente não via. Independentemente do que conseguisse, por mais dinheiro que ganhasse, nunca era suficiente. O Aston Martin DB5 de Andrew estava estacionado em uma garagem quatro prédios depois do seu escritório. Os preços eram altíssimos, mas ir dirigindo para o trabalho era um dos poucos luxos a que ainda se permitia. Preocupado com o coração, pegou as escadas para o G4 em vez do elevador, apertou o botão para destrancar o carro em seu controle remoto e sentou no banco do motorista.

— Olá, Andrew.

Ele levou um susto tão grande que quase gritou. Grace Brookstein estava abaixada no banco de trás do carro. Tinha uma arma na mão e um sorriso no rosto.

— Quanto tempo.

Mitch Connors não podia acreditar no que estava ouvindo.

— Senhor, com o devido respeito, isso é bobagem. Nós *temos* que reabrir a investigação sobre a morte de Leonard Brookstein. Se não fizermos isso e depois vier à tona que escondemos provas...

Quando Mitch finalmente desamarrara Davey Buccola, o detetive particular lhe entregara um pen drive. O conteúdo que havia ali era tão explosivo que Mitch imprimira e levara direto para seu chefe.

— Ninguém está escondendo nada. — O tenente Dudray fechou o arquivo. — Francamente, Mitch, não consigo entender por que você está tão afobado para começar uma investigação quando ainda não conseguiu resolver essa em que está trabalhando agora. Grace Brookstein fez você de bobo. Ela fez o departamento inteiro de bobo.

— Eu sei disso, senhor. Mas se o marido dela foi assassinado, e o inquérito não foi bem conduzido, houve um erro judicial grave.

Dubray zombou dele.

— Justiça? Dá um tempo, Mitch. Lenny Brookstein era um canalha, está bem? Um canalha rico e ganancioso que deu um golpe na cidade toda. Se alguém acabou com o cara, fez um favor para a humanidade. Ninguém se importa, muito menos eu.

Mitch ficou em silêncio. Dubray estava falando sério? Toda a investigação sobre a morte de Lenny Brookstein tinha sido uma simulação. O médico-legista atestara suicídio porque os Estados Unidos já tinham julgado seu antes tão amado filho. Lenny Brookstein era um ladrão, um mentiroso ganancioso que tirara dos pobres e roubara do seu próprio fundo.

Mas e se os Estados Unidos estivessem errados? Sobre Lenny e Grace.

Desde o comecinho da investigação, Mitch tinha sentimentos conflitantes por Grace Brookstein. O ódio inicial que ele compartilhava com o restante do país tinha sido rapidamente substituído por uma combinação de pena e, precisava admitir, respeito. Grace era corajosa, determinada e astuta, qualidades que Mitch sempre vira como predominantemente masculinas. Ainda assim, quando finalmente vira Grace Brookstein em carne e osso, fugindo, no dia em que o trem se afastara levando-a para longe da Times Square, o rosto que o fitara era totalmente feminino: vulnerável, misericordioso, generoso. Em outras circunstâncias, em outra vida, Mitch poderia se apaixonar por ela. *Eu poderia salvá-la. Nós poderíamos nos salvar.* Ele se forçou a voltar para a realidade.

— Suponha que Leonard Brookstein fosse inocente.

Dubray arregalou os olhos.

— Como?

— Eu disse suponha que ele fosse inocente. Suponha que outra pessoa tenha ficado com aquele dinheiro.

— Quem, por exemplo? A fada do dente?

— Que tal Andrew Preston? Com todo o respeito, senhor, mas leu o arquivo de Buccola? Preston vinha roubando o fundo havia anos.

Dubray fez um gesto com a mão, sem dar importância.

— Mixaria. Além disso, todos esses caras do Quorum foram interrogados na época. Sei que os federais nem sempre são os mais rápidos no gatilho, mas você realmente acha que Harry Bain já não teria descoberto se um deles tivesse ficado com o dinheiro? Seu detetive particular está latindo para a árvore errada.

— Talvez — admitiu Mitch. — Mas nós não deveríamos, pelo menos, seguir as pistas de Buccola? Quanto mais olho para o caso do Quorum, mais ele fede.

— Então pare de pensar nisso. Faça o seu trabalho. Encontre Grace Brookstein e a coloque atrás das grades, que é o lugar dela.

De volta à sua sala, Mitch desligou o telefone e fechou as portas. O lugar de Grace Brookstein era atrás das grades? Não tinha mais tanta certeza. Tentou parar de pensar nisso, esquecer o assunto. Mas essa ideia não parava de crescer, se intrometendo em sua consciência como uma erva daninha.

Foi um negócio armado. O inquérito, o julgamento, a coisa toda. Foi tudo encenado, como um reality show com script.

Dubray não estava interessado na verdade. Nem os policias de Massachusetts que investigaram a morte de Lenny Brookstein, nem o médico-legista, nem a mídia, nem mesmo o FBI. A fraude do Quorum era como um filme, e os Estados Unidos já tinham escolhido os vilões: Grace e Lenny Brookstein. Ninguém queria um final alternativo. Não agora que já estavam bem sentados comendo suas pipocas.

Dubray tinha lhe dito para esquecer o arquivo de Buccola: "Apague, rasgue, queime. Eu não ligo. Lenny Brookstein está morto e enterrado." Mas Mitch sabia que não podia fazer isso.

O arquivo o levaria até a verdade.

Com um pouco de sorte, também o levaria a Grace Brookstein.

Andrew Preston trincou os dentes. Se estava na sua hora de morrer, tentaria enfrentar isso com coragem.

— Tudo que eu fiz foi por Maria. Você tem que acreditar em mim, Grace.

Ela apertou mais a corda em volta dos pulsos dele. Ordenou que ele dirigisse até Nova Jersey; estavam em um galpão abandonado na Freeway 287. Do lado de fora, estava escuro e começando a chover. Uma garoa fina entrava pelos buracos do telhado e molhava a camisa de Andrew. O poste ao qual estava amarrado machucava suas costas.

— Não me diga em que eu tenho que acreditar. Apenas responda às minhas perguntas. Quanto você roubou de Lenny?

— Eu não roubei de Lenny.

O cabo de metal da arma atingiu o nariz de Andrew. Ele gritou de dor.

— Não minta para mim! Eu tenho provas. Mais uma mentira e eu dou um tiro na sua cabeça. Acredita em mim?

Andrew Preston assentiu. Acreditava nela. Se aquela fosse a antiga Grace, ele apelaria para a compaixão dela. Mas estava claro que a antiga Grace não existia mais. Andrew Preston não tinha a menor dúvida de que a mulher na sua frente enfiaria uma bala na sua cabeça sem nem hesitar.

— Quanto?

— No total, uns 3 milhões. Durante muitos anos. Mas eu não estava mentindo. Eu não roubei dinheiro do Lenny, roubei do Quorum. Minha intenção sempre foi a de devolver.

— Mas você não devolveu.

— Não, não devolvi. As dívidas de Maria... — Ele começou a chorar. — Ela gastava tanto que começou a pegar empréstimos com agiotas. É uma doença que ela tem, Grace. Um vício. Ela não consegue evitar. Eu não fazia ideia da gravidade da situação. Aí, um dia, umas pessoas foram na nossa casa. Pessoas violentas. Assassinos. Eu não me importava comigo, mas eles ameaçaram machucar Maria. Eles me mostraram fotos. — Ele estremeceu. — Nunca vou me esquecer daquelas fotos.

Grace pensou no corpo inchado e sem cabeça de Lenny deitado em uma maca no necrotério.

— Então, você roubou do fundo e Lenny descobriu?

Andrew balançou a cabeça.

— Sim, eu achei que tivesse apagado meu rastro. A Comissão de Valores Mobiliários estava nos investigando, mas não descobriram. Acho que Lenny era mais esperto que todos eles.

— E foi por isso que você o matou? Para poder continuar roubando e pagando esses bandidos?

Andrew a fitou realmente surpreso.

— *Matar?* Eu não o matei, Grace. Eu roubei do Quorum, isso foi errado. Mas eu nunca teria machucado Lenny. Ele era meu amigo.

— Por favor! — Grace deu uma gargalhada amarga. — Lenny sabia o que você tinha feito. Ele e John estavam discutindo isso em Nantucket. Você estava com medo que ele o demitisse ou o entregasse para as autoridades, então você o matou.

— Ela soltou a trava de segurança da arma. Sua mão estava tremendo. — Eu não acredito que você só tenha roubado 3 milhões. Você pegou tudo. Roubou todos aqueles bilhões e fez parecer que foi Lenny.

— Isso não é verdade.

— Você o matou! Eu sei que foi você! — Grace estava histérica.

Andrew Preston fechou os olhos. Pelo menos seria uma morte rápida.

Será que Maria vai sentir saudades de mim?

Mitch Connors estava deitado em sua cama, lendo. Davey Buccola era um oportunista, mas era um oportunista meticuloso. O relatório dele era fruto de uma investigação perfeita. É claro que muita informação tinha sido obtida na base do "ouvi dizer" em conversas não oficiais com membros da equipe do médico-legista ou da guarda costeira de Nantucket. Menos da metade do arquivo serviria em um julgamento. Mas o quadro geral que pintava, de um homem rico cercado por amigos falsos, parasitas e puxa-sacos, parecia terrivelmente verdadeiro.

Mitch imaginou Grace lendo o relatório. Se estava deixando-o enojado, como ela se sentiria, vendo a teia de meias verdades, ganância e farsa tecida à sua volta pelas pessoas mais próximas e mais queridas? Não era de admirar o fato de ela não ter procurado nenhum deles quando fugira de Bedford Hills. Com amigos como os que os Brookstein tinham, quem precisava de inimigos?

O maior problema com o relatório era que tinha informações demais. Muitas pessoas tinham motivo e tiveram oportunidade de se livrar de Lenny Brookstein. Mitch pensou: *Grace está seguindo essas pistas, assim como eu. Para onde ela iria primeiro?*

Andrew Preston abriu os olhos. Estava esperando Grace atirar nele, mas até aquele momento a bala não tinha vindo. Ficou surpreso ao ver que o rosto dela estava molhado de lágrimas.

— Quero que você admita — soluçou ela. — Quero que diga que se arrependeu.

— Grace, eu me *arrependi* do que fiz. Mas eu não matei Lenny. É verdade. Eu estava em Nova York no dia em que ele morreu. Lembra?

— Eu sei que você estava. E sei o que você estava fazendo na cidade. Estava pagando um matador de aluguel. — Grace tirou de sua mochila uma fotografia. — Donald Anthony Le Dron. Imagino que vá me dizer que não reconhece este homem.

A cor do rosto de Andrew se esvaiu.

— Não. Eu o reconheço. E você está certa. Ele é um matador de aluguel. Ele trabalha para a gangue dominicana conhecida como DNB, que significa Dominicanos Não Brincam, o que descobri que é um eufemismo. — Ele riu nervosamente. — E sim, eu contratei Le Bron. Mas não para matar Lenny.

Grace hesitou.

— Continue.

— Eles se dizem cobradores de dívidas. "Homens de negócios legítimos", é assim que se descrevem. Foram até a minha casa e me mostraram fotos de mulheres sendo estupradas e mutiladas. Disseram que Maria seria a próxima. Então, um mês antes do Baile do Quorum, um deles apareceu no escritório. Levou um dedo arrancado enrolado em um pano de prato. — Andrew fechou os olhos ao se lembrar. — Eu já tinha pagado tudo que Maria devia para eles, mas eles continuavam voltando e pedindo mais. Eles queriam ações, centenas de milhares. Nunca acabaria. Eu não podia procurar a polícia pois poderiam descobrir sobre o dinheiro que tinha roubado do Quorum. Então, entrei em contato com Le Bron. Ele e o pessoal dele resolveram o problema.

Grace tentou compreender o que ele estava dizendo. Quando lera no arquivo sobre a fraude de Andrew e sobre seus contatos com a gangue de Nova York, tivera certeza de que tinha encontrado quem estava procurando. Tudo fazia sentido: os roubos que Lenny descobrira eram a ponta do iceberg. Na realidade, Andrew devia estar desviando bilhões dos cofres do Quorum e registrando nos livros de forma a parecer que Lenny era o ladrão. Então, contratara um matador de aluguel para matar Lenny, e ficara quieto, deixando Grace levar a culpa. Mas ao escutar Andrew contar o que acontecera, ao ver o horror em seu rosto ao se lembrar das ameaças a Maria, ela ficou convencida de que ele estava falando a verdade.

Andrew Preston não era o assassino de Lenny.

Isso era uma verdade esmagadora.

— Lenny era como um pai para mim, Grace, e eu o traí. Vou carregar essa culpa comigo enquanto eu viver. Mas nunca quis vê-lo morto. Não como Jack Warner.

Grace também lera as informações sobre Jack no relatório. Sabia sobre as dívidas de jogo dele e da recusa de Lenny em pagar. Mas não lhe parecia um motivo para assassinato. Além disso, o álibi de Jack era sólido. A guarda costeira o tinha resgatado a quilômetros de onde o barco de Lenny fora encontrado.

— Eu sei que Jack estava com raiva de Lenny.

— Raiva? — Andrew pareceu surpreso. — Ele o *odiava*. Lenny controlava Warner. Ele sabia de todos os segredinhos sujos dele. Todo mundo no Senado sabia que Jack Warner era a marionete do Quorum, que ele votava de acordo com o que Lenny mandava. Lenny fazia gato e sapato de Jack. O cara não tinha sossego.

Grace parecia não acreditar.

— Tenho certeza de que não era assim. Lenny nunca faria chantagem com Jack. Ele nunca faria isso com ninguém.

Andrew Preston sorriu. Agora, parecia a antiga Grace. Que nunca questionava, que adorava e tinha certeza de que Lenny não fazia nada de errado. Não que ele a culpasse. Andrew sabia melhor do que ninguém o que era amar tanto alguém e defender essa pessoa acima de qualquer razão.

— Grace — disse ele, gentilmente —, o que quer que tenha acontecido com Lenny, aconteceu no mar no dia da tempestade. Jack também estava no mar naquele dia, lembra?

Grace se lembrava. Assim como Michael Gray, Jack Warner era um excelente velejador. *Bom o suficiente para entrar no barco de Lenny e o matar? Para jogá-lo para fora e fazer parecer um acidente?* Era possível.

— Tente encontrar uma mulher chamada Jasmine — disse Andrew. — É o melhor conselho que posso lhe dar. Talvez ela lhe mostre as coisas por um ângulo diferente.

Mitch fora ao apartamento dos Preston em um impulso. Queria interrogar Andrew sobre o suposto dinheiro que ele roubara do Quorum, mas, em vez disso, encontrou uma Maria histérica. Já era quase meia-noite e Andrew não tinha ligado. Ninguém o tinha visto desde que saíra do escritório, às 17 horas. Já ligara para a polícia, mas ninguém a levava a sério. Mitch levou.

— Deixe-me servir-lhe um conhaque, Sra. Preston.

Será que Grace fizera justiça com as próprias mãos? Àquela altura, ela já sabia que Andrew roubara de Lenny. E se ela o tivesse sequestrado? Ou pior? Se Grace colocara na cabeça que Andrew estava por trás da morte de Lenny, não dava nem para prever o que ela seria capaz de fazer.

Quando a porta do apartamento abriu e Andrew Preston entrou, Mitch ficou tão aliviado quanto Maria. A camisa dele estava suja de sangue e o nariz muito machucado, mas ele parecia calmo. Bem diferente de sua esposa, que se jogou em seus braços em uma cena melodramática.

— Ah, Andy, Andy! O que aconteceu? Eu estava morrendo de preocupação. Onde você estava?

— No hospital. Estou bem, Maria. Tive um acidente, só isso.

— Que tipo de acidente?

— Um acidente ridículo. Escorreguei na calçada molhada de chuva e caí de cara no chão. Eu teria ligado, mas fiquei retido no pronto-socorro durante horas. Você sabe como são esses lugares. Eu não queria deixá-la preocupada, querida.

— Bem, você me deixou preocupada. A polícia está aqui.

Maria apontou para Mitch Connors. Andrew Preston o reconheceu das reportagens na televisão como o policial que estava atrás de Grace. Fez o melhor que pôde para parecer indiferente.

— Meu Deus. Um marido atrasado causa tanto transtorno assim hoje em dia? Desculpe pelo inconveniente, detetive.

— De forma alguma, Sr. Preston. Na verdade, eu vim conversar com o senhor sobre outro assunto, mas isso pode esperar. Fico feliz em ver que está bem. Olhe, sei que talvez pareça uma pergunta ridícula, mas Grace Brookstein não tentou entrar em contato com o senhor de alguma forma? Nas últimas 48 horas?

Andrew pareceu confuso.

— *Grace? Me* procurar? Por que ela faria isso?

— Por nada — disse Mitch. — Conheço o caminho da porta.

MAIS TARDE, na cama, Andrew observava a esposa dormir. *Eu te amo tanto, meu anjo.* Ele ficara emocionado com a preocupação de Maria quando chegara em casa. Talvez as coisas fossem ficar bem entre eles, afinal?

Pensou em contar ao detetive Connors a verdade sobre Grace e o que tinha acontecido naquela tarde. Mas apenas por um momento. Grace poupara sua vida e perdoara seus pecados. O mínimo que podia fazer era retribuir o favor.

Se Lenny realmente tinha sido assassinado, Andrew desejava que Grace tivesse sorte em sua busca pelo assassino. Independentemente do que o mundo pudesse achar, Lenny Brookstein tinha sido um bom homem. Esticando a mão até o outro lado da cama, Andrew puxou Maria mais para perto, sentindo o cheiro inebriante do corpo dela. O leve aroma de loção pós-barba que também detectou trouxe lágrimas aos seus olhos.

Andrew Preston nunca usava loção pós-barba.

Capítulo 23

JASMINE DELEVIGNE ADMIROU seu corpo nu no espelho. Tinha 24 anos, pele cor de café com leite, pernas longas e esbeltas e um lindo e perfeito par de seios de silicone novo em folha, presente de aniversário de um cliente poderoso. Segurando-os com carinho nas mãos, Jasmine pensou: *Não. Ele é mais do que um cliente. É meu amante. Eu o adoro.*

Não era comum Jasmine se afeiçoar aos homens que pagavam para compartilhar sua cama. Filha de um executivo francês com uma princesa persa, Jasmine Delevigne não precisava do dinheiro que ganhava como garota de programa. Fazia isso por prazer. O simples fato de saber que homens ricos e poderosos, homens que tinham esposas bonitas e amantes ainda mais bonitas, achavam-na irresistível, a ponto de pagarem pelo privilégio de irem para a cama com ela, dava um prazer incrível a Jasmine. Fazia anos que não tocava em seu fundo fiduciário. O apartamento na Quinta Avenida, o conversível vintage MG, o armário cheio de vestidos de alta-costura e de sapatos que custavam mil dólares o par; tudo pago pelo seu corpo perfeito. Muitas pessoas podiam chamá-la de prostituta. Pessoas como seu pai, que desperdiçara toda a sua atenção na mãe de

Jasmine sem nunca perceber os esforços da filha para agradá-lo. Mas Jasmine não se importava com a opinião deles.

Sou feminista. Transo com quem eu quero, quando eu quero e porque gosto. Não devo explicações a ninguém.

Andou por seu quarto de vestir e escolheu a lingerie que usaria. Calcinha de seda cor de chocolate da La Perla e camisola combinando. *Sofisticado e feminino. Exatamente como ele gosta.* Fazia semanas que Jasmine não o via, e estava excitada. Havia outros, claro. Todos os seus clientes eram homens bonitos e bem-sucedidos, e todos eram bons de cama. Jasmine Delevigne era a melhor e só trabalhava com os melhores. Mas nenhum dos outros homens a conquistara como ele.

A campainha tocou.

Ele chegou mais cedo. Ele quer tanto quanto eu.

Jasmine abriu a porta impassível, como a princesa que era.

— Olá, querido.

Ele a agarrou pelo pescoço.

— Tire a porra da roupa agora. Já.

As pupilas de Jasmine dilataram de excitação. *Como senti saudades de você.*

— Por favor! Não!

Gavin Williams apertou os nós em volta dos pulsos de Grace Brookstein. Então levantou o chicote e deu um golpe na parte de trás das pernas dela. Dois sulcos vermelhos vivos se juntaram a outros. Gavin sorriu.

— Vou perguntar de novo, Grace. Cadê o dinheiro?

Ela estava chorando. Implorando. A esposa de Lenny Brookstein, seu bem mais precioso, estava implorando para ele, Gavin Williams, por misericórdia. Mas Gavin Williams não seria misericordioso.

Desapareçam da terra os pecadores, e já não subsistam os perversos.

Ele sentiu o início de uma ereção. Levantou o chicote novamente.

— Com licença, o senhor está bem?

A fantasia desapareceu. Estava de volta à sua mesa na Biblioteca de Ciências, Indústria e Negócios, na Madison Avenue. A bibliotecária estava parada ao seu lado. *Que vadia estúpida. Por que não cuida da própria vida?*

— Estou bem.

— Tem certeza? O senhor está muito vermelho. Quer que eu abra uma janela ou alguma coisa?

— Não — respondeu Gavin. A senhora entendeu o recado e voltou para a sua mesa.

Era ridículo ser forçado a trabalhar em uma biblioteca pública. Depois que Harry Bain o afastara sumariamente da força-tarefa do Quorum, o chefe de Gavin no FBI insistira que ele tirasse uma licença remunerada.

— Você está muito estressado, agente Williams. Precisa de um tempo para relaxar. Acontece com todo mundo.

Você quer dizer que acontece com imbecis fracos como você. Não comigo.

— Eu estou bem. Pronto para trabalhar.

— Tire as férias, Gavin, está bem? Nós o chamaremos de volta daqui a uns dois meses.

Dois meses? Gavin sabia o que estava acontecendo. John Merrivale estava conspirando contra ele. Envenenando o poço. *Todos acham que sou maluco. Obsessivo. Mas vou mostrar a eles. Quando Grace Brookstein me levar até aquele dinheiro, eles vão engolir essas palavras. Estou perto. Posso sentir.*

Gavin Williams tirou um lenço antisséptico da pasta e começou a limpar o lugar em que a bibliotecária tinha tocado a mesa. Então, fechou os olhos e tentou resgatar sua fantasia: Grace Brookstein amarrada como um animal, à sua mercê.

Não adiantava mais. Ela já se fora.

— SENHOR, dê uma olhada nisso.

Mitch se debruçou sobre a tela do computador de um jovem detetive.

— O senhor me pediu para fazer umas pesquisas sobre o senador Warner. Este e-mail acabou de chegar da Delegacia de Costumes.

Mitch leu o e-mail.

— Ninguém investigou isso?

— Parece que não, senhor. O senador Warner apoia as causas da polícia de Nova York.

Aposto que sim.

— Isso tudo é extraoficial. Meu amigo na Delegacia de Costumes está me fazendo um favor. Eu prometi que seria cuidadoso.

— Você tem o endereço da garota?

— Sim, senhor. É um endereço bem chique também. — O detetive clicou em outra janela. — O senhor não acha que seria melhor mandarmos primeiramente uma policial mulher? Não queremos assustá-la.

JACK WARNER recostou-se em sua limusine, sentindo a adrenalina correndo em suas veias. Estar com Jasmine, tocá-la, transar com ela, satisfazer-se em seu corpo... Era a melhor sensação do mundo. Saber que todo o país o idolatrava como um cristão conservador, um símbolo vivo da moral e dos valores de família, só aumentava o prazer. Jack lembrou-se do conselho que Fred Farrel lhe dera sobre o vício em jogo.

— Eu entendo. É excitante. Todo aquele risco. Mas é tão excitante quanto ser o próximo presidente dos Estados Unidos? É isso que você tem que se perguntar, Jack. Você poderia perder tudo.

Ah, sim. Mas era isso que trazia a emoção, não era? Saber que podia perder tudo. Fred Farrel sabia do vício em jogo e dos casos extraconjugais. Mas não sabia sobre Jasmine. Só uma pessoa sabia sobre Jasmine.

E essa pessoa estava apodrecendo embaixo da terra e respondia pelo nome de Lenny Brookstein.

JASMINE DELEVIGNE serviu chá de seu bule de prata em duas xícaras de porcelana. Entregou uma delas à policial.

A jovem pálida, meio nerd, de cabelos pretos e curtos e óculos grossos com armação de plástico, olhou o apartamento suntuoso e pensou: *Estou na profissão errada.*

— Açúcar?

— Ah. Não, obrigada. Você tem um lindo apartamento.

— Obrigada. Trabalhei muito por ele. — Jasmine recostou-se no sofá de camurça Ralph Lauren e cruzou as pernas discretamente. — Então, você quer saber sobre o senador Warner?

Quando a policial aparecera sem avisar, fazendo perguntas sobre Jack e o relacionamento dele com Leonard Brookstein, a primeira reação de Jasmine tinha sido entrar em pânico. A segunda, lealdade. Jasmine amava Jack. Não podia traí-lo. Mas fora a sua terceira reação, o interesse próprio, que ganhara a batalha. Aquela poderia ser sua chance de afastar Jack da esposa para sempre. Ele só ficava com Honor porque ela era necessária para suas ambições políticas. Isso a levava a concluir que se as ambições políticas dele morressem, seu casamento teria o mesmo destino.

— Há quanto tempo vocês dois se conhecem?

Jasmine tomou um gole de chá.

— Socialmente, há cinco anos. Somos amantes há três. Biscoitos?

Esta moça é uma obra de arte.

— Não, obrigada. Você disse "amantes".

— Certo. Acho que devo esclarecer. O senador Warner é meu cliente. Ele paga pelos meus serviços. — Ela falou sem o menor resquício de vergonha. — No entanto, eu caracterizaria o nosso relacionamento como romântico. A gente se adora.

— Entendo. Então, o senador Warner faz confidências a você?

— Com certeza.

— E alguma vez ele falou com você sobre Lenny Brookstein?

— Falou. Lenny sabia sobre nós. Ele era a única pessoa que sabia.

— Jack contou a ele?

— Não. Deus, não. Ele descobriu de alguma forma. Lenny Brookstein estava chantageando Jack. Era um homem mau, violento, e infernizava a vida de Jack. Quando soube que ele tinha se matado, fiquei feliz. Não poderia ter acontecido com alguém melhor.

A policial se endireitou no sofá, surpresa pela sinceridade da moça. Jasmine percebeu sua reação.

— Sinto muito. — Ela deu de ombros. — Eu poderia mentir, mas não vejo por quê. Eu odiava Lenny Brookstein. Eu e Jack o odiávamos. Ele era manipulador e falso.

— Srta. Delevigne, na sua opinião, o senador Warner odiava Lenny Brookstein a ponto de mandar matá-lo? Ou de matá-lo ele mesmo?

Jasmine sorriu. A policial pensou: *Até os dentes dela são perfeitos.*

— Se ele o odiava o suficiente para isso? Certamente. Lenny estava ameaçando destruir tudo o que Jack trabalhara para construir. Ele forçou Jack a conseguir votos a favor do Quorum quando estavam reescrevendo a legislação de fundos de hedge, lembra? — A policial assentiu. — Lenny sempre dizia para Jack: "É isso. Mais um voto e você está livre." Mas ele sempre voltava pedindo mais, sugando cada vez mais. — Jasmine balançou a cabeça com raiva. — Jack odiava Lenny Brookstein e tinha bons motivos para isso. Mas ele não o matou.

— Você parece ter certeza disso.

— Eu tenho certeza. Jack disse que estava velejando naquele dia. No dia da tempestade em que Lenny Brookstein desapareceu.

A policial olhou nas suas anotações.

— Isso mesmo. Ele saiu para velejar. A guarda costeira de Nantucket o resgatou a 10 quilômetros de Sankaty Head. Ele chegou à casa dos Brookstein por volta das... 18 horas naquela noite.

— A guarda costeira não resgatou Jack. Pelo menos, não da forma que você acha.

— Como assim? — A policial franziu a testa. — Não entendi.

— Jack não saiu de barco naquele dia. Ele passou o dia todo comigo, em um chalé à beira da praia em Siasconset. A guarda costeira apenas forjou o resgate.

— Você está dizendo que a guarda costeira ajudou o senador Warner a dar um falso álibi? Eles *mentiram*?

Jasmine riu, tímida e sensualmente, trazendo vida a todo o seu corpo.

— Não fique tão chocada. Isso acontece o tempo todo. O senador Warner é um homem poderoso. As pessoas passam a mão na cabeça dele para que um dia ele retribua na mesma moeda. Eu achava que, na sua profissão, você já estaria habituada a esse tipo de coisa. Eu certamente já estou na minha.

Educadamente, Jasmine levou a policial até a porta. Ao sair, Jasmine perguntou a ela:

— Então a polícia acha que Lenny Brookstein pode ter sido assassinado? Tenho acompanhado o caso, mas ainda não escutei nada sobre homicídio.

— É uma possibilidade que estamos considerando.

— Você acha que isso significa que as coisas virão à tona agora? Sobre mim e Jack? — Jasmine inclinou a cabeça para um lado, esperançosa. A policial pensou: *Então é isso. Ela quer que as pessoas saibam. Ela está querendo fazer com que o senador largue a esposa.*

— Não sei, Srta. Delevigne. Isso não é da minha alçada.

Jasmine se inclinou para a frente de forma conspiratória.

— Aposto na amante dele. A mulher não é fácil.

A policial sorriu.

— Acho que está errada. O Sr. Brookstein não tinha amante.

— Claro que tinha. Connie Gray, a cunhada dele. Eles eram amantes, até que Lenny a abandonou e voltou de joelhos para a esposa. Você não sabia?

Capítulo 24

— Polícia! Abra a porta, Srta. Jasmine Delevigne!

Jasmine suspirou. *De novo? O que eles querem desta vez?* Ela abriu a porta.

— Ei, eu conheço você, não conheço?

No saguão, Grace trancou a porta do banheiro feminino. Tirou a peruca preta e os óculos, depois o uniforme de polícia, dobrou-o e colocou-o na cisterna do vaso sanitário. Só depois que colocou a tampa da cisterna no lugar e endireitou as roupas, caiu no chão e começou a chorar.

Não. Lenny não. Não o meu Lenny.

Com a minha própria irmã?

Ele não poderia.

Começou a se lembrar. Lenny e Connie sempre tinham se dado muito bem. Eram espíritos afins em alguns aspectos, ambos eram ambiciosos. *O contrário de mim.* Lembrou-se dos dois dançando no Baile do Quorum, envolvidos em uma conversa. Connie brigando com Lenny na praia em Nantucket, depois se desfazendo em lágrimas. *Eu achei que ele a estivesse confor-*

tando por causa de Michael. Por causa de todo o dinheiro que tinham perdido. Como posso ter sido tão cega?

Grace não se importava com Connie. Fazia muito tempo que suas irmãs estavam mortas para ela. Mas Lenny! As lembranças de Grace do dia de seu casamento, do amor de Lenny por ela, eram a única coisa verdadeira que tinha sobrado em seu mundo. Sem isso, não havia esperança, nada tinha significado, não tinha razão para nada disso. Sem aquele amor, a angústia era insuportável. Ela perguntou aos céus em voz alta:

— Ah, Lenny, me diga que não é verdade!

Mas Grace não escutou nada, apenas o eco de suas próprias palavras no silêncio.

JASMINE SORRIU para o policial louro e atraente. Geralmente, só se interessava por homens ricos. Mas no caso do detetive Mitch Connors, ela poderia perfeitamente abrir uma exceção.

— Gostaria de conversar sobre o seu relacionamento com o senador Warner.

— Certamente. Mas não sei em que mais posso lhe ajudar. Já contei à sua colega tudo o que eu sabia.

Mitch franziu a testa.

— Minha colega?

— Isso. Ela acabou de sair.

Ela?

— Ela me perguntou sobre Jack e sobre o que aconteceu em Nantucket no final de semana em que Lenny Brookstein desapareceu. Não foi você quem a mandou?

A boca de Mitch ficou seca. Saiu correndo para o elevador, apertando o botão impacientemente. Pareceu levar uma eternidade.

Devo esperar ou pegar as escadas?

Foda-se.

Ele abriu a porta da saída de emergência e desceu as escadas, três degraus de cada vez. Chegando ao saguão, olhou em volta. *Vazio.* Correu para a rua, olhando para os dois lados freneticamente. A Quinta Avenida estava movimentada. A rua estava cheia de carros, e as calçadas, lotadas de pessoas. Mitch se meteu entre a multidão, mostrando seu distintivo como um talismã, segurando todas as mulheres pequenas por quem passava, analisando os traços de todas elas.

Não adiantou.

Grace Brookstein já tinha ido embora.

Capítulo 25

Assim que percebeu que Grace tinha conseguido fugir, Mitch voltou ao apartamento de Jasmine.

— O que você disse a ela? Quero saber tudo, cada palavra.

Foi uma conversa e tanto. Mitch estava acostumado a ouvir falar de Lenny Brookstein como um fraudador e covarde. Mas em todos os perfis traçados pela mídia, nunca escutara nenhuma menção a amantes. Muito menos a um caso com a irmã da esposa. Parecia tão estranho.

Não era de se admirar que "a policial" tivesse saído com tanta pressa.

Mitch tentou imaginar qual seria o passo seguinte de Grace. Após tantas semanas naquele caso, ele estava começando a sentir como se estivesse na cabeça dela, quase como se eles fossem fisicamente conectados de alguma forma. Era estranho. Tecnicamente, eles mal se conheciam. *Não* se conheciam. Ainda assim, havia vezes em que Mitch se sentia mais próximo de Grace do que de muitas de suas ex-namoradas, até mesmo Helen.

O primeiro instinto dela, ele tinha certeza, seria ir direto para a casa de Connie para confrontá-la. Mas, e depois? O bom-senso a tomaria? Aparecer na casa da irmã seria um risco insano. Por outro lado, Grace tinha mantido Davey Buccola na mira de uma arma. O apetite dela por risco parecia estar crescendo a cada dia.

Mitch tinha interrogado as duas irmãs de Grace assim que ela fugira de Bedford Hills. Era um procedimento de rotina entrar em contato com a família, no caso de o suspeito procurar alguém. Lembrava-se da forma como Honor e Connie tinham lavado as mãos no caso de Grace, como duas Lady Macbeths, abandonando-a completamente quando ela mais precisava. Amigos por interesse já eram ruins o suficiente. Mas Grace tinha sido amaldiçoada com uma família movida a interesse.

Se Lenny realmente havia trocado uma mulher linda como Grace pela mulher de gelo que era Connie Gray, ele devia ser louco. Mitch se lembrou de seu encontro com Grace na estação de metrô da Times Square. Tinha chegado tão perto de pegá-la naquele dia, mas não foi de sua decepção que se lembrou. E sim da expressão de Grace, da assombrosa combinação de vulnerabilidade e força. Apesar do seu cansaço e das roupas largas e masculinas que estava usando, ela possuía um poder de atração singular. Em alguns aspectos, fazia com que Mitch se lembrasse de Helen, no feliz início de seu casamento. Ambas tinham uma beleza interior, uma feminilidade inata que atraía os homens para elas como abelhas para o mel. Connie Gray era exatamente o oposto. As feições de Connie podiam ser regulares e seu corpo podia ser esbelto e estar em forma, mas ela era tão feminina quanto um lutador de sumô. *Talvez fosse isso que Lenny queria. Uma versão transexual da própria esposa?* Isso realmente seria doentio.

MICHAEL GRAY atendeu a porta.

— Detetive. Que surpresa.

Mitch pensou a mesma coisa que todo mundo pensava quando via Michael. *Você é um homem decente, íntegro, à moda antiga. É bom demais para essa gente.*

— Alguma novidade sobre Grace?

— Nada de concreto. Estamos seguindo novas linhas de investigação. Será que eu poderia falar com de sua esposa de novo?

— Claro. Vou ver se ela está.

— Tudo bem, Mike. Estou aqui.

Connie apareceu no vestíbulo. Mitch pensou: *Talvez eu tenha exagerado.* Com um bonito vestido floral, o cabelo louro sob um arco, ela estava bem mais atraente do que ele se lembrava. Atrás dela, um adorável menino louro empurrava um trem de madeira pelo chão. Pelas portas duplas à direita de Mitch, um menino mais velho e mais moreno tocava piano. A cena toda parecia um comercial de televisão. *Bom demais para ser verdade?*

Connie acompanhou Mitch até um escritório onde pudessem ficar sozinhos. Ele viu duas primeiras edições de livros de Steinbeck na estante e o que parecia um Kandinsky do período inicial na parede de madeira. Era evidente que os problemas financeiros dos Gray tinham ficado para trás.

Connie o viu admirando o quadro.

— Foi um presente.

— Um presente muito generoso.

— Verdade. — Connie abriu um sorriso doce, mas não continuou o assunto. — Em que posso ajudá-lo, detetive?

Mitch decidiu ir direto ao assunto.

— Por quanto tempo você e Lenny Brookstein foram amantes?

O sangue foi todo para o rosto de Connie, depois sumiu. Ela chegou a considerar a possibilidade de negar o caso, mas pensou melhor. *É óbvio que ele sabe. Mentir agora só vai deixá-lo com mais raiva.*

— Não por muito tempo. Poucos meses. Acabou antes de Nantucket. Antes de ele morrer.

— Quem terminou?

Connie pegou uma almofada de seda e cravou as unhas no tecido.

— Foi ele.

— Isso a deixou chateada?

Uma veia latejava visivelmente na têmpora de Connie.

— Um pouco. Na época. Como pode imaginar, detetive, esse é um capítulo da minha vida do qual não tenho muito orgulho. Michael não faz a menor ideia. Nem Grace.

Agora ela faz.

— Você mentiu para a polícia sobre o relacionamento de vocês.

— Eu não menti. Eu omiti. Não vi nenhuma razão para desenterrar tudo isso. Ainda não vejo.

Mitch pensou no corpo de Lenny, ou no que sobrara dele, tirado do fundo do mar. Será que Connie tinha alguma participação na morte dele? A mulher desprezada? Ela tinha um álibi incontestável para o dia da tempestade. Várias pessoas viram as três irmãs Knowles almoçando juntas no Cliffside Beach Club. Mas ela poderia ter orquestrado tudo.

— De que a senhora não tem tanto orgulho, exatamente? Do caso? Ou do fato de Lenny ter lhe dado um fora e voltado correndo para Grace? — Mitch estava tentando achar um ponto fraco em Connie. Se conseguisse fazer com que ela perdesse seu majestoso autocontrole, talvez ela deixasse escapulir alguma coisa. — Deve ter sido humilhante ser rejeitada em troca da caçula.

— Vou lhe dizer o que era humilhante, detetive. A obsessão ridícula de Lenny por Grace. Isso era humilhante. Um homem inteligente e dinâmico como ele se deixar dominar por uma esposa que mais parecia uma criança tola? Era absurdo. Patético. — A língua de Connie jorrava veneno. — Todo mundo achava isso, não era só eu. E todo mundo fingia admirar o casal apaixonado. Mas aquele casamento era uma piada contínua.

— A senhora o amava, não amava?

— Não.

— A senhora o amava, mas *ele* amava sua irmã.

— Ele era obcecado pela minha irmã. É bem diferente.

— Besteira. Grace foi o amor da vida dele. Você não conseguiu perdoar nenhum dos dois por isso, não foi, Connie?

Pegando sua bolsa, Connie tirou um cigarro e o acendeu. Deu uma tragada profunda e disse:

— Deixe-me lhe dizer uma coisa, detetive. O único amor da vida de Lenny Brookstein foi Lenny Brookstein. Se o senhor não sabe disso, então não o conhece mesmo.

— Mas a senhora o conhecia. A senhora se humilhou, se prostituiu para dar prazer a ele, depois foi jogada fora como um trapo.

— Isso não é verdade.

— Admita. A senhora se jogava aos pés dele.

O maxilar de Connie se contraiu visivelmente. Por um momento, Mitch achou que ela finalmente fosse perder o controle. Mas conseguiu se controlar. Apagando o cigarro, ela disse calmamente:

— O senhor está muito errado. Se quer saber, eu odiava Lenny Brookstein. Eu o odiava.

— Foi por isso que a senhora o matou?

Connie caiu na gargalhada.

— Ah, meu Deus! Toda essa encenação para chegar a isso, detetive? — Ela enxugou as lágrimas causadas pelo riso. — O senhor descobriu sobre meu caso com Lenny e, de repente, me transformei na amante rejeitada que mata em um acesso de ódio? É um pouco simplista demais, não acha?

Mitch ficou furioso.

— Vou lhe dizer o que eu acho. Acho que estava lá naquele final de semana porque queria vingança.

— É verdade. E eu consegui a minha vingança. — Levantando-se, Connie foi até o quadro que Mitch admirara mais cedo, tirou-o da parede e o entregou a ele. — Um presente de meu querido falecido cunhado. Falso, como descobri depois. Como ele. Mas dá um toque especial à sala. Tenho certeza de que concorda. Eu queria o quadro, então fiz com que Lenny me desse. Fiz com que Lenny me desse muitas coisas.

— A senhora o estava chantageando? Ameaçando contar a Grace sobre vocês dois?

— Chantageando? De forma alguma. — A ideia pareceu surpreendê-la. — Simplesmente exigi o que me pertencia. — Andando pela sala, admirando suas estantes de livros raros e obras de arte, Connie sorriu, orgulhosa de si própria. — Graças a Deus, Michael acha que comprei esta casa com o dinheiro de uma herança. Ele realmente acha que uma tia rica e velha me deixou 15 milhões de dólares.

— Lenny lhe deu esse dinheiro?

— Quem mais me daria? Ele fez o cheque em Nantucket, dois dias antes de morrer. Graças a Deus, eu depositei logo. Mais duas semanas e o dinheiro teria desaparecido juntamente com os bilhões do Quorum. Mas do jeito que foi... — Ela sorriu de forma presunçosa, deixando a frase inacabada no ar. — Posso lhe dizer de todo coração, detetive, que a morte de Lenny

Brookstein foi um golpe terrível para mim. Mas não porque eu o *adorava*. Não sou nenhuma vítima. Deixo esse papel para a minha irmã. Ela é muito boa nisso.

MAIS TARDE naquela noite, Mitch não conseguia dormir, pensando em Connie e Grace, e no homem que as duas amaram. Lenny Brookstein era um enigma. Ele não era a caricatura do mau que a imprensa fizera, disso Mitch tinha certeza. Mas também não era o santo que a esposa imaginava. Parecia ser uma miscelânea de contradições. Generoso e mau. Leal e vingativo. Dedicado e infiel. Brilhante nos negócios mas incapaz de distinguir um amigo de um inimigo.

Será que Lenny Brookstein havia realmente roubado todo aquele dinheiro?

Ele era bem capaz disso. Mas será que o fizera?

Se sim, o cretino não tivera oportunidade de aproveitar. Alguém acabara com sua festa usando uma faca de açougueiro. Alguém que Lenny Brookstein conhecia e em quem confiava.

Buccola conseguira algumas pistas atormentadoras, mas nenhuma delas dera em nada: Andrew Preston, Jack Warner e Connie Gray. Estava na hora de voltar para John Merrivale.

Mitch pegou no sono com imagens de um mar tempestuoso, quadros de Kandinsky e o rosto de Grace Brookstein.

Capítulo 26

O ENJOO VINHA em ondas.

No início, Grace tentou ignorar. Estava muito estressada. Não comia adequadamente. Depois que Jasmine Delevigne lhe contara sobre Connie e Lenny, ela voltara correndo para seu quarto miserável, se jogara na cama e ali ficara por dois dias. Isso era pior do que a traição de Davey Buccola, pior do que ser mandada para Bedford Hills, pior do que ser estuprada. Ela só saía da cama para ir ao banheiro e vomitar. Os vômitos estavam piorando, ficando cada vez mais frequentes e mais violentos. Ela estava doente.

Isso provavelmente é um vírus. Estou deprimida. Minha imunidade está baixa.

Após 48 horas de enjoos insuportáveis, Grace finalmente se arrastou até uma farmácia na esquina. Com um boné de beisebol quase cobrindo seus olhos e um cachecol sobre metade de seu rosto, ela contou seus sintomas para o farmacêutico.

— Sei. Quando foi a sua última menstruação?

A pergunta pegou Grace de surpresa.

— Minha menstruação?

— Existe alguma chance de você estar grávida, docinho?

Grace tentou bloquear todos os sons e imagens, mas eles continuavam aparecendo: o rosto do motorista do caminhão, seus olhos pretos e cruéis, a voz que a atormentava. *Não se preocupa, Lizzie, temos a noite toda.*

— Não.

— Tem certeza absoluta?

— Tenho. Não tem a menor chance.

Grace comprou um teste de gravidez.

Dez minutos depois, sentada em um vaso sanitário quebrado que dividia com outros três inquilinos, fez xixi no palito por cinco segundos, como mandavam as instruções, mentalmente se ridicularizando por desperdiçar 15 dólares.

Isso é ridículo. Minha menstruação só está atrasada porque estou esgotada.

Duas linhas cor-de-rosa apareceram na janela do resultado. As palmas de suas mãos começaram a suar. *Deve ser um falso positivo.* Correu de volta para a farmácia e comprou outro teste. Depois outro. Todas as vezes, o palito de plástico zombava dela com suas duas linhas cor-de-rosa dançando bem debaixo de seu nariz como os elefantes em *Dumbo*.

Positivo. Positivo. Positivo.

Parabéns! Você está grávida.

Grace ficou tonta. Jogou-se na cama e fechou os olhos. De alguma forma, naquelas últimas três semanas, ela conseguira bloquear o estupro. Como se, instintivamente, soubesse que, se pensasse a respeito, isso a destruiria. Mas agora não tinha mais como esconder. Estava ali, dentro dela, crescendo, vivo como um alienígena indesejado, um parasita que a consumia de dentro para fora.

Preciso me livrar disso. Agora.

Um médico estava fora de questão. Grace já estava usando a terceira carteira de motorista falsa que Karen fizera para ela em Bedford Hills. Naquela semana, Grace era Linda Reynolds, uma garçonete de Illinois. Os cartões de crédito eram bons o suficiente para enganar vendedores e recepcionistas de hotel, que não olhavam para o cartão por mais de um segundo. Mas ela não podia se arriscar a usar um deles em um consultório médico, onde poderiam olhar com mais atenção.

Vou ter que resolver isso sozinha.

Ouvira algumas das garotas em Bedford Hills falarem sobre clínicas clandestinas de aborto, histórias terríveis que envolviam cabides e hemorragias. Ao lembrar-se delas, Grace começou a tremer.

Não posso. Não posso fazer isso.
Tem que haver outro jeito.

EM UMA BIBLIOTECA pública tranquila em uma esquina no Queens, Grace se sentou à frente de um computador. Uma rápida pesquisa no Google lhe mostrou o que precisava fazer.

... a ingestão pode causar problemas gastrointestinais, aborto espontâneo, ataques de epilepsia, coma, coágulo intravascular, insuficiência renal e hepática e morte.

Aborto espontâneo...

Havia uma loja de produtos naturais que vendia ervas a poucas quadras dali.

Grace foi para lá.

— OS ROMANOS COSTUMAVAM usar isso, sabe. — A vendedora da loja estava a fim de papo. — Era uma erva comum para cozinhar. Claro, o que você tem aqui é um óleo essencial. — Ela entregou a Grace um frasco do tamanho de um polegar. — Você não pode usar isso para cozinhar. A não ser que seja uma poção para a sua sogra e você esteja tentando matá-la! — Grace forçou um sorriso. — Mas algumas gotas na banheira? Fantástico. Os seus problemas vão desaparecer.

Tomara.

— Quanto é?

— São 15 dólares e 22 centavos. — A vendedora colocou o frasco em um saco de papel e o entregou a Grace. De repente, a expressão dela mudou. — Eu conheço você de algum lugar? Seu rosto me parece familiar.

Grace deu uma nota de 20 dólares para a vendedora.

— Acho que não.

— Não, conheço sim. Tenho certeza. Nunca esqueço um rosto.

— Fique com o troco.

Grace pegou o saco de papel e saiu apressada da loja. A vendedora a observou saindo. Era terrível a forma como as pessoas dessa cidade viviam correndo. Ela parecia uma boa moça. Esperava que o óleo a ajudasse a relaxar.

Tenho certeza de que a conheço de algum lugar.

Mitch Connors encontrou John Merrivale para um almoço em Manhattan.

— Obrigado por vir me encontrar.

John Merrivale se levantou e sorriu educadamente. Mitch ficou surpreso em como ele era sem graça. Tudo nele parecia apagado, desde sua pele sem cor e seus olhos cinza aguados, até a voz aguda e o aperto de mão fraco. *Ele parece mais um fantasma do que um homem.*

— De-de forma alguma, detetive. Fico feliz em ajudar, se puder. Suponho que seja sobre Gr-Grace?

— Na verdade, é sobre Lenny.

O sorriso simpático desapareceu.

— Ah?

— Eu gostaria de compreender melhor seu relacionamento com ele.

— Meu relacionamento? Não entendo como o meu relacionamento com ele pode ter alguma relevância.

Mitch pensou: *Isso tocou em alguma ferida.* Em voz alta, ele disse:

— Estamos tentando construir um cenário o mais completo possível da vida dos Brookstein antes de Grace ser presa. Esperamos, assim, conseguir prever seus passos.

— Entendo. — John se sentou com cuidado.

— Podemos pedir?

Mitch escolheu bife e salada. John analisou o cardápio por um tempo exagerado antes de se decidir por uma quiche. *Fraco e insípido, como ele,* pensou Mitch. Mas John Merrivale tinha de ser mais do que isso. Não se chega ao topo de uma instituição como o Quorum sem possuir um lado severo. Ou, pelo menos, sem uma inteligência excepcional.

— O senhor conhecia os Brookstein melhor do que qualquer outra pessoa — começou Mitch. — Grace até ficou hospedada em sua casa durante o julgamento, não?

— Está correto.

— E o senhor pagou pela defesa dela.

John Merrivale não parecia à vontade.

— Paguei. Lenny era meu me-melhor amigo. Ele teria gostado que eu fizesse isso.

— Mas o senhor nunca a visitou na cadeia. Na verdade, nunca mais entrou em contato com ela. Por quê?

— Tente entender, detetive. Acreditei em Grace enquanto eu pu-pude. Assim como acreditei em Le-Lenny. Mas em certo momento, tive que encarar a verdade. Os dois me pa-passaram para trás. Perdi tudo com a falência do Quorum. O meu no-nome, minhas economias, o tr-trabalho da minha vida toda. Sei que outras pessoas sofreram mais do que eu. E estou de-dedicando todo o meu tempo agora para tentar ajudá-las.

— O senhor está falando sobre a investigação do FBI?

— Estou — disse John seriamente. — Estou tentando en-entender o que aconteceu.

Mitch pensou: *Tudo que ele fala faz sentido. Então, por que não consigo acreditar nele?*

A comida chegou. Mitch devorou seu bife vorazmente. Observou John ciscar em volta da quiche Lorraine, comendo pequenos pedaços, como um passarinho. Quando terminaram de comer, Mitch mudou de tática.

— Se o senhor tivesse que dar um palpite, para onde acha que Grace iria?

— Não faço a menor ideia.

— Talvez Lenny tenha falado de algum lugar a que costumava levá-la...

— Não. Nunca.

— Algum lugar romântico, que fosse significativo para eles como casal...

— Já disse — respondeu John, de forma concisa. — Lenny não conversava comigo sobre essas coisas.

— Mesmo? — Mitch fingiu surpresa. — Eu achei que o senhor tivesse dito que ele era seu melhor amigo.

— E era.

— Seu melhor amigo nunca conversava com você sobre o casamento dele? A coisa mais importante na vida dele?

— Grace não era a coisa mais importante da vida de Lenny — respondeu John. — *Eu* era. — Vendo a expressão no rosto de Mitch, ele ficou vermelho e tentou voltar atrás: — Bem, não eu pe-pessoalmente. O Quorum. Nosso trabalho ju-juntos. Era para isso que Lenny vivia.

Tarde demais. O estrago estava feito. Mitch pensou: *ele parece Connie Gray. Uma amante ciumenta.* Ficou arrepiado.

— Poderia fazer o favor de me lembrar, Sr. Merrivale, onde o senhor estava no dia da tempestade em Nantucket? No dia em que Lenny Brookstein desapareceu.

John piscou duas vezes.

— Eu estava em Boston a trabalho. Uma viagem que já estava programada. Peguei um voo cedo e passei o dia todo fora. Todos os meus depoimentos estão nos arquivos, se quiser checá-los.

— Obrigado — disse Mitch. — Farei isso.

Foi só mais tarde, depois de pagar a conta e John Merrivale ter voltado para o trabalho, que Mitch percebeu.

Ele não gaguejou.

Quando perguntei sobre o álibi dele naquele dia, ele falou perfeitamente.

GRACE SE DEITOU na cama, o pequeno frasco de óleo na mão. O cheiro era inebriante e reconfortante, como alecrim trazido em uma brisa de verão.

O rótulo dizia: CUIDADO: TÓXICO. NÃO INGERIR.

Ela pensou no cretino que a estuprara.

Pensou na vida inocente dentro dela.

Pensou em Lenny. Quando fechou os olhos, conseguiu escutar sua voz:

E filhos? Imagino que você vai querer ser mãe em algum momento.

E a resposta dela. *Não muito. Estou tão feliz como estamos! Não há nada faltando.*

Deitada na cama, Grace percebeu que sacrificara a maternidade por Lenny. Sacrificara tudo por ele, pelo amor deles, e ainda estava sacrificando. Como ele podia tê-la traído com Connie? *Como?* Sentia-se furiosa e humilhada. Tentava odiá-lo, esquecer as lembranças dele, mas não conseguia.

Não adianta. Eu ainda o amo. Sempre o amarei.

Ela abriu o frasco e tomou o líquido amargo.

Quanto tempo será que vai levar?

— Você está bem aí dentro, moça?

O zelador estava batendo na porta do quarto de Grace.

— Precisa de um médico?

Grace não conseguia escutá-lo. A dor rasgava seu corpo como uma lâmina gigante, cortando sua carne, seus nervos. Ela gritava. Sangue jorrava dela. Suas pernas começaram a tremer e dançar enquanto uma convulsão tomava conta de seu corpo, contorcendo seus braços e pernas como um fantoche sádico.

O zelador destrancou a porta.

— Jesus Cristo. Vou chamar uma ambulância!

Grace não o escutou. Estava ensurdecida pelo som dos próprios gritos.

Capítulo 27

ELA ESCUTOU VOZES.

— Linda? Linda!

— Ainda sem resposta. Ela está com parada cardíaca.

— Dê mais um choque.

Grace se perguntou: *Quem é Linda?* Sentiu um peso sobre as suas costelas, então uma dor indescritível, como um espeto de carne sendo enfiado em seu coração.

Desmaiou.

ELA ESTAVA EM um quarto verde-claro com teto cinza. Havia agulhas em seus braços. Alguém falava com ela. Uma enfermeira.

— Linda?

Grace se lembrou. Tivera de abandonar Lizzie Woolley e usar outra identidade falsa. *Sou Linda Reynolds. Tenho 33 anos e sou garçonete em Chicago.*

— Bem-vinda de volta. — A enfermeira sorriu. — Você sabe onde está, Linda?

— Hospital. — A garganta de Grace estava tão seca e dolorida que a palavra era quase inaudível. — Água.

— Claro. — A enfermeira apertou um botão de emergência. — Espere só mais uns minutinhos. O médico vai dizer se você pode ou não beber água agora. Ele já está vindo. Tem alguém que você queira que eu avise? Um parente ou amigo?

Grace balançou a cabeça. *Ninguém.*

Voltou a dormir.

ELA ESTAVA em East Hampton na festa de 4 de julho. Tinha 6 anos. Seu pai a levantara nos braços e a colocara nos ombros. Ela se sentia como uma princesa em seu vestido de festa azul com pregas, com fitas vermelhas, brancas e azuis no cabelo louro.

Um dos amigos de seu pai os chamou:

— Ei, Cooper. Quem é esta linda menininha que está com você?

— A menina mais linda de Nova York. — Cooper Knowles sorriu. — Quando você se casar, Grace, será com um rei. Você terá o mundo aos seus pés, meu anjo. O mundo aos seus pés! — Ele puxou os sapatos novos de festa dela, e Grace riu.

O riso se transformou no riso de Lenny. Eles estavam na varanda de casa, em Palm Beach. Lenny lia o jornal.

— Olhe isto, Grace. — Ele deu uma gargalhada. — Olhe do que eles estão me chamando: "Leonard Brookstein, o rei de Wall Street". Como é ser casada com um rei?

— É maravilhoso, meu amor. Eu amo você.

— Eu também amo você.

— Linda. LINDA.

O feitiço se quebrou.

— Este é o Dr. Brewer, da nossa equipe de psiquiatria. Ele só quer conversar um pouquinho com você, está bem?

Os dias foram passando. Médicos e psiquiatras iam e vinham. Mulheres que abortavam sozinhas existia aos montes, infelizmente, mas o caso de Linda Reynolds era raro o suficiente para chamar atenção.

— Envenenamento por poejo? O que é isso?

— Alguma erva maluca. As mulheres a usavam para abortar na Idade Média. Mas é pavoroso. Ingerir o óleo essencial pode causar insuficiência renal, hemorragia uterina grave. Convulsões.

Os médicos disseram a Grace que era um milagre ela estar viva. O poejo fora eficiente em fazer seu trabalho de matar o bebê, mas o fígado dela ficaria danificado para sempre. Grace não ligava. Tentou chorar pelo filho, sentir-se triste, mas nem isso conseguia. Sabia que se olhasse para trás ia desmoronar. Tudo o que importava era estar viva, se recuperando, se fortalecendo. Sentia isso em seu corpo. Logo poderia sair dali. Seu trabalho ainda não estava terminado.

No corredor do hospital, Juan Benitez sussurrou para seu amigo José Gallo:

— *Es ella. Estoy seguro.*

José enfiou a cabeça para dentro do quarto de Grace.

— Não é mesmo.

Juan e José eram zeladores. Nada muito empolgante costumava acontecer no trabalho, limpando os corredores do hospital. Mas isso não era motivo para Juan começar a inventar coisas.

— *Ella es horrible.* Feia — disse José. — Grace Brookstein era *hermosa*.

Juan insistiu:

— *Les digo que es ella. Quieres la recompesa o no?*

José pensou. *Queria* a recompensa. Muito. Mas ele e sua família estavam ilegalmente nos Estados Unidos. Não queria ligar para a polícia de Nova York e dar a pista nessa perseguição.

Olhou para a paciente de novo. Com seu cabelo muito curto, louro quase branco, o rosto marcado pela dor e os olhos frios e apagados, ela não tinha o brilho da jovem que vira na televisão. Ainda assim, havia uma semelhança...

Os médicos tinham dito a Grace que ela podia andar pelo quarto caso se sentisse disposta. Não estava mais com agulhas no braço. Cuidadosamente, ela colocou os pés no chão. Após uma semana na cama, suas pernas pareciam gelatina. O poejo lhe causara convulsões, e uma delas distendera um músculo na sua panturrilha. Mancou até a janela.

No estacionamento abaixo, um jovem casal levava seu bebê recém-nascido para casa. O pai tentava encaixar a cadeirinha de bebê no banco de trás do carro, com uma expressão no rosto que misturava ansiedade e pavor, enquanto a esposa calmamente balançava o bebê nos braços. Grace deu um sorriso triste.

Que família adorável, feliz e normal. Nunca terei isso.

Não tinha tempo para ficar pensando em seus anseios. Um carro de polícia parou no estacionamento, depois outro, depois outro. De repente, havia policiais por todo lado, invadindo o prédio como cupins. Grace sentiu seu coração disparar. *Estão procurando por mim?*

Uma cabeça loura saiu de um dos carros da polícia. Mesmo antes de ele olhar para cima, Grace reconheceu o físico forte de jogador de futebol americano. *Mitch Connors. Então, eles estão aqui atrás de mim.*

A adrenalina tomou conta de seu corpo.

Pense! Tem que haver uma saída!

Mitch Connors entrou no elevador. Estava tão tenso que mal conseguia respirar. Como se a perspectiva de finalmente pegar Grace já não fosse opressora demais, ele passara os últimos três dias investigando o álibi de John Merrivale para o dia em que Lenny Brookstein desaparecera. Tinha tanta coisa para contar a ela. Tanta coisa ainda por fazer.

— Fechem todas as saídas e entradas. Quero policiais nas escadas de emergência, nas cozinhas, lavanderias, em todos os lugares.

— Com licença! — Uma chefe dos residentes furiosa colocou a mão entre as portas do elevador exatamente na hora que estavam se fechando. Com uns 50 anos, cabelo grisalho curto e uma expressão severa de "não brinque comigo", passou um sermão em Mitch: — O que está acontecendo aqui? Isto é um hospital. Quem lhe deu permissão para invadir dessa forma?

Mitch mostrou seu distintivo e ao mesmo tempo apertou o botão para o sexto andar. Deveria ter alertado as autoridades hospitalares, mas, com uma pista boa como essa, não havia tido tempo para as amenidades.

— Desculpe, senhora. Temos uma informação de que Grace Brookstein está no prédio. Se me dá licença...

— Não dou licença! Não me importo se Elvis Presley está no prédio. Meu trabalho é salvar vidas. O senhor não tem autoridade... Ei! Saiam daí! — Virando-se, a médica viu quatro policiais abrindo as portas do centro cirúrgico. Aproveitando a chance, Mitch empurrou-a para fora do elevador. A última coisa que viu antes de as portas do elevador se fecharem foi a médica furiosa correndo em sua direção, sacudindo o punho como um vilão de histórias em quadrinho.

Era melhor Grace estar ali. Senão, estaria encrencado.

— Linda Reynolds. Em que quarto ela está?

A enfermeira à mesa hesitou.

— Não podemos dar o número do quarto dos nossos pacientes. O senhor é da família?

Mitch mostrou o distintivo.

— Sou sim. Tio Mitchell. Onde ela está?

— Quarto 605 — disse a enfermeira. — No final do corredor à sua direita.

Mitch já estava correndo. Entrou no quarto, arma em punho.

— Polícia! Você está presa!

Um faxineiro apavorado levantou as mãos.

— Meu Deus! O que eu fiz?

— Cadê ela? Grace. — O senhor não entendeu nada. — Quer dizer, Linda. A paciente. Para onde ele foi, droga?

— Ao banheiro — gaguejou o faxineiro. — Três portas depois. Ela já volta.

Grace olhou para a grade da ventilação. Tinha 60 centímetros de cada lado. *O mesmo tamanho da caixa em que fugi da cadeia.*

Quando subiu no vaso sanitário, depois na cisterna, lágrimas de dor encheram seus olhos. Sua panturrilha esquerda estava latejando. Mordeu o lábio inferior com força para não gritar e levantou os dois braços. Tirar a grade foi fácil. Ao empurrá-la para o lado, uma nuvem de poeira caiu em seus olhos, cegando-a temporariamente, mas não tinha tempo de parar e se recuperar. Enfiando as unhas no teto, Grace puxou seu corpo minúsculo para cima, espremendo-se no tubo de ventilação como massa em uma máquina de fazer macarrão. Com cuidado, recolocou a grade depois de entrar. À sua frente, não havia nada além de escuridão. Centímetro a centímetro, ela se arrastou pelo nada.

Mitch entrou no banheiro feminino. Havia três cubículos, todos vazios.

Ele se virou para sair, depois parou. Indo até o cubículo do meio, passou o dedo pela tampa do vaso. A poeira era tão grossa quanto açúcar cristal. Mitch desenhou uma letra G e olhou para cima. *Pode um ser humano caber ali?*

De volta ao corredor, ele gritou em seu rádio:

— Preciso ver plantas do sistema de ventilação. Projetos. Para onde esses túneis vão?

A chefe dos residentes saiu do elevador e apontou para Mitch.

— Ali! De camisa azul. — Três seguranças fortes correram na direção dele. Segundos depois, Mitch estava sendo levado pela escada de emergência enquanto a médica observava, de braços cruzados, sorrindo de satisfação. *Mas que vadia.*

— Pelo amor de Deus. Sou um oficial da polícia. Vocês têm ideia do que eu poderia fazer com vocês por causa disso? Deixem-me ir.

O maior dos guardas murmurou:

— Está brincando, né? Tem ideia do que *ela* pode fazer com a gente se você escapar? Pode acreditar, detetive, você não faz ideia.

A visão de Grace estava clareando. Viu luz, raios fracos primeiramente, mas estavam gradualmente ficando mais fortes. O túnel se dividia para a direita e para a esquerda. A luz vinha da esquerda.

Foi em sua direção.

— Juro por Deus que se a perdermos por causa dessa palhaçada, eu mesmo vou providenciar para que você nunca mais chegue perto de um paciente com mais do que um Band-Aid.

Levou 15 minutos para o chefe de Mitch, tenente Dubray, enviar os faxes com os mandados e consentimentos necessários para o hospital. Só quando estava com todos em mãos a chefe dos residentes permitiu que seus seguranças deixassem Mitch sair de seu escritório.

— Não tente me amedrontar, detetive. — Ela riu. — Já não causou constrangimentos demais para um dia?

Mitch ia responder quando um de seus subordinados apareceu.

— As plantas — disse ele, ofegante, desenrolando o papel em cima da mesa.

Grace olhou para baixo pela grade. A sala estava vazia. Dessa vez, foi mais difícil tirar a grade. Apertada no tubo de ventilação como uma salsicha em uma lata, era complicado criar uma alavanca. Finalmente, com suor escorrendo pelas costas e pelo peito, ela conseguiu tirar a grade e sair pelo buraco. A luz era tão forte que ela levou alguns segundos para se adaptar. Olhou em volta.

Estou em uma sala de raios X.

Perguntou-se quanto tempo levaria até que o técnico aparecesse com o próximo paciente. *Será que eles sempre deixam as luzes acesas ou alguém apenas saiu e já está voltando?* Vozes do lado de fora responderam à sua pergunta. Dois homens estavam conversando. Grace viu suas sombras ficarem maiores. *Eles estão entrando!*

Mitch examinou as plantas. O tubo de ventilação tinha nove grades no sexto andar, todas representando uma saída em potencial. Mitch mandou homens para cada uma delas. A má notícia é que tinha perdido 15 minutos. A boa notícia era que não havia como sair do prédio e nem tinha como rastejar de um andar para o outro. Era um caso de "tudo que sobe, tem que descer".

— Qual é a saída mais próxima do banheiro feminino?

O oficial traçou o túnel com o dedo.

— Seria... bem aqui. A sala de raios X e ressonância magnética.

Mitch saiu correndo.

A grade da sala de raios X ainda estava pendurada. Grace nem tinha se preocupado em apagar seu rastro. *Ela sabe que seu tempo está se esgotando.*

— Não entendo — disse o técnico. — Fiquei aqui o tempo todo. Saí por uns trinta segundos. Mas se ela entrou aqui enquanto eu estava fora, teria que ter passado pela recepção. Liza a teria visto com certeza.

— Hum. Meus homens também — disse Mitch. Ele coçou a cabeça. — Tem alguma outra forma de sair daqui?

— Não.

— Algum elevador de serviço? Escada de incêndio? Janela?

— Não. Olhe à sua volta, detetive. É só isso.

Mitch olhou em volta. O técnico estava certo. A sala era uma caixa vazia, exceto pelo aparelho de raios X e o tubo circular da ressonância magnética. *Nenhum lugar para fugir, nenhum lugar para se esconder.* Então, de repente ele viu. No canto. Um cesto de roupa suja, cheio de panos usados.

Com o coração acelerado, Mitch mergulhou ali, tirando todos os panos como um homem faminto em busca de restos de comida no lixo. Em segundos, o chão estava literalmente coberto por camisolas hospitalares e máscaras. Mas nenhum sinal de Grace.

Ele tentou não deixar transparecer a decepção em seu rosto.

— Certo. Então, ela deve ter voltado para o tubo de ventilação. Onde é a próxima saída?

Grace esperou até que eles saíssem. Então, relaxando os músculos dos braços e das pernas, contraídos nos pontos em que se prendera no topo da máquina de ressonância magnética, ela caiu dentro do aparelho, machucando as costelas. Conseguira despistar Mitch Connors por enquanto. Mas quanto tempo ganhara com isso? Um minuto? Três? Cinco? O desespero tomou conta dela.

O hospital inteiro está cercado. Nunca vou conseguir sair daqui.

Pensou em desistir. Antes de saber sobre a traição de Connie e Lenny, nunca teria se perguntado por que estava fugindo, por que continuar lutando. Era tudo por Lenny. Precisava limpar o nome dele, honrar a memória dele. Agora, pela primeira vez, Grace percebeu que isso não era mais suficiente. Precisava de um motivo melhor. Precisava lutar por si mesma. Precisava salvar a própria vida.

Saindo do aparelho, ela ficou de pé.

Não posso desistir. Não vou desistir.

Pegou algumas roupas da pilha no chão e vestiu.

Grace foi andando devagar até a escada de incêndio, tentando não mancar. *Preciso sair deste andar. Chegar ao térreo e tentar dar um jeito de sair daqui.*

A recepcionista do departamento de raios X viu quando ela passou, mas não disse nada. Com sua touca de papel azul e a máscara cirúrgica cobrindo o rosto, poderia ser qualquer pessoa. Depois da recepção, havia dois policiais na porta. Grace esperou, com o coração na mão, que um deles pedisse uma identificação sua, mas eles a deixaram passar. Estava quase na porta da saída de emergência. Só mais alguns passos.

— Ei. Ei, você! De azul!

Grace continuou andando.

— EI! — A voz ficou mais alta. — Pare!

Continue andando. Não olhe para trás.

— Você não pode sair por aí. O alarme...

Grace abriu a porta.

— ... está ativado.

Sirenes soaram. Sinos, agudos e ensurdecedores, tocaram nos ouvidos de Grace. Por um momento, ela entrou em pânico, congelou. Em poucos segundos, o vão da escada estaria apinhado de policiais. *Não vou conseguir descer seis andares. Não dá tempo.*

Ela levantou a cabeça e começou a correr.

O RÁDIO de Mitch tocou.

— Ela está na escada de incêndio a leste. Sexto andar.

O coração dele disparou.

— Fechem todas as saídas.

— Já estão fechadas, senhor.

— Diga para todas as unidades, vocês podem sacar as armas, mas *não atirem*. Entendido? Nada de tiros.

— Sim, senhor.

Não havia como sair do prédio. Do lado de fora do hospital, a mídia já começara a chegar. Mitch sabia que nenhum de seus homens vazaria a notícia para a imprensa, mas era difícil mandar cem policiais para um grande hospital de Nova York sem despertar curiosidade. Equipes de televisão montavam seus equipamentos, ansiosas para conseguir imagens do drama em andamento. Mitch pensou: *Eles provavelmente estão esperando um tiroteio. Quanto valeriam as primeiras fotos de Grace Brookstein morta?*

Esperava poder protegê-la. Poder impedir que ela fugisse. Mantê-la a salvo. Com ele.

Correu para o telhado.

Grace olhou à sua volta. *É isso. Fim da linha.*

Se pelo menos os arranha-céus de Nova York fossem como no filme do Homem-Aranha, em que o edifício seguinte ficava a apenas um pulo de distância... Na vida real, o hospital de oito andares ficava espremido entre duas torres de vinte andares. A única forma de descer do telhado era pelas escadas de incêndio que Grace acabara de usar para subir, ou pelas escadas idênticas que havia do outro lado do prédio.

A não ser, claro, que você pulasse.

Deixando as escadas para trás, Grace engatinhou pelo perímetro do telhado. Olhou para baixo. Em um filme, haveria uma rede para amortecer sua queda. Ou um caminhão cheio de travesseiros de pena simplesmente estaria parado no sinal vermelho. Não tinha essa sorte.

Ouviu um barulho na porta das escadas a leste. Poucos segundos depois, escutou na outra porta também. *Eles estão vindo.*

Os olhos de Grace se encheram de lágrimas. Eles a pegariam, a mandariam de volta para a cadeia. Ela nunca saberia a verdade.

Naquele momento, enquanto as portas se abriam, ficou claro. Ela não tinha mais por que viver.

A PORTA SE ABRIU, fazendo o metal bater na parede. Mitch se arremessou sobre o telhado de concreto como uma bala de canhão. Levantou a cabeça na hora que alguma coisa azul desaparecia na beirada do telhado.

— Grace! Não!

Tinha chegado tarde demais.

LIVRO TRÊS

Capítulo 28

Mitch colocou a mão na boca. Escutou o público embaixo prender a respiração, depois gritos.

Eu acabei de perseguir uma mulher inocente até a morte.

Por que Grace não tinha esperado? Se ele pelo menos tivesse tido a chance de conversar com ela. De dizer que acreditava nela. Que sabia que Lenny não tinha se matado. Que sabia que ela era inocente. Que estava começando a se apaixonar por ela.

Não podia suportar olhar, mas sabia que precisava. Atrás dele, uma horda de policiais tinha se espalhado pelo telhado, todos com armas nas mãos. Mitch caminhou lentamente até o local em que o ponto azul desaparecera. Ajoelhando-se, ele respirou fundo para criar coragem e olhou para baixo, se preparando para ver o corpo de Grace ensanguentado e quebrado.

A calçada estava vazia.

— Mas que...

O telhado se projetava uns 60 centímetros além das paredes externas do hospital, como cobertura escorrendo pelas bordas de um bolo de casamento. Deitando-se de bruços, Mitch apalpou a saliência. Seus dedos não encontraram nada. Foi um pouco mais para a frente, como uma cobra, até que seu torso se projetasse perigosamente para fora do prédio. A multidão gritou novamente. De repente, Mitch sentiu a mão fria na sua.

Encolhida na saliência de uma janela que não tinha mais do que 20 centímetros, Grace olhou nos olhos de Mitch e abriu um sorriso triste, derrotado.

— Detetive Connors, temos que parar de nos encontrar assim.

A SENSACIONAL imagem da captura de Grace Brookstein foi exibida no mundo todo. Da noite para o dia, Mitch Connors, da polícia de Nova York, passou de policial trapalhão para herói nacional. Havia muita especulação sobre onde a fugitiva mais procurada dos Estados Unidos estava presa. Mandariam Grace Brookstein de volta para Bedford Hills? Ou para um local diferente, mais secreto e seguro? Haveria outro julgamento? A caçada por Grace Brookstein custara aos contribuintes americanos milhões de dólares. Certamente, aumentariam a pena original dela, não?

Nos bastidores, uma batalha entre as agências pegava fogo. Todo mundo queria acesso a Grace. Do ponto de vista de Mitch, o princípio da posse estava a seu favor.

— Nós a pegamos e não vamos entregá-la ao FBI ou a ninguém mais até que *nós* encerremos os interrogatórios.

Mas Harry Bain, do FBI, não era o único na cola de Mitch. Seus próprios superiores do departamento de polícia pareciam ansiosos para se livrarem de Grace o mais rápido possível. Seu chefe, tenente Dubray, concordava.

— Ela não é mais problema nosso.

Mitch se manteve firme.

— Eu tenho o direito de interrogá-la por 48 horas.

— Não venha me ensinar quais são os seus "direitos", Connors. E não seja tão ingênuo. Este caso é uma dinamite política e você sabe disso. Grace Brookstein é a encarnação viva de tudo que este país está tentando esquecer. Isso se aplica até o topo. O próprio presidente disse para seus conselheiros que o rosto de Grace nos jornais é ruim para os negócios, para os empregos, é ruim para a marca Estados Unidos.

— "Marca Estados Unidos"? Qual é, senhor?

Mitch lutou pelo seu espaço, mas sabia que o tempo estava passando. Logo Grace seria tirada dele, junto com sua chance de ajudá-la. Quaisquer sentimentos que tivesse por ela, ou achava que pudesse ter, precisavam ser deixados de lado. Tudo o que importava agora era a verdade. *Preciso fazer com que ela confie em mim.*

GRACE ANALISOU os traços de Mitch com atenção. *Ele parece sincero. Mas o meu histórico como julgadora de caráter não é nem um pouco exemplar.*

— Então, você está dizendo que quer me ajudar?

— Isso. Eu quero ajudá-la. Sou a única pessoa que pode ajudá-la, Grace. Mas não vou poder fazer isso se não falar comigo.

Grace o fitou, cética.

— Eu li o arquivo de Buccola — disse Mitch. — Acredito que Lenny foi assassinado. Acredito que armaram para vocês dois. Mas preciso que me ajude a provar isso.

— Se você acredita que Lenny foi assassinado, por que ainda não reabriu a investigação sobre a morte dele?

— Eu tentei. Mas me bloquearam. Meus superiores estavam mais interessados em capturar você do que em descobrir a verdade sobre o Quorum ou o que pode ter acontecido naquele barco.

— Mas você é diferente. É nisso que você quer que eu acredite, certo? Que você é um guerreiro solitário em busca da verdade.

— Olhe, eu não culpo você por não confiar em mim. Mas não tenho tempo para convencê-la. Em poucas horas, vão tirar você daqui. Talvez nunca mais tenhamos outra oportunidade de conversar. Esta é a nossa última chance, a *sua* última chance. Grace, me conte o que você sabe.

— O que eu sei? — Grace riu com amargura. — Eu não sei de mais nada. Tudo que eu achava que sabia se provou mentira. Eu achava que era rica, mas não tenho nada. Achava que os tribunais iam proteger os inocentes, mas me mandaram para a cadeia. Achava que meus amigos e minha família me amavam, mas não passam de um bando de urubus. Achava que Lenny tinha morrido em um acidente. Achava que ele fosse um marido fiel. Achava... Achava que ele me amava.

Lágrimas escorreram pelo rosto dela. Sem pensar, Mitch deu a volta na mesa de interrogatório e abraçou-a. Ela era tão pequena, tão vulnerável. Sentiu uma necessidade enorme de protegê-la, resgatá-la.

— Tenho certeza de que Lenny amava você — sussurrou ele, fazendo carinho no cabelo bem curto e bem louro dela. — Pessoas têm casos. São fracas. Cometem erros.

Ele contou a ela como esteve perto de pegá-la no apartamento de Jasmine Delevigne.

— Foi por isso que você tentou se matar? Por causa de Lenny e Connie?

— Não! — disse Grace, furiosa. — E eu não tentei me matar. Eu... — Ela desmoronou. Queria contar a ele sobre o aborto, sobre o estupro, sobre tudo, mas não encontrava as palavras.

Mitch disse:

— Ele terminou com Connie, sabia? Antes de morrer. Sua irmã estava chantageando Lenny, ameaçando contar para você sobre o caso deles. Ele já tinha transferido para ela 15 milhões de dólares para uma conta no exterior, mas Connie queria ainda mais.

— Queria? Como você sabe?

— Ela mesma me disse. E com muito orgulho, se quer saber. O que eu quero dizer é: Lenny estava desesperado para não magoar você, Grace. Para não perder você. Estava arrependido do que tinha acontecido. Tenho certeza disso.

Grace fechou os olhos e se entregou ao conforto que os braços de Mitch lhe ofereciam. Fazia tanto tempo que não tinha um contato íntimo com outro ser humano. Tanto tempo desde a última vez que sentira gentileza, carinho, afeto. *É só o que isto é*. Lembrou-se ela. *Afeto. Uma pausa na batalha.* Em outra vida, em outro mundo, as coisas poderiam ter sido diferentes. Mas como eram...

Bateram na porta.

— Desculpe, chefe. — O oficial estava hesitante. Gostava de Mitch e odiava ter de trazer notícias ruins. — Dubray disse que você só tem mais cinco minutos. Temos ordens diretas de Washington. A detenta vai ser transferida para outro estado.

Quando ele saiu, Mitch apertou a mão de Grace. Havia uma conexão entre eles. Podia ver que ela também sentia.

— Fale comigo.

Grace contou a ele tudo o que sabia. Quando ela terminou, Mitch disse:

— Você sabe quem sobrou, não é? Se Andrew Preston, Jack Warner e sua irmã Connie são inocentes?

Grace suspirou.

— John Merrivale. Mas não foi ele.

— Você parece ter muita certeza.

— Eu desconfiei de John desde o começo. Sei que ele armou para mim no julgamento e, quem sabe, até ficou com o dinheiro. Mas ele não pode ter matado Lenny.

— Por que não?

— Ele estava em Boston no dia em que Lenny saiu de barco. Davey verificou o álibi dele meses atrás.

— Eu também. — Mitch ficou pensativo. Lembrou-se do dia em que almoçara com John Merrivale, e na forma como, em um passe de mágica, a gagueira dele desaparecera quando falara do dia em que Lenny Brookstein desaparecera. — Ainda assim. Tem alguma coisa errada com aquele cara.

Grace fitou a porta. Mitch pensou: *Ela não liga mais. Ela desistiu.* Quando ela falou, não havia nem medo nem curiosidade na sua voz:

— Você sabe para onde vão me levar?

— Não. Mas vou descobrir. — Mais uma vez, Mitch sentiu a necessidade de protegê-la. O que essa mulher tinha que despertava o cavaleiro de armadura que existia dentro dele? — Farei o máximo possível para ajudá-la, Grace. Consiga um advogado decente, comece um recurso.

— Não quero nada disso.

— Mas você precisa...

Ela o encarou.

— Se quer me ajudar, descubra quem matou meu marido. Acho que você nunca vai conseguir limpar o nome dele da fraude do Quorum. Mas gostaria que as pessoas soubessem que Lenny não era um covarde. Que não se matou.

— Vou tentar. Mas mesmo que eu consiga, Grace, Lenny está morto. Você está viva. Tem a sua vida toda pela frente. Você *precisa* arranjar um novo advogado. Precisa entrar com um recurso.

O oficial voltou, junto com outros policiais armados e um homem austero de terno e gravata. *CIA? FBI?*

— Hora de ir embora.

Grace se levantou e, em um impulso, deu um beijo no rosto de Mitch.

— Detetive, me esqueça.

Mitch observou os homens levarem-na. Depois que ela se foi, ele continuou na sala de interrogatório por um longo tempo.

Esquecer você.

Como se eu conseguisse.

Capítulo 29

MARIA PRESTON JOGOU seu longo cabelo castanho para trás e admirou sua imagem no espelho retrovisor. Sua pele era de uma mulher dez anos mais jovem, e ela sabia disso. Naquela tarde, sua pele cor de creme estava corada e brilhante, resultado das três horas que acabara de passar na cama com seu amante. Como era prazeroso estar com um homem que realmente a apreciava! Maria já fora para a cama com muitos homens, vários deles mais habilidosos na arte do amor do que seu atual amante, e a maioria deles mais atraente fisicamente. Mas uma mulher não vivia apenas de abdomens definidos. Chega um ponto em que ela precisa de mais. *Poder.* O amante de Maria Preston era um homem poderoso, um homem influente. Diferente de Andrew.

Pobre Andy. Ele não era um marido ruim. Nos últimos dois anos, ele finalmente começara a ganhar a quantidade de dinheiro que poderia dar a Maria a vida que ela merecia. Durante todos esses anos, achara que queria riqueza. Mas agora que finalmente tinha, isso a entediava. *Ele* a entediava, sexual e intelectualmente, e em todos os outros aspectos. Agora ela percebia que, independentemente do dinheiro que Andrew ganhasse, ele sempre seria um contador. E enquanto ficasse com ele, ela seria esposa de um contador. *Maria Carmine! Esposa de um contador!* A simples ideia era absurda, uma afronta à natureza. Só se espantava em ter demorado tanto tempo para perceber. Um espírito livre como Maria não podia ficar preso a um casamento banal, como os meros mortais. Era como tentar congelar um vulcão ou causar uma enchente no deserto.

Retocando seu batom Dior vermelho, Maria refletiu sobre seu destino. *Eu nasci para ser a esposa de um grande homem. Sua musa.*

Agora seria.

Finalmente, tinha um plano: um jeito de seu amante deixar a esposa, para ficar livre de todas as pressões que pesavam sobre seus ombros e fugir com ela. Maria, com seu brilhantismo, resolvera todos os problemas deles. Largaria Andrew e recomeçaria do zero. Seu amante ficara extasiado ao ouvir o plano na semana anterior. Ele ainda estava entusiasmado com a ideia quando se encontraram naquele dia, fez amor com ela com uma paixão rara até para ele.

Maria sorriu para sua imagem no espelho retrovisor e gargalhou.

— Você não é apenas um rostinho bonito!

Ela estava voltando de Sag Habor para a cidade. Era complicado chegar lá, duas horas em um dia bom, três na hora do rush, mas o amante de Maria não podia arriscar ser visto com ela em Manhattan e, além disso, o American Hotel, na Main Street, era tão singular e charmoso com sua varanda branca e seu toldo listrado, que valia a viagem. Virando-se para a Scuttle Hole Road, Maria viu a confeitaria Nancy's logo à frente, uma de suas favoritas, com a vitrine cheia de bolos tentadores de todas as cores e sabores. Todo esse sexo a deixara com uma fome e tanto. *Por que não?*

Ela parou e desligou o carro, cantarolando feliz para si mesma enquanto abria a porta do motorista.

Nancy Robertson estava na cozinha nos fundos quando escutou a explosão. Com o coração disparado, correu para a loja. Graças a Deus ninguém estava lá! A loja estava destruída. Todas as janelas quebradas, cacos de vidro misturados com creme grudados nas paredes. Do lado fora, na rua, tudo o que restou do Bentley de Maria Preston foi metal queimado e retorcido.

MITCH CONNORS estava em um parque com a filha. Era o primeiro sábado que não trabalhava em meses. Helen relutara em deixá-lo ficar com Celeste:

— Você não pode simplesmente entrar e sair da vida dela quando bem entende, Mitch. Você faz ideia do quanto ela ficou decepcionada porque você não assistiu à peça da escola? Você nem ao menos ligou para se explicar.

A culpa fez Mitch contra-atacar:

— Explicar o quê? Estou trabalhando, Helen. Sou eu que pago pelo teto sobre as cabeças de vocês. Além disso, não estou pedindo permissão para vê-la. É o meu final de semana.

Agora, ao observar Celeste esticando as perninhas finas enquanto ele a empurrava no balanço, ele se arrependeu de ter perdido a cabeça. Não amava mais Helen. Mas não havia como negar que ela era uma mãe maravilhosa. Ele, por outro lado, era um péssimo pai. Gostava de pensar que aproveitava bem o tempo com a filha, mas sabia que era uma enganação. Mitch amava Celeste, mas mal a conhecia. Mesmo agora, depois de semanas sem vê-la, não conseguia se desligar do trabalho. Seus pensamentos voltavam para Grace Brookstein: onde ela estava presa e como ele cumpriria a promessa que fizera a ela? Ninguém queria saber de suas teorias de que a morte de Lenny

Brookstein tinha sido assassinato. Dois dias antes, Dubray deixara tudo bem claro para ele.

— Esqueça isso, Mitch. Você é um bom detetive, mas se envolveu demais nesse caso. Além disso, tenho um novo caso para você. Homicídio de adolescente, drogado, nenhuma pista. Bem a sua área.

— Pode dar para outra pessoa? Preciso de mais tempo para investigar melhor essas coisas, no máximo algumas semanas.

— Não, eu não posso *dar para uma outra pessoa*. Você não pode escolher os seus casos, Mitch. Você está no caso do homicídio de Brady desde já. E se eu pegar você desperdiçando mais um minuto do tempo do departamento no caso Brookstein, acredite em mim, vou suspendê-lo tão rápido que você nem vai entender o que aconteceu. Não vou falar de novo. Esqueça.

Esqueça.

Me esqueça.

Talvez da próxima vez alguém o mandasse parar de exalar gás carbônico ou de dormir com os olhos fechados.

O telefone tocou: era Carl, um colega de trabalho.

— Você está perto de alguma televisão, cara?

— Não. Por quê?

— Um carro explodiu em Long Island. Parece trabalho da máfia. A vítima é esposa de um daqueles caras do Quorum de quem você ficava falando. Preston.

Mitch parou de empurrar o balanço.

— Maria Preston?

— Papai, mais alto!

— Ela está morta?

— Mortinha da silva. Parece que não sobrou nada dela.

— Paiiiiiiiii!

— Você tem que ver isso, cara, está em todos os canais.

Mitch desligou o celular e começou a correr para seu carro. Precisava encontrar uma televisão.

Uma mulher veio atrás dele:

— Senhor? Com licença. Senhor!

Mitch se virou.

A mulher apontou para Celeste, abandonada no balanço parado. Mitch se esquecera completamente dela.

JOHN MERRIVALE estava atrasado. Detestava chegar atrasado. Entrando apressado em seu escritório, ele se sentou e começou a abrir gavetas, procurando uns papéis enquanto o computador ligava.

— Você está bem, John? — Harry Bain colocou a cabeça na porta.

— B-bem, obrigado. Desculpe o atraso. A im-imprensa fica me importunando atrás de um depoimento sobre Maria Preston.

— Coitada. Que coisa horrível. Esperamos carros-bomba em Beirute ou Gaza, mas não em Sag Harbor. Ela era amiga sua, não era?

John parecia irritado.

— Não, de forma alguma. O m-m-marido dela era um colega de trabalho. Mas a mídia escuta a palavra *Quorum* e já começa a ligar para mim. Como eu gostaria que eles me deixassem em paz.

Harry Bain franziu a testa. Parecia uma reação estranhamente fria, imparcial, a uma tragédia tão terrível. Mas nunca conseguira entender John Merrivale. Deixou passar.

— Está tudo certo para Mustique?

— Claro.

A força-tarefa tinha descoberto que um dos fundos de família de Lenny tinha feito vários pagamentos para um financista chamado Jacob Rees. O FBI estava interessado em saber o que tinha acontecido com o dinheiro, mas até agora os administradores dos negócios do Sr. Rees em Nova York não tinham cooperado muito. John Merrivale estava planejando uma visita surpresa à casa do homem em Mustique. A mansão de Jake Rees na orla ficava a menos de 2 quilômetros da agora confiscada mansão de Lenny, e os dois uma vez passaram as férias juntos.

— Acho que se você precisar passar anos atrás de rastros de dinheiro, existem lugares bem piores, não é?

John forçou um sorriso.

— Acho que sim...

— Quanto tempo você acha que vai ficar afastado?

— Um dia, mais ou menos, espero. Pode demorar um pouco mais se Jake não resolver c-cooperar imediatamente.

— Bem, se precisar de ajuda, sabe onde me encontrar. — Harry Bain voltou para seu escritório. John Merrivale respirou aliviado.

Você está na reta final agora. O pior já passou.

Finalmente, as coisas estavam se resolvendo. Grace estava de volta à cadeia. Havia um boato correndo pelo escritório de que o FBI estava ficando cansado de gastar dinheiro para encontrar o dinheiro desaparecido e que a força-tarefa de Harry Bain logo seria dispensada. John fora tomado pelo pânico na semana anterior quando a possibilidade de exposição surgira de um lado totalmente inesperado. Mas agora isso também já estava resolvido.

Em poucos dias, ele estaria em um avião.

Finalmente.

O CASO DO ASSASSINATO de Maria Preston foi dado a um antigo rival de Mitch do próprio distrito, um homem de família acima do peso, de uns 50 anos, chamado Donald Falke. Com sua coroa de cabelo branco, sua barriga redonda e sua barba cheia e grisalha, o apelido do detetive Falke na delegacia era Papai Noel. Não que os casos dele pudessem ser definidos como brincadeira. Depois de uma vida inteira na polícia de Nova York, a especialidade de Falke eram assassinatos cometidos pela máfia.

Ele disse para Mitch:

— A mídia está falando em terrorismo. É ridículo. Se isso for um ataque terrorista, eu sou Dolly Parton. Isso não faz o estilo al-Qaeda. É estilo Al Capone. Está na cara que é coisa da máfia.

— O que faz com que tenha tanta certeza?

Don Falke estreitou os olhos.

— Experiência. Por que você está tão interessado? Esse caso não é seu, Connors.

— Mas e se não foi a máfia? E se Maria Preston sabia de alguma coisa? Alguma coisa do Quorum, talvez. Alguma coisa importante o suficiente para quererem vê-la morta.

— Já investigamos isso — disse Don, descartando a ideia. — Isso não teve nada a ver com o Quorum, está bem? Definitivamente. *Ninguém* matou essa mulher; isso foi um sofisticado atentado a bomba, não com faca ou arma. É o clássico *modus operandi* Cosa Nostra.

— Você sabe quem inventou o carro-bomba, Don?

Falke revirou os olhos.

— Não tenho tempo para aula de história, Connors. Tenho um assassinato para resolver. Agora me dê licença...

— Foi um cara chamado Buda. Mario Buda. Era um anarquista italiano na década de 1920.

— O que eu disse? Italiano.

— Era um dia quente de setembro...

— Caramba, Mitch.

— ... esse cara, Buda, parou o cavalo dele e a charrete na esquina da Wall Street com a Broad, em frente ao escritório de J.P. Morgan. Ele saiu e se misturou às pessoas que estavam andando na rua. Meio-dia, todos os bancários estão saindo para o almoço, certo? Os sinos de Trinity Church tocavam.

— Muito poético.

— Então, *bum*, o cavalo e a charrete explodiram. Foi um caos, corpos espalhados por todos os lados, escombros, estilhaços. Bem em Wall Street. 1920. Duzentas pessoas ficaram feridas. Quarenta morreram. *Menos* o velho J.P., devo acrescentar. Ele era o alvo, mas estava na Escócia na época.

Don Falke já tinha escutado demais.

— Aonde você está querendo chegar com isso, Mitch?

— O carro-bomba foi inventado por um imigrante solitário e ignorante que não gostava dos banqueiros ricos de Wall Street.

— E daí?

— E daí que isso foi quase cem anos atrás, mas o princípio é o mesmo. Por que tem que ser a máfia? Qualquer idiota ressentido pode ter colado um explosivo naquele carro. Algum maluco pode ter associado Maria ao Quorum ou a Lenny Brookstein.

Don Falke riu.

— Dubray está certo. Você *está* obcecado. Isso não tem nada a ver com Lenny Brookstein, está bem? Acho que você está precisando descansar.

— Quero interrogar Andrew Preston.

Donald Falke finalmente perdeu a paciência:

— Só sobre o meu cadáver. Agora, me escute, Connors. Fique longe do meu caso. Estou falando sério.

— Por quê, Don? Está preocupado que eu descubra alguma coisa inconveniente?

— Se eu ficar sabendo que chegou a menos de 15 quilômetros de Andrew Preston, vou falar com Dubray e ele vai te demitir. Esqueça.

Esqueça. Mitch estava começando a se sentir como um labrador desobediente pegando o osso de outro cachorro. Saiu do escritório de Donald Falke e foi direto para seu carro.

FAZIA UM MÊS desde a última visita de Mitch ao apartamento dos Preston. Lembrava-se do apartamento como um imóvel caro, um bloco de cinco quartos em um prédio da moda. Mas o que mais lhe chamara a atenção fora o fato de como o apartamento chamara pouca atenção. Tudo na casa de Andrew e Maria era insosso, desde a rua sem graça até a decoração creme e marrom, devidamente de bom gosto. Mitch não conseguia nem imaginar ter tanto dinheiro para gastar e desperdiçar com algo tão seguro. Maria Preston era uma mulher irritante. Mitch detestava mulheres dramáticas. Mas, pelo menos, ela tinha cor. Tinha vida. Ela devia se sentir dentro de um caixão naquele apartamento. Como se tivesse sido recortada de um catálogo da B&B Itália e colada em um sofá creme da Pottery Barn e deixada ali pela eternidade para apodrecer.

Ao entrar na rua dos Preston, Mitch diminuiu a velocidade. Policiais uniformizados estavam cercando a rua. Mitch parou ao mesmo tempo que duas ambulâncias e vários carros.

— Qual é o circo? O que está acontecendo? — Ele mostrou seu distintivo.

— É o marido de Maria Preston, senhor.

— O que tem ele?

— Parece que se enforcou, senhor. Cerca de uma hora atrás. Estão tirando o corpo agora.

Capítulo 30

Lá em cima, paramédicos se inclinavam sobre o corpo de Andrew Preston, massageando o coração. Na mesma hora, Mitch percebeu que seria inútil. Só estavam seguindo os procedimentos.

— A perícia já chegou?

Um dos médicos balançou a cabeça.

— Você é o primeiro. O detetive Falke está a caminho.

— Ele deixou algum bilhete?

— Deixou sim. Ali.

O médico apontou para a sala de estar. A janela estava aberta. Em cima da bonita mesinha de carvalho escuro, entre duas belas poltronas de camurça bege, um pedaço de papel oscilava sob a brisa, preso por um pesado cinzeiro de cristal. Sem nem se incomodar em colocar luvas, Mitch levantou o cinzeiro e pegou o bilhete. Com uma caligrafia cursiva e perfeita, Andrew Preston escrevera sete palavras.

A culpa foi minha. Maria, me desculpe.

— Que MERDA você está FAZENDO?

Mitch deu um pulo, deixando o bilhete cair. A voz do tenente-detetive Dubray ecoou pelas paredes como a de um gigante.

— Você perdeu o juízo?

Mitch abriu a boca para se explicar, depois fechou de novo. O que poderia dizer? Sabia que não podia estar ali. E muito menos violar a cena do crime de outro detetive. Dubray estava vermelho de raiva.

— Isso é violação de evidências! Você sabe como isso é sério? Eu poderia expulsá-lo da polícia. Eu deveria expulsá-lo da polícia.

— Desculpe. Eu precisava falar com Andrew Preston.

— Chegou um pouco tarde.

— É, estou vendo. Olhe, senhor, eu teria esperado Falke, mas eu sabia que ele não me deixaria entrar. Provavelmente nem me mostraria o bilhete.

— Claro que não! E por que ele deveria? Este caso *não é seu,* Mitch.

— Mas, senhor, ele nem está fazendo as perguntas óbvias. Como o que Maria Preston estava fazendo em Sag Harbor. E quem sabia que ela estaria lá?

— Don me ligou meia hora atrás. Disse que você estava se intrometendo, falando sobre o maldito Lenny Brookstein. Ele acha que você perdeu...

— Ah, senhor. Ele sempre teve uma cisma comigo.

— Eu também acho que você perdeu o juízo. Sinto muito, Mitch. Mas você foi longe demais desta vez. Está suspenso até segunda ordem.

— Senhor!

— Considere-se de licença por tempo indeterminado até uma segunda ordem minha. E não fique tão surpreso. Você tem sorte de não ser despedido. Se eu não soubesse o quanto Helen e Celeste precisam do seu salário, não pensaria duas vezes. Agora, saia daqui antes que eu mude de ideia.

A CAMINHO DE CASA, Mitch passou pelo bar onde se encontrara com Davey Buccola pela primeira vez. Entrou e pediu um uísque.

— Continue trazendo — disse para o barman.

— Dia ruim?

Mitch deu de ombros. *Ano ruim. Vida ruim.* Parte dele desejava nunca ter conhecido Davey Buccola. Se não fosse pela investigação de Davey sobre a morte de Lenny Brookstein, nada disso teria acontecido. Mitch teria prendido Grace e pronto. Seguido em frente para o caso seguinte, como todo mundo queria que ele fizesse. Talvez até tivesse sido promovido a capitão.

Em vez disso, ali estava ele, suspenso do trabalho, tudo por causa do arquivo de Buccola e da promessa que fizera a Grace. *Grace.* Mitch se perguntou de novo onde ela estava. Ninguém lhe dizia nada. Imaginava Grace sendo interrogada, trancada em uma solitária, sem dormir. Pensou nos olhos tristes dela, na coragem, no surpreendente senso de humor, mesmo nas piores situações, e torceu para sua alma ainda não ter sido despedaçada.

Entre a neblina do uísque, lembrou-se das palavras de Grace.

Detetive, me esqueça.

Era tarde demais para isso. Mitch percebeu que nos últimos dois meses, mal tinha pensado em Helen. Grace tomara seu lugar no subconsciente, em seus sonhos. Daquela vez, estava decepcionando Grace, falhando com ela. Da mesma forma que falhara com Helen e Celeste. Da mesma forma que falhara com seu pai. *Decepcionei todas as pessoas que amei. Falhei com todo eles.*

Foda-se a suspensão. Não se importava em desobedecer as ordens. Não ia desistir.

No dia seguinte, Mitch pegaria um avião para a ilha de Nantucket.

A verdade não podia esperar.

Capítulo 31

Mitch não entendia.

Você tem todo o dinheiro do mundo. Pode ir para o lugar que quiser... Miami Beach, Barbados, Havaí, Paris. Por que diabos comprar uma casa neste lixo?

Estava claro que Lenny Brookstein não era uma pessoa com muito bom-senso. Tinha uma esposa linda que o adorava, mas preferia transar com uma amante feia que o detestava. Seus ditos amigos eram tão confiáveis quanto um bando de vendedores de carro. Mas essa superava todas. Na opinião de Mitch, Nantucket não tinha nada de bom. Com suas casas cinza revestidas de madeira e suas praias desertas e chuvosas, era o tipo de lugar que deixaria qualquer um deprimido.

— O que as pessoas *fazem* aqui? — perguntou ele ao atendente da farmácia Congdon, na Main Street, uma das poucas lojas que ficavam com as portas abertas fora da temporada.

— Algumas pessoas pintam. Escrevem.

Escrevem o quê? Bilhetes suicidas? Poemas líricos de Leonard Cohen?

— Outras pescam. É bem tranquilo aqui em março.

Nem precisava dizer. A pousada onde Mitch estava era silenciosa como um túmulo. O único som da noite era o tiquetaque do relógio do saguão. Duas semanas disso e Mitch ficaria como o personagem de Jack Nicholson em *O iluminado*.

Mas não levaria duas semanas. Depois de 24 horas, estava espalhado o boato de que havia um estranho na cidade fazendo perguntas sobre Lenny Brookstein. Instintiva e coletivamente, os moradores da ilha se calaram. Felicia Torrez, cozinheira de Grace e Lenny na casa, agora trabalhava no Company of the Cauldron, o único restaurante elegante que servia os moradores locais fora dos meses de verão. Mitch foi até lá encontrá-la.

— Estou tentando entender melhor os eventos do dia que antecederam à tempestade, no verão de 2009. A senhora estava morando na casa dos Brookstein na época, não estava?

Silêncio.

— Havia quanto tempo trabalhava para eles?

Mais silêncio.

— Olhe, senhora, esta não é uma investigação oficial, está bem? Não precisa ficar nervosa. A senhora notou alguma tensão entre os hóspedes da casa naquele final de semana?

Primeiro, ele achou que ela não soubesse falar bem inglês. Depois, imaginou se ela não seria surda ou muda, ou ambos. O que quer que fosse, Felicia era tão tagarela quanto um molusco depois de engolir cola. Mitch tentou a empregada, a faxineira, o jardineiro. Era sempre a mesma história.

— Não me lembro.

— Não vi nada.

— Eu fazia meu trabalho e ia para casa.

No dia seguinte, ele iria ao cais para falar com os pescadores. Alguns deles deviam estar na água naquele dia. Mas não tinha mais tanta esperança. *É como se todos eles fizessem parte de um clube do silêncio.* Mas não fazia sentido. Lenny Brookstein já estava morto. Por que eles queriam protegê-lo?

Hannah Coffin chamou o marido.

— Tristram! Venha ver isso.

— Um minuto.

Os Coffin trabalhavam no hotel Wauwinet, uma pousada cinco estrelas em uma das partes mais tranquilas e menos populosas da ilha. Como todos os hotéis grandes, eles ficavam fechados nos meses de primavera, mas mantinham um quadro de pessoal mínimo para trabalhar na manutenção e em reparos. Hannah e o marido eram zeladores, supervisionavam o pessoal que trabalhava na baixa temporada. Era um emprego com muito tempo livre, o qual Tristram Coffin preenchia consertando sua moto Ducati e Hannah, vendo televisão.

— Tristram!

— Estou ocupado, querida. — Tristram Coffin suspirou. *Compre os malditos brincos ou o superdescascador de batatas, ou o CD de Neil Diamond, ou o que quer que estejam vendendo! Você não precisa da minha opinião.*

— É importante. Venha aqui.

Com relutância, ele largou o alicate e entrou na sala do modesto apartamento no térreo. Como sempre, a televisão estava ligada.

— Você se lembra desse cara?

Hannah apontou para a tela. Um homem estava sendo entrevistado sobre a morte de Maria Preston. A história estava fervendo. Agora parecia que o marido tinha feito isso, contratado alguém da máfia para matar sua esposa porque desconfiava que ela estava tendo um caso. Hannah Coffin estava particularmente interessada no assassinato de Maria Preston porque ela já ficara hospedada no Wauwinet uma vez.

Tristram analisou o rosto do homem.

— Ele parece familiar.

— Ele *é* familiar — disse Hannah, triunfante. — Onde aquele policial está hospedado? Aquele que está fazendo perguntas sobre Lenny Brookstein?

— Union Street. Por quê?

— Vou ligar para ele, por isso.

Tristram pareceu não aprovar.

— Ah, querida. Você não quer se envolver.

— Ah, eu quero sim. — Levantando seus 90 quilos do sofá, Hannah foi para o telefone. — Já sei onde eu vi aquele cara. E *quando.*

— Tem certeza?

Mitch teve vontade de se beliscar. Se não estivesse com medo de dar um jeito nas costas, teria pego Hannah Coffin nos braços e lhe dado um beijo.

— Certeza absoluta. Eles fizeram o check-in juntos. Foi no dia da tempestade. Ele e Maria Preston.

— E eles ficaram...

— A tarde toda, como eu disse. Se quiser, posso escrever para você. Dar uma declaração. Ele apareceu na televisão agindo como se mal a conhecesse. Mas ele a conhecia muito bem. *Intimamente,* se é que me entende.

Mitch entendia. Deveria estar no cais dali a meia hora, mas aquela descoberta fez com que mudasse seus planos. Foi para o aeroporto.

O aeroporto de Nantucket era um pouco maior do que um galpão, uma estrutura única em forma de L, com cobertura inclinada de telhas, metade da área designada para "Embarque" e a outra para "Desembarque". Mono e bimotores Cessna pousavam, passageiros saíam e ajudavam o piloto a descarregar as malas na própria pista de decolagem. No saguão de embarques, a "segurança" consistia de um velho de barba grisalha chamado Joe que olhava as bolsas dos moradores e deixava-os passar com um sorriso e um "vejo você no Improv na sexta à noite. Igreja Batista, não se atrase".

Mitch se dirigiu para o balcão da Cape Air.

— Gostaria de ver os registros de passageiros, por favor. Estou interessado em todos os voos que chegaram e saíram no dia 12 de junho do ano passado.

A moça no balcão revirou os olhos.

— E você é...?

— Polícia.

— Darlene? — chamou ela por cima dos ombros. — Temos mais um aqui. Ele quer os registros do dia 12 de junho. Pode mostrar a ele?

Uma senhora com saia de tweed saiu do escritório. O cabelo branco estava preso em um coque muito arrumado e pequenos óculos de leitura pendiam de seu nariz; parecia a vovó da Chapeuzinho Vermelho.

Mitch pareceu confuso.

— Mais um? Mais alguém esteve aqui pedindo para ver as listas de passageiros daquele dia?

— Já estiveram aqui sim. Darlene Winter. — Ela estendeu a mão pequena e enrugada e apertou a mão cabeluda e grande de Mitch. — Vocês policiais são como ônibus. Nunca estão lá quando precisamos, e então, de repente, todos aparecem de uma só vez. Venha comigo.

Mitch seguiu Darlene para dentro de um escritório que era tão organizado e limpo quanto ela. Havia um computador no canto, mas ela o levou para uma mesa do outro lado da sala.

Um grande livro de couro marrom estava aberto. Parecia uma Bíblia antiga ou um enorme livro de visitas de algum castelo escocês antigo.

— Todos os registros estão no computador também, claro — disse Darlene para Mitch. — A lei manda. Mas gostamos de fazer as coisas aqui à moda antiga. Mantemos um diário de bordo escrito a mão também. Acho que já sei o que está procurando.

Ela apontou para um nome familiar, escrito com uma linda caligrafia com tinta preta.

— Ele pegou o voo de 6h10 para Boston, juntamente com outros cinco passageiros. Aterrissaram às 6h58. O que quer que ele fosse fazer naquele dia, mudou de ideia, porque às 7h25 — ela virou a página — ele embarcou junto com outros oito passageiros de volta para a ilha. Aqui está o registro de chegada dele: 12 de junho, 8h05. Voo 27 de Logan. John H. Merrivale.

Mitch passou o dedo pelo papel.

Então Hannah Coffin não estava fantasiando. John Merrivale realmente pode ter estado no Wauwinet naquele dia, junto com Maria Preston.

Segundo Hannah, os dois chegaram ao hotel no início da tarde. Umas cinco horas depois de John ter voltado para a ilha, depois de forjar um álibi. Tempo mais do que suficiente para ir atrás de Lenny Brookstein e assassiná-lo em seu barco.

— A senhora disse que mais alguém pediu para ver isso. Outro policial?

— Isso mesmo. Acho que ele disse que era do FBI, mas parecia mais um militar. Muito rígido, diria até rude. O cabelo dele era bem curto, como de militares, sabe? Curto demais.

— A senhora não se lembra do nome dele?

Darlene franziu o cenho.

— William — acabou dizendo. — William alguma coisa. Veio direto para a mesma página: 12 de junho, John Merrivale. Esse Sr. Merrivale está com algum tipo de problema?

Ainda não, pensou Mitch. Depois pensou: *Quem é William?*

O AGENTE OLHOU para o sedã respingado de lama e seu único ocupante. Esperava um veículo blindado ou mesmo um comboio. Não um homem de meia-idade em um carro sujo de família. *Esse cara parece ter vindo buscar a filha depois de uma festa do pijama.*

O acampamento nos arredores de Dillwyn, na zona rural da Virgínia, era uma dependência ultrassecreta OGA, que significa "Other Government Agency", que costuma significar CIA, embora o acampamento de Dillwyn fosse um "lar" temporário para vários tipos de prisioneiros militares considerados inconvenientes ou perigosos demais para voltarem para uma prisão comum. Alguns eram suspeitos de terrorismo. Outros, de espionagem. Alguns eram classificados como "presos políticos confidenciais". Mas nenhum dos outros presidiários de Dillwyn era mais "confidencial" do que o que aquele homem fora ver. O prisioneiro seria transferido para uma prisão do FBI em Fairfax. *Em um sedã, aparentemente.*

— Papéis, por favor.

O homem com barba grisalha entregou suas credenciais. Houve alguns momentos de tensão enquanto o guarda os examinava. Mas estava tudo em ordem, como ele sabia que estaria.

— Tudo bem, pode passar. Estão esperando por você.

GRACE ESTAVA no meio de uma cela de 2 metros quadrados, abrindo as pernas e estendendo os braços para o lado, se concentrando na respiração, enquanto se colocava na posição do guerreiro 2.

Estava em Dillwyn havia quase duas semanas, trancada 22 horas por dia em uma caixa sem janelas. Sem ninguém com quem conversar, nenhum tipo de interação humana, a ioga era sua salvação. Passava horas fazendo uma série de poses, energizando seu corpo e focando na mente e respirando, afastando o desespero.

Estou viva. Estou forte. Não vou ficar aqui para sempre.

Mas será que ficaria? Horas, dias e noites já tinham se tornado uma coisa só, uma extensão contínua do nada. As luzes da cela de Grace ficavam acesas o tempo todo. As refeições chegavam em bandejas a cada seis horas, mas nada distinguia o café da manhã do almoço ou o almoço do jantar.

Eles estão tentando acabar comigo, me enlouquecer para que possam me trancar em uma instituição mental e jogar a chave fora.

Não estava funcionando. Ainda. Entre as sessões de ioga, Grace deitava em sua cama, fechava os olhos e tentava invocar a imagem do rosto de Lenny. Ele era a razão que a mantinha viva, afinal, a razão que fazia com que continuasse lutando. Em Bedford Hills e, depois, quando estava fugindo, costumava achar fácil lembrar-se do rosto bondoso e carinhoso dele sempre que desejava. Grace conversava com Lenny da mesma forma que outros rezavam para Deus. A presença dele era um grande conforto para ela. Mas ali, naquele lugar monótono e horrível, ficou angustiada ao perceber que a imagem dele estava desaparecendo. De repente, não conseguia mais se lembrar exatamente do som de sua voz ou do olhar dele quando faziam amor. Ele estava se esvaindo. Grace não conseguia afastar a sensação de que, uma vez que Lenny desaparecesse completamente, sua sanidade desapareceria junto.

O único rosto que conseguia evocar, ironicamente, era o de Mitch Connors. Algumas noites antes, pela primeira vez em meses, tivera um sonho erótico, um no qual Mitch era o protagonista. Acordou sentindo-se constrangida, culpada até, mas se convenceu de que não tinha culpa. *Você não pode controlar o que sente quando está inconsciente. Além disso, o sonho pelo menos prova que estou viva. Ainda sou uma mulher, um ser humano.*

A porta da cela se abriu. Grace levou um susto. Não estava na hora do seu exercício diário. O guarda disse rudemente:

— Venha comigo. Você vai ser transferida.

Essas eram as primeiras palavras que alguém lhe dirigia em uma semana. Grace precisou de alguns segundos para desenterrar a própria voz.

— Para onde?

O guarda não respondeu. Em vez disso, algemou-a. Grace o seguiu por um labirinto de corredores, sem falar nada, tentando conter sua euforia.

É isso. Vou sair daqui. Sabia que eles não poderiam me manter aqui para sempre.

Perguntou-se se Mitch Connors tinha algum dedo nisso e estava curiosa para saber para onde iriam levá-la. Onde quer que fosse, não podia ser pior do que aquele lugar. O guarda digitou uma senha de sete dígitos para abrir uma pesada porta de metal. Grace o seguiu para o pátio.

— Olá de novo, Grace. — Gavin Williams sorriu. — Temos uma longa viagem pela frente. Podemos ir?

As ESTRADAS RURAIS eram ruins e esburacadas. Cada pulo ou solavanco tinha o mesmo efeito de uma lâmina nos nervos de

Grace. Williams era louco. Lembrou-se das últimas duas vezes em que se encontraram: uma no necrotério, quando ele a segurara como um animal, e outra na enfermaria em Bedford Hills. Na segunda vez, tivera certeza de que ele pretendia feri-la. O olhar de ódio selvagem... Ela nunca esqueceria. É claro que estava muito sedada no dia.

— Para onde você está me levando?

Sem tirar os olhos da estrada, Gavin Williams tirou a mão direita do volante e deu um tapa no rosto de Grace.

— Não fale, a não ser que eu mande.

Muda e chocada, Grace colocou a mão livre no rosto latejante. Sua mão direita estava algemada à porta do passageiro. As algemas roçavam dolorosamente em seu pulso. Permanecia o mais imóvel possível, tentando não roçar o pulso no metal. Gavin Williams começou a falar, murmurando para si mesmo como um drogado:

— Achei que as coisas pudessem ser diferentes no FBI. Mas é claro que não foram. O câncer está em todos os lugares: ignorância, estupidez. Foi por isso que o Senhor me enviou. Ele me abençoou com os dons da inteligência e da sabedoria. Ele me deu coragem para agir.

Grace sentiu sua frequência cardíaca acelerar. *Preciso sair daqui.* Desde que haviam deixado Dillwyn, pareciam estar se embrenhando cada vez mais na floresta. Era uma paisagem sinistra. Dos dois lados da estrada destruída havia fileiras de sumagus-da-virgínia fedorentos, interrompidas por algumas nogueiras quebradas. A escuridão estava aumentando.

— É claro que Bain confiava nele. Todos confiavam. Ele foi mais inteligente que Bain. Mais inteligente que Brookstein também. Mas não foi mais inteligente do que eu.

Preciso fazer com que ele continue falando até que eu descubra o que fazer.

— Quem não foi inteligente suficiente? — Grace se preparou para mais um tapa, mas agora Williams queria falar.

— Merrivale, claro — disse ele, com desdém. — Ele tentou me humilhar em Genebra. Já estivera lá com *Lenny*. Fez com que Bain me tirasse da força-tarefa. Mas o meu trabalho ainda não estava terminado. Eu descobri o segredo dele. — Gavin sorriu. Loucura brilhou em seus olhos.

— Qual era o segredo dele?

Gavin Williams deu uma gargalhada.

— Ele matou seu marido, minha querida. Você não sabia?

GRACE FICOU sentada em silêncio. Williams continuou falando:

— John pegou um voo para Boston no dia da tempestade. Mas, claro, a polícia foi preguiçosa demais para verificar os registros do aeroporto. Precisei fazer isso eu mesmo. Assim que John Merrivale aterrissou, pegou o voo seguinte de volta. Foi de helicóptero até o barco de Lenny. Isso foi cedo, sabe, antes de o tempo ficar ruim. Eles tomaram uns dois drinques, seu marido foi drogado, claro, e então o querido John cumpriu sua missão. Lenny foi decapitado, aliás. Mas não de forma limpa. John Merrivale deve tê-lo atacado insistentemente. Seu amigo investigador não lhe disse isso? — Ele estava zombando dela, deleitando-se em seu terror como um gato brincando com um rato antes de matá-lo.

Grace ficou tonta.

— Foi John quem ficou com o dinheiro, desviando todos os fundos do Quorum. Depois que ele despachou o seu senhor, ele tirou *você* do caminho, o que foi a parte mais fácil. Depois ficou amiguinho daquele idiota do Harry Bain. — Gavin imitou a voz grave de barítono de Harry Bain: — "John é a chave da nossa investigação. Você tem que parar de se indispor com ele, Gavin!" Idiota! Todo esse tempo a verdade estava bem debaixo do nariz dele. Fedendo, como o cadáver do seu marido. Mas Harry não conseguiu enxergar.

Grace tentou processar o que Gavin Williams acabara de lhe dizer. Era claro que o homem estava doido. Mesmo assim, ela sabia que ele estava falando a verdade sobre John. Ele tinha verificado os registros dos voos. Fora John quem roubara o dinheiro, John quem matara Lenny, John orquestrara seu julgamento e sabotara a investigação. Seus instintos estavam certos o tempo todo. Por que não confiara neles?

A boa notícia era que, se Williams sabia da verdade sobre John, ele sabia que ela era inocente. Que ela e Lenny não tinham roubado nada. Que eles eram vítimas. *Ele não está me sequestrando. Está me resgatando!*

Ela abriu a boca para agradecer, mas não teve nem chance. Gavin Williams lhe deu um soco tão forte que ela desmaiou.

ELA ESTAVA molhada. Encharcada. Gavin Williams despejava uma garrafa de água muito gelada na sua cabeça. O ar-condicionado estava no máximo. Grace tremia de frio.

Williams empurrou o banco dela o mais para trás possível, depois subiu nela. Grace gritou e lutou, esperando o inevitável, mas Williams não tentou estuprá-la. Em vez disso, ele segurou as pernas dela para que não pudesse se mexer, fechou os olhos e começou a recitar o que parecia alguma forma de liturgia bizarra.

— Que o mal ranja seus dentes e desapareça... que o desejo do mal pereça... que mesmo na escuridão, a luz ilumine e o justo... Senhor, me afaste do mal...

— Eu sou inocente — suplicou Grace. — Você sabe que eu sou.

— Você é culpada! — rosnou Gavin, seu rosto grotescamente retorcido por ódio e loucura. — Todos vocês, você, seu marido nojento, John Merrivale. Vocês são farinha do mesmo saco, seus parasitas ricos, banqueiros, se acham melhores do que o resto de nós. Melhores que *eu*. Vocês são uns vermes. Vermes depravados e doentes. Mas não se desespere. Fui enviado para purificar você. — Estendendo a mão para o banco do motorista, ele pegou uma segunda garrafa de água, esvaziando-a sobre a cabeça de Grace. — Eu a batizo com a água da penitência. — O líquido estava congelando. Grace fechou os olhos, tentando respirar. Quando os abriu, viu Gavin abrindo uma garrafa de gasolina. Lentamente, ele começou a despejar uma trilha do líquido viscoso sobre as roupas e o cabelo de Grace. — Mas um segundo batismo está prestes a acontecer. O batismo de fogo. É o Senhor quem separa o joio do trigo. Ele vai limpar o solo impuro, reunindo o trigo em seu reino. — Gavin começou a falar mais alto, com mais entusiasmo. Saiu de cima de Grace, abrindo a porta do passageiro e saindo para um lugar seguro. O pulso de Grace ainda estava algemado à porta. Quando ela se abriu, Grace gritou de dor, sentindo seu ombro deslocar. Williams ainda estava recitando: — Ele vai queimar o joio com fogo insaciável. — Gavin colocou a mão no bolso e tirou uma caixa de fósforo.

Grace não pensou. Por puro instinto, se jogou para a frente, dando um chute na virilha de Williams. Ele urrou de dor, soltando a caixa de fósforos.

— Sua vadia! — Ele se jogou nela como um búfalo enlouquecido, lançando-se para dentro do carro, as mãos no rosto dela, cravando as unhas, sulcos de sangue na pele. Grace enterrou os dentes no braço dele. Gavin berrou e soltou-a por um momento, mas a ira dele era mais forte do que a dor. *Pre-*

ciso destruí-la. Preciso livrar o país do mal, acabar com a calamidade da cobiça antes que ela devore a todos nós.

— Arrependa-se! — As mãos dele seguravam o rosto de Grace como um tornilho. Ele estava tentando pressionar seus polegares nos olhos dela. Grace sentiu seu crânio se encher de sangue. A dor em seu ombro era tão forte que ela estava surpresa por não ter desmaiado. — Arrependa-se, pecadora filha de Eva!

— Arrependa-se você, seu babaca!

Com toda a força que ainda lhe restava, Grace bateu com o braço livre no pescoço de Gavin, como um golpe de caratê. Ela escutou um estalo, como um galho se quebrando. As mãos de Williams ficaram fracas, um robô de brinquedo cujas pilhas acabaram. Quando ele deslizou para o chão do carro, sua cabeça se afastou do torso em um ângulo absurdo, como uma flor com um caule quebrado. Os olhos dele ainda estavam abertos, congelados para a eternidade em um expressão não de ódio, mas de intensa surpresa.

Com o braço livre, Grace segurou a lapela do paletó dele e puxou o corpo dele na sua direção. Foi um trabalho demorado, até que ela conseguiu alcançar o bolso do paletó. Ali dentro, brilhando como pepitas de ouro em um riacho, estavam as chaves de suas algemas.

As algemas se abriram facilmente, mas mexer o braço foi doloroso. Grace gritava ao cambalear para fora do carro, lágrimas de dor escorrendo de seu rosto, se misturando com sangue dos arranhões que Gavin lhe fizera. Ela já vira garotas deslocarem os ombros na sua época de ginasta e sabia o que tinha de fazer. Sentada na lama, encostada na lateral do carro, ela cerrou os dentes.

Um. Dois... três.

A dor foi indescritível. Mas o alívio foi instantâneo e doce. Grace se deliciou com ele. Depois riu, a gargalhada profunda e verdadeira de um sobrevivente. Quando sua força voltou, ela foi até o corpo de Williams, pegou a carteira dele e tudo o que tinha de valor. Então, se levantou, acendeu um fósforo e jogou-o no sedã. Assistiu às chamas envolverem o corpo de Gavin Williams e ficou ali parada, se aquecendo no calor delas. Foi uma sensação boa.

Estava viva.

Estava livre.

Mas sua missão não tinha acabado.

Capítulo 32

Caroline Merrivale sentou-se à sua penteadeira, prendeu o cabelo, espalhou o hidratante Crème de La Mer por todo o rosto. Aos 40 anos, ainda tinha a pele de uma mulher com a metade de sua idade, o que a deixava feliz. Nunca fora uma mulher bonita, no sentido clássico da palavra, não como as Grace Brookstein do mundo. Mas tinha estilo e presença, vestia-se bem e sabia como se cuidar.

Perguntou-se o que faria no resto do dia. John saíra cedo para o aeroporto. Harry Bain tinha mandado seu marido para Mustique em busca de uma peça do gigantesco quebra-cabeça do Quorum. Mas, antes disso, Caroline o forçara a fazer sexo com ela, fotografando-o em uma série de poses humilhantes. Dominar John era sempre um prazer, mas hoje ela gostara mais do que de costume. Nas últimas semanas, Caroline notara uma mudança em seu marido patético e covarde — uma confiança crescente que estava deixando-a desconfortável. Ele praticamente saía saltitando de casa, ansioso para ir trabalhar. Até contava para ela coisas do seu dia — *como se ela estivesse interessada!* — "Harry Bain disse isso, disse aquilo" ou "o FBI está encantado com o meu trabalho e blá-blá-blá".

Caroline esperara deliberadamente até aquela manhã para lhe ensinar uma lição. Ele estava animado com essa viagem para Mustique a semana toda, e ela queria acabar com a alegria dele com o máximo de impacto possível. Quando chegasse em casa ela falaria diretamente com ele: tinha sido escravo do FBI por tempo suficiente. Estava na hora de voltar ao trabalho, começar um fundo dele e ganhar mais dinheiro. A propriedade de Billy Joel em East Hampton estava à venda depois do terceiro divórcio dele. Caroline desejava aquela casa havia anos.

— Sra. Caroline? — Cecilia, a empregada dos Merrivale, bateu nervosamente na porta do quarto dos patrões. — Tem um cavalheiro lá embaixo querendo falar com a senhora.

Caroline se virou e lançou um olhar amedrontador para a empregada. Nua da cintura para cima, com uma camada grossa de creme no rosto, parecia uma guerreira Maori sem as tatuagens.

— Pareço alguém que está pronta para receber visitas?

Cecilia tentou desviar o olhar dos mamilos nus, grandes, escuros e nojentos, como dois champignons podres.

— Ele queria falar com o Sr. John. É da polícia. Ele disse que vai esperar.

Enquanto isso, no andar de baixo, Mitch olhava a suntuosa sala de estar dos Merrivale. O objeto mais surpreendente provavelmente era um relógio de ouro Luis XV sobre a lareira. A sala era vulgar e horrorosa, mas devia ter custado uma fortuna. Tudo ali exalava dinheiro: as cortinas de seda drapeada, os móveis franceses antigos, os tapetes persas, os vasos chineses. *Isso foi o que sobrou depois que a fraude do Quorum acabou com eles? Quanto eles tinham antes?*

Não importava mais. Armado com o testemunho de Hannah Coffin e uma cópia dos registros dos voos, além das evidências que Buccola descobrira de violência no corpo de Lenny, Mitch tinha o suficiente para prender John Merrivale. É claro que a confissão dele selaria o acordo. De um caso circunstancial para uma condenação garantida. Mitch imaginou a cara de Dubray quando lhe contasse. As desculpas humilhantes. Sua restituição triunfante e a promoção a capitão. Melhor ainda seria o sorriso de Grace. Como ele, Mitch Connors, a deixaria feliz, e como ela ficaria agradecida. "Ah, Mitch, você foi incrível. Como posso compensá-lo?" Ele entraria com um recurso e...

— É melhor que seja importante.

Em um quimono cinza, com o cabelo preto puxado para trás e o rosto sem maquiagem, Caroline Merrivale parecia ainda mais severa do que de costume. Fez com que ele se lembrasse de uma carcereira. Uma mistura de Anna Wintour com Cruela de Vil.

— Não gosto de visitas inesperadas às 8h30 da manhã.

— Preciso falar com seu marido. É urgente.

— Ele não está aqui. É só isso?

Cristo, como ela é insolente. Mitch endureceu:

— Não, não é tudo. Preciso saber onde ele está. Como já disse, é urgente.

Caroline Merrivale bocejou.

— Não faço ideia de onde ele esteja. Gretchen, a secretária de John, fica com a agenda dele. Acho que ela chega às 10. Ou seria às 11? Agora, me dê licença.

— Mais um passo e está presa. — Mitch se levantou e segurou Caroline pelo pulso. Ela se virou, rindo.

— Presa? Por quê? Me solte, seu idiota.

— Só quando me disser onde está o seu marido.

Caroline tentou se soltar, mas Mitch segurou-a com mais força. Ao fazer isso, ele notou o queixo dela se levantar de forma desafiadora e as pupilas dilatarem. Pensou: *Isso a está deixando excitada. Ela gosta de jogos de poder.* Embora fisicamente ela o empurrasse, ele puxou-a para mais perto, falando em um sussurro:

— Não me faça machucá-la. Vou lhe dar uma última chance. Onde está John?

Caroline passou os olhos de forma lasciva pelo corpo masculino e forte de Mitch. Ali estava um homem que podia respeitar. Um homem para quem valia a pena ceder.

— No Aeroporto de Newark — disse ela, rouca. — Está indo para Mustique.

Mitch dirigiu feito um louco. Saiu do carro, na entrada da área de embarque, deixando o motor ligado. Um oficial gritou para ele:

— Ei! Ei! Não pode deixar o carro aí, cara.

Ignorando-o, Mitch continuou correndo e não parou até chegar ao balcão da Delta.

— Voo 64 para Santa Lúcia — disse ele, ofegante.

— Sinto muito, senhor. O embarque está encerrado.

— Pois reinicie. — E colocou o distintivo em cima do balcão.

— Vou chamar a supervisora.

Uma mulher mais velha, com óculos grossos em uma armação preta, saiu de um escritório nos fundos.

— Como posso ajudá-lo?

— Tem um passageiro no voo 64, John Merrivale. Preciso falar com ele. Preciso dele fora daquele avião.

— Sinto muito, senhor. O voo 64 já saiu. Dois minutos atrás.

Mitch resmungou e colocou as mãos na cabeça.

— Mas vamos dar uma olhada. Qual era mesmo o nome do passageiro?

— Merrivale, John.

A mulher digitou alguma coisa no computador.

— Se for necessário, podemos alertar a tripulação e o pessoal do aeroporto. Eles podem segurá-lo lá até que... — Ela parou.

— O quê? — perguntou Mitch.

— Tem certeza de que ele estava nesse voo? Não tem nenhum John Merrivale na lista de passageiros. — Ela virou o monitor para que ele pudesse ver.

Ele teve um mau pressentimento.

— Como assim ele está morto?

O diretor do FBI perdeu a paciência.

— Como assim "como assim"? Ele está morto! Qual é a parte de "morto" que você não entendeu, Harry?

Harry Bain tirou o telefone do ouvido e esperou algum apresentador de TV pular de trás da mesa e dizer que era uma pegadinha. Só podia ser.

— Mas, senhor, Gavin Williams está de licença há mais de um mês.

— Bem, não foi isso que ele disse para o pessoal em Dillwyn. Ele disse que tinha sido pessoalmente autorizado a transferir Grace Brookstein para Fairfax. Eles me mandaram os documentos por fax, Harry. Estou olhando para a sua assinatura neste momento.

— Isso é loucura! Eu nunca autorizei nada. Williams estava obcecado por Grace Brookstein. Tinha alguma coisa pessoal, estranha, contra ela. Foi por isso que dei essa licença para ele.

— Caramba! — berrou o diretor. — Você faz ideia da merda que isso vai dar?

Harry Bain fazia ideia. O pessoal da prisão de OGA soltara Grace Brookstein na noite anterior sob a custódia de Gavin Williams. Os dois saíram de Dillwyn por volta das 17 horas. Às 5, o que restava do carro queimado de Gavin Will tinha sido descoberto em uma parte rural remota da Virgínia com os restos mortais de Gavin Williams dentro. Ou como o chefe de Harry Bain dissera, "o churrasquinho de Williams". Grace Brookstein tinha desaparecido.

— E as buscas? Alguma coisa que a minha equipe possa fazer para ajudar?

— Já estamos vasculhando tudo. Colocamos helicópteros, cães rastreadores, tudo. Eu podia dizer que ela não vai longe, mas depois da última vez...

— A mídia ainda não sabe, certo?

— Ninguém sabe. Vamos manter assim. Ninguém sabia que ela estava em Dillwyn, graças a Deus.

Harry Bain pensou: *Exceto Gavin Williams*. Quanto tempo levaria para um repórter persistente descobrir a verdade? Tempo suficiente para encontrarem Grace? Lembrou-se da famosa fala de Lady Bracknell em *A importância de ser prudente*. Perder Grace Brookstein podia ser considerado azar. Mas perdê-la duas vezes era descuido.

Desligou se perguntando como conseguiria salvar sua carreira. Estava procurando uma aspirina em sua mesa quando um homem louro desgrenhado entrou na sala. Harry pegou a arma.

— Calma. — Mitch levantou as mãos. — Estamos do mesmo lado, lembra?

Harry Bain não se lembrava. A polícia de Nova York dificultara muito as coisas para seu pessoal quando Grace fugira. Mesmo depois que a capturaram, Mitch Connors fizera tudo para impedir o acesso deles a ela.

— O que você quer, Connors?

Mitch foi direto ao assunto:

— John Merrivale não pegou o voo para Santa Lúcia esta manhã.

— Como você sabe?

— Fui ao aeroporto. Chequei a lista de passageiros. Tenho feito muito isso ultimamente.

Harry Bain deu de ombros.

— Ele perdeu o voo.

— Não. Você não entendeu. Ele nunca teve a intenção de pegar aquele voo. Ele não vai para Mustique.

— Por que você acha isso?

— Porque eu acho que John Merrivale deixou o país para não ser processado por homicídio.

— Homicídio? — A conversa estava começando a ficar surreal. — De quem?

— Leonard Brookstein.

Harry Bain riu, depois parou. Connor estava falando sério.

— Acredito que John Merrivale foi o responsável pelo roubo dos bilhões do Fundo de Hedge Quorum. Acredito que ele sempre soube onde o dinheiro estava. Acho que ele está indo pegá-lo neste momento.

Harry já escutara rumores de que o rapaz da polícia de Nova York tinha enlouquecido. Havia noventa por cento de chances de o garoto estar doido.

O que deixava dez por cento de chance de ele ter descoberto alguma coisa.

Harry Bain apontou para a cadeira à sua frente.

— Sente-se. Você tem 15 minutos para me convencer.

MITCH NEM respirou. Começando com as informações de Davey Buccola, ele contou a Harry Bain tudo o que sabia sobre o que tinha acontecido no dia em que o barco de Lenny Brookstein desaparecera. Falou sobre as evidências de violência do cadáver; sobre o caso de Lenny com a cunhada; a relação conturbada com os supostos amigos e os vários motivos que eles tinham para querer vê-lo morto. Falou sobre as dívidas de Andrew Preston e o amor obsessivo pela esposa adúltera, sobre o romance de Jack Warner com uma garota de programa e sobre as tentativas de chantagem de Connie Gray. Finalmente, falou sobre John Merrivale: a desconfiança de Grace de que ele sabotara seu julgamento de propósito; as mentiras que John contara à polícia; o álibi forjado; o romance com Maria Preston, a quem ele dizia mal conhecer.

Quinze minutos se passaram, vinte, trinta. Harry Bain escutou e não disse nada. Quando Mitch terminou, ele fez uma única pergunta:

— Quanto Grace Brookstein sabe de tudo isso?

— Até a parte de John Merrivale, ela sabe de tudo — disse Mitch. — Eu só descobri nas últimas 48 horas.

Contou para Harry Bain como Grace passara a perna nele e em seus homens na Times Square, como ela havia humilhado Buccola depois que ele a traíra, falou sobre o estupro e o aborto e a determinação dela em limpar o nome do marido a qualquer custo.

— Vou lhe falar uma coisa sobre Grace Brookstein. Ela é inteligente. Corajosa. E muito habilidosa.

— Parece que você a admira — disse Bain.

— E admiro.

— Gosta dela?

— Sim, eu gosto dela. — Mitch sorriu. *Gosto mais do que deveria.* — Da verdadeira Grace, não do monstro que pintaram na televisão. Mas, neste momento, fico feliz que esteja trancada em algum lugar, está mais segura assim.

Harry Bain pareceu desconfortável. Mitch Connors arriscara muito ao ir até uma agência rival, uma agência que teoricamente apoiara John Merrivale, e colocara todas as suas cartas na mesa. Por outro lado, ele era rebelde. Já quebrara todas as regras para conseguir as informações que tinha. O próprio departamento o suspendera. *Posso realmente me dar ao luxo de confiar nele?*

Bain tomou uma decisão.

— Tem uma coisa que você precisa saber.

Mitch escutou boquiaberto. *Era possível? Grace tinha fugido? Tinha matado um homem?* A primeira coisa que pensou foi na segurança dela. Se esses helicópteros a encontrassem, iam atirar primeiro para perguntar depois. Tudo no caso de Grace Brookstein tinha sido mentira, então por que não sua morte? Mitch até podia imaginar as manchetes. Grace escorregou no chuveiro. Contraiu um vírus raro. Quem saberia? Quem se importaria?

— O cara morto, o que forjou a sua assinatura nos papéis de autorização. Qual era mesmo o nome dele?

— Gavin Williams.

Um sino tocou na cabeça de Mitch. Nantucket. A mulher do aeroporto. *William, ele disse que o nome dele era... Tinha o cabelo bem curto, igual de militar... foi para a mesma página. 12 de junho. John Merrivale...*

— Como era o cabelo dele?

Bain ficou confuso.

— Gavin Williams. Como era o cabelo dele? Comprido, escuro, claro, careca?

— Ele estava grisalho. Sempre usava o cabelo bem curto. Qual a importância disso?

Mitch ficou de pé.

— Ele sabia. Ele sabia sobre John Merrivale! Era ele que estava em Nantucket um dia antes de mim fazendo perguntas. Gavin Williams sabia que John tinha voltado para a ilha, que mentira sobre o álibi. Ele deve ter desconfiado do envolvimento de John na morte de Lenny.

Bain finalmente entendeu o significado disso.

— Você acha que ele contou para Grace?

— Não faço ideia — disse Mitch. — É você quem o conhece. Mas se ele contou, e os seus helicópteros não a encontrarem, pelo menos sabemos para onde ela vai.

— Sabemos?

— Claro. Encontre John Merrivale e encontrará Grace Brookstein. Ela está atrás dele para matá-lo.

Capítulo 33

JOHN MERRIVALE NÃO GOSTAVA de viajar de avião. Fechando a cortina, tentou prestar atenção no luxuoso interior do jato, e não no fato de que estava a 30 mil pés sobre o oceano Pacífico em uma caixa de metal com asas.

Fitando os confortáveis sofás de couro com almofadas de cashmere e a mesa de nogueira com um par de taças de cristal em cima e um pote de prata de caviar, ele pensou: *Que desperdício isso tudo para mim.* Talvez aquela fosse a maior ironia de todas. John Merrivale não ligava para dinheiro. Nunca tinha ligado. John Merrivale não estava interessado em coisas. A verdade era que as coisas o entediavam. Ternos feitos sob medida, carros esportivos, jatinhos particulares, iates, mansões. Essas eram ambições das mulheres, os símbolos de riqueza e status. Caroline gostava de imóveis. Maria já era mais deslumbrada, uma prostituta barata, que dava pulos de alegria ao ver qualquer coisa que brilhasse.

Pobre Maria. Matá-la não fazia parte de seus planos. Mas ela o colocara em uma situação impossível. Ao ameaçar contar para Andrew sobre o romance deles, ela arriscara tudo.

Já fazia dois anos que o delicado equilíbrio de dependência mútua entre John e Andrew Preston protegia os dois. Se Lenny era o cérebro e o sistema nervoso do Quorum, Andrew e John eram as mãos direita e esquerda do fundo. John trazia o dinheiro. Andrew pagava os investidores. Manter a Comissão de Valores Mobiliários e depois o FBI no escuro tinha sido uma simples questão de um acobertar o outro.

É claro que a escala dos respectivos crimes variava enormemente. *Sou como um hipopótamo ao lado de uma formiga.* Os roubos de Andrew — 600 mil aqui, 1 milhão ali — eram pequenos. Quanto à engenharia reversa das demonstrações financeiras — fazer com que as contas do fundo parecessem mais lucrativas do que realmente eram —, bem, todo fundo de hedge de Wall Street fazia isso. Comparado com o que John tinha feito, os crimes de Andrew eram insignificantemente engraçados.

A verdade era que Andrew poderia ter procurado Harry Bain a qualquer momento e exposto os crimes de ambos em troca de um acordo judicial. John Merrivale entendia muito bem disso. Mas Andrew não o fez. Estava tão desesperado em comprar quinquilharias para Maria a fim de mantê-la em sua cama que o medo de se expor o manteve quieto. O coitado era até agradecido a John por tê-lo acobertado para Bain. "Nem sei como lhe agradecer", dizia ele, humilhado, e John respondia gentilmente: "De-de nada, Andrew. Para quê abrir velhas feridas?"

Era patético, mesmo. Andrew Preston não fazia ideia das cartas que tinha na manga. Assim como não sabia do que acontecia entre sua esposa melodramática e vadia e seu amigo John Merrivale. A ignorância de Andrew tinha sido a salvação de John. Até Maria ameaçar tudo.

— *Vou contar ao Andrew sobre nós. Finalmente, poderemos ficar juntos, querido. Se ele fizer um escarcéu, digo a ele que vou denunciá-lo à polícia. Ele estava roubando do Quorum havia anos, você sabe.*

Foi uma pena. Após viver tanto de humilhação e inferno com Caroline, Maria tinha salvado a sua vida. Ela havia feito com que ele se sentisse homem de novo. Mais que isso, havia feito com que se sentisse desejável. Poderoso. Se ela tivesse continuado com a boca fechada e as pernas abertas, ele nunca teria sido obrigado a tomar uma medida tão drástica. Mas ela não lhe dera escolha. Se Andrew soubesse que John o traíra, contaria tudo ao FBI. Sem Maria, ele não teria mais nada a perder.

Garota tola. Será que ela realmente acreditou que eu queria me casar com ela? Fugir com ela?

Em poucas horas, John Merrivale aterrissaria no paraíso, reencontraria o amor de sua vida. E não era Maria Preston.

Seus planos não incluíam um final tão apressado. O plano original era esperar até que o interesse público no Quorum diminuísse, e então fugir tranquilamente. Mas os eventos o surpreenderam. Primeiramente veio a fuga de Grace e sua captura, o que colocou o Quorum de volta às manchetes. Depois, a situação com Maria saiu do controle. John não estava preparado para o interesse da mídia no assassinato dela. Ficava nervoso com a imprensa xeretando à sua volta, e, quando Andrew se matou, as coisas pioraram. Como era previsível, a morte de Maria destruiu o pobre Andrew. Ele ficou tão tomado de tristeza que pareceu se culpar pelo que acontecera, por não tê-la protegido. Mais cedo ou mais tarde, alguém — algum calouro no FBI ou um jornalista intrometido — começaria a juntar dois e dois. Aquele psicopata do Gavin Williams já tinha chegado perigosamente perto de descobrir a verdade. Essa ameaça tinha sido neutralizada, mas haveria outras. Estava na hora de sair de cena.

John pegou um pouco de caviar com uma colher de prata, colocou sobre uma torrada e engoliu.

Nojento.

Só havia um luxo na vida: liberdade. Quando menino, John era prisioneiro de sua feiura e da ambição dos pais. Já homem, foi subjugado por sua esposa cruel e sádica. Agora, pela primeira vez na vida, John Merrivale iria experimentar a liberdade, com seu amor ao seu lado.

Fechou os olhos, perdido no prazer que sentia por antecipação.

Capítulo 34

TRÊS SEMANAS DEPOIS

GRACE SE SEGUROU NA GRADE do barco pesqueiro se perguntando se era fisicamente possível vomitar pela sétima vez.

As ondas da costa de Mombasa, no Quênia, eram enormes e assustadoras. Ao longe, pareciam a boca de uma cobra gigante, empinando-se com o maxilar aberto, pronta para dar o bote. De perto, eram simplesmente muros de água, cinza, furiosas e destrutivas, sacudindo sem misericórdia a frágil traineira de madeira. Nas primeiras horas, Grace teve medo de morrer. Depois, quando o enjoo realmente tomou conta dela, teve medo de *não* morrer. Deitada exausta em sua simples cama de madeira, perguntou-se o que fazia pessoas entrarem em um barco por prazer.

O oceano acabou se acalmando. No deque, um sol escaldante africano brilhava em um céu tão azul e sem nuvens que parecia saído de um desenho animado. Grace observou os três jovens quenianos jogarem suas redes no mar. Havia uma beleza simples na forma com que trabalhavam, silenciosamente passando a rede pesada entre eles, os músculos se contraindo com o esforço sob suas peles negras lustrosas e suadas. Assim que zarparam, Grace os apressou. Pagara 8 mil xelins por sua passagem, quase mil dólares, uma fortuna para homens como esses, e esperara uma viagem rápida. Agora, se não fosse por seus enjoos, teria quase aproveitado a viagem.

Sentia-se como se estivesse fugindo para sempre. Depois que deixou Gavin Williams em sua pira funeral automobilística, conseguira uma carona até Portsmouth, Virgínia. Sabendo que o dinheiro na carteira de Williams não duraria muito tempo, assumira o risco de mandar um e-mail codificado para o amigo de Karen, pedindo mais suprimentos, dinheiro e uma identidade nova boa o suficiente para enganar o pessoal do aeroporto local de Norfolk. Durante três dias, Grace ficou no hotel, rezando para o pacote chegar e ansiosamente trocando os canais da televisão para ver notícias de sua fuga ou da morte de Gavin Williams. Nada foi divulgado. As autoridades deviam estar esperando conseguir capturá-la antes que ela causasse mais constrangimentos a eles. No final do terceiro dia, já estava começando a se desesperar achando que o e-mail tinha sido interceptado quando o dono do hotel lhe avisou que tinha chegado um pacote por FedEx.

— Linda Reynolds. É você, certo?

O coração de Grace acelerou. Um dia, quando tudo isso acabasse, ela pagaria sua dívida com o amigo misterioso de Karen, um estranho que se arriscava tanto para ajudá-la. Naquele momento, porém, tinha muito trabalho a fazer. Sua primeira ligação foi para Mitch Connors.

— Grace! Graças a Deus você está viva! Williams machucou você? Onde você está?

O som da voz dele fez Grace sorrir.

— Desculpe, não posso dizer. Mas estou bem.

— Escute, Grace, sei tudo sobre John Merrivale.
— É verdade, então? John matou Lenny?
Mitch suspirou.
— Parece que sim. Achamos que ele está por trás da fraude também. Ele enganou o FBI esse tempo todo. Mas, pelo amor de Deus, não faça nenhuma besteira, certo? Todo mundo já sabe... o FBI, a CIA. John vai ter o que merece assim que conseguirem trazê-lo de volta.
— Trazê-lo de volta? Cadê ele?
No silêncio que se seguiu, Grace escutou Mitch se penitenciando. *Por que eu disse isso?*
— Grace, querida, estou do seu lado. Você sabe disso.
Grace ficou vermelha. Lenny costumava chamá-la de "querida". Não sabia se gostava de ser chamada assim por Mitch ou se se ressentia.
— Mas você tem que deixar a Justiça agir. Entregue-se. Deixe os federais cuidarem de John Merrivale. Grace... Grace?
Depois que desligou, Grace ficou sentada na cama do hotel por um longo tempo, pensando.
Então, John está fugindo. Um fugitivo. *Como eu.*
Todo mundo estava atrás dele, era o que Mitch dissera. Mas não porque ele matara Lenny. Ninguém dava a mínima para isso. Mas porque pensavam que ele estava com o dinheiro. Esse dinheiro estúpido era só o que importava ao FBI. Nem certo nem errado. Nada de justiça. Os Estados Unidos tinham se esquecido do significado dessa palavra. Se é que algum dia souberam.
Grace fechou os olhos. Tentou se colocar no lugar de John Merrivale.

Para onde eu iria? Com o mundo inteiro atrás de mim? Onde eu me esconderia?

Alguns minutos depois, ela abriu os olhos. *Claro.*
Pegou o telefone.

— Quero um táxi, por favor. Para o aeroporto internacional de Norfolk. Isso mesmo. O mais rápido possível.

DE VOLTA AO barco pesqueiro, escutando o som das ondas quebrando e sentindo o sol queimar seu rosto, Grace sorriu para si mesma, pensando na revelação que tivera naquele sombrio quarto de hotel na Virgínia e em como essa revelação a levara até ali, depois de viajar meio mundo. Talvez a palavra *revelação* fosse a palavra errada. *Lembrança*. Foi uma lembrança que lhe mostrou para onde John Merrivale fugiria, uma lembrança que lhe dava certeza do lugar onde ele estava agora. A lembrança era tão doce que Grace fechou os olhos e a saboreou de novo...

FOI UM MÊS antes de ela e Lenny se casarem. Estavam na França, em uma charmosa *bastide* que Lenny tinha alugado em uma cidade alta de Ramatuelle, a dez minutos de carro de Saint-Tropez.

Grace suspirou.

— Não quero sair daqui nunca mais. É encantador.

Estavam jantando com Marie La Classe, a corretora de imóveis francesa de Lenny, e com John e Caroline Merrivale.

— Você não acha tranquilo demais? — perguntou Caroline. Desde o início da viagem, vinha insistindo para se mudarem para o Le Byblos, ou, melhor ainda, ir no iate de Lenny até a Sardenha para que pudessem esnobar os barcos menores. Qual era a graça de ir até Saint-Tropez e ficar a semana inteira trancada em uma vila pequena e chata da qual ninguém nunca tinha ouvido falar?

— A-algumas pessoas gostam de tranquilidade — arriscou-se John, timidamente. Caroline lançou um olhar letal para o marido.

— Eu me sinto uma princesa na torre — exclamou Grace, sorrindo para Lenny, que retribuiu o sorriso. — Como se eu estivesse presa na mais linda das ilhas e ninguém pudesse me alcançar.

— Vocês já estiveram em Madagascar?

Todos se viraram para Marie.

— Toda a cultura da França combinada com a beleza natural da África, dentro de uma única ilha intacta. Eu cresci lá.

— Parece mágico — disse Grace.

— E é. Você ia amar. A vida selvagem, a paisagem, a vista do forte Dauphin é uma das maravilhas do mundo. *Je vous assure.*

— Vou lhes dizer mais uma coisa sobre Madagascar. — Lenny abriu aquele seu sorriso maroto, de menino, espetando um pedaço de lagosta perfeitamente cozida com seu garfo. — É o paraíso dos criminosos. O país não tem tratado de extradição com os Estados Unidos. Sabia disso, Marie?

Marie sorriu, educadamente.

— Não, eu não sabia.

Caroline disse:

— Bem, se John roubar um banco algum dia, podemos nos mudar para lá. Mas, por enquanto, eu estou ávida por um pouco de civilização. Quem está a fim de um passeio até Les Caves depois do jantar?

A PROPRIEDADE ficava em Antananarivo, em uma rua íngreme de paralelepípedos que fora construída pedra a pedra desde Ramatuelle. Com seus muros de pedra de 60 centímetros de espessura e pequenas mas imponentes torres, parecia mais um pequeno castelo do que uma casa. Um refúgio, em todos os sentidos da palavra.

Lenny olhou para Grace.

— É esta?

Eles estavam em Madagascar havia menos de dois dias, com Marie Le Classe como guia turística, e Grace já estava apaixonada. Os dois estavam.

— É esta.

Lenny pegou o talão de cheques, fez um cheque com dez por cento a mais do que o preço pedido e o entregou a Marie. Virou-se para Grace e sorriu.

— Feliz aniversário de um mês, Gracie.

Grace ficou tão feliz que dançou na rua.

Eles deram à casa o nome de "Le Cocon", o casulo. Planejavam morar ali quando ele parasse de trabalhar.

JOHN MERRIVALE não estava bem. O médico prescrevera antidepressivos e um mês de paz total.

— Tome. — Lenny colocou as chaves de Le Cocon na mão dele. — Fique por quanto tempo precisar. Tem uma empregada na casa, madame Thomas, que fica lá o tempo todo. Ela pode lavar e cozinhar para você, e, tirando ela, você estará sozinho.

John ficou comovido, mas a ideia não era prática.

— N-não posso simplesmente desaparecer em Madagascar. E o Quorum?

— Ficaremos bem.

— C-Caroline nunca concordaria.

— Deixe Caroline comigo.

Quando voltou para Nova York, seis semanas depois, John era um novo homem. Mostrou fotografias para Lenny e Grace. Ele passeando sozinho pelas ruas de paralelepípedo de Antananarivo, relaxando na quente primavera de Antsirabe, caminhando pela floresta tropical de Ranomafana.

É claro que a felicidade dele não durou. Caroline fez questão de impedir isso. Mas Grace nunca se esqueceria do olhar maravilhado, como o de uma criança, no rosto de John quando falava de Madagascar. Ele até procurou Lenny, em particular, sondando se ele não queria lhe vender Le Cocon.

— Dê um preço.

Lenny sorriu.

— Desculpe, amigo. Qualquer casa, menos aquela. A suíte de hóspedes sempre será sua, mas ela não está à venda.

Grace chamou o pescador.

— *Combien de temps encore?*

— *Environ deux heures. Trois peut-être. Vous allez bien?*

Grace *não* estava bem. Mas ficaria assim que chegassem lá. Pegando a mochila, da qual nunca tirava os olhos, passou o dedo pela arma de Gavin Williams com carinho, acariciando-a como uma criança faria com um urso de pelúcia. Perguntou-se quanto tempo demoraria para rastrear John quando chegassem à ilha. Le Cocon tinha sido vendida quando o Quorum fora liquidado. O comprador era um empreendedor holandês da internet chamado Jan Beerens.

Começarei com ele.

Capítulo 35

Harry Bain se virou para Mitch Connors.
— Odeio esta pocilga.
— É, todos odiamos.

Mombasa *era* uma pocilga. Quente, suja e sem identidade. Tanto Mitch quanto Harry estavam cobertos de mordidas de mosquito tão grandes quanto beija-flores, e a combinação da coceira e do calor tornava dormir impossível. Não era de se admirar que um estivesse irritado com o outro. Tinham conseguido rastrear os passos de John Merrivale até o Quênia, mas depois que ele chegou ao país, seus rastros sumiram. Daquele jeito, poderiam ficar retidos ali por dias, talvez até semanas.

Mitch pensou em Helen e Celeste, em Nova York. Era uma vergonha o tempo há que não via sua filha. Não sentia mais saudades de Helen, mas Celeste era outra história. Tentou afastar a menina da cabeça, concentrar toda a sua energia mental no caso, mas era difícil.

Se Mitch e Harry Bain não encontrassem John Merrivale antes de Grace, ela mataria o ex-amigo. Era de se entender, ela tinha perdido toda a fé no sistema. A ideia de um recurso lhe parecia ridícula. Pessoalmente, Mitch não podia se importar menos se John Merrivale levasse uma bala entre os olhos. Mas se Grace fosse acusada de homicídio, ninguém poderia ajudá-la, nem ele.

Bateram na porta do quarto do hotel. Mitch olhou para Harry com uma expressão que dizia: *Quem pode ser? Já é mais de meia-noite.* Ambos pegaram suas armas.

— Quem é?

— Sou eu, Jonas. Nós nos conhecemos hoje de manhã no aeroporto. Por favor, posso entrar?

Mitch riu. Os quenianos podem roubar você, mas dizem "por favor" e "obrigado" ao fazer isso. Como uma nação, não se podia acusá-los de falta de educação. Jonas Ndiaye era o piloto que Mitch e Harry tinham interrogado mais cedo naquele dia, depois de encontrarem uma pista indicando que John Merrivale teria alugado um pequeno avião para ir para a Tanzânia. Mas a viagem foi outra pista que não deu em nada. Nenhum dos pilotos reconheceu a foto de John.

Mitch abriu a porta.

Jonas Ndiaye tinha 30 anos, mas parecia mais jovem. Tinha um rosto ainda de moleque, sem nenhuma sombra de barba, e o cabelo era usado para cima, preso com algum tipo de gel ou spray. Para Mitch, parecia um Bart Simpson negro.

— Desculpem pela hora.

— Tudo bem — disse Harry Bain. — Não estávamos dormindo. O que podemos fazer por você, Jonas?

— A pergunta é o que *eu* posso fazer por *vocês*. Depois que foram embora hoje, fiquei pensando na fotografia. Sim, acho que vocês vão ficar felizes em me dar alguns dólares pelas coisas que sei, sim, eu acho que sim. — Ele olhou para Harry e abriu um grande sorriso ansioso. Como se pedir uma propina assim abertamente fosse a coisa mais normal do mundo. — Hoje vamos fazer negócios, ah, vamos sim! Minha memória está muito boa.

Exausto, Harry Bain destrancou a gaveta de sua mesinha de cabeceira. Pegou um maço de notas de 20 dólares preso com um elástico. Não se chegava a lugar nenhum no Quênia sem subornar alguém. Jonas Ndiaye arregalou os olhos. Estendeu a mão para pegar o dinheiro, mas Bain balançou a cabeça.

— O que você sabe?

— O homem da fotografia viajou no meu avião. Sim, é verdade! Foi duas semanas atrás.

— Você o levou para a Tanzânia?

— Não. — Jonas estendeu a mão de novo. Harry Bain pegou cinco notas do maço e entregou-as a ele.

— Para onde?

— O cavalheiro queria ir para Madagascar.

Harry olhou para Mitch. *Sem tratado de extradição.*

— Eu o levei para o aeroporto de Antananarivo. Ele falava sobre a vida selvagem. Disse que ia para lá fazer um safári, tirar muitas fotos e mergulhar. Agora que estou me lembrando, posso dizer que ele era um senhor muito agradável. Muito agradável, o cavalheiro da fotografia.

Mitch perguntou:

— Ele disse onde ia se hospedar? Ou por quanto tempo pretendia ficar na ilha?

Jonas abriu um sorriso ansioso para Harry. Ganhou mais dinheiro.

— Ele não disse.

— Ei, me devolva essa nota de 100, seu filho da puta.

Jonas pareceu magoado.

— Por favor, senhor, não fique nervoso. O cavalheiro não me contou seus planos. Mas me pediu dicas de locais para visitar.

— E?

Outro sorriso. Harry Bain estava perdendo a paciência.

— Não force a barra, garoto.

Mitch olhou diretamente para sua arma na mesinha de cabeceira. O piloto decidiu não forçar a barra.

— Para mergulhar, só tem um lugar, e esse lugar é Nosy Tanikely.

— Nosy o quê? O que é isso? Uma praia?

— É uma ilha — explicou Jonas, educadamente. — Um santuário de vida marítima.

— Uma reserva marinha?

— É para onde os mergulhadores vão. Seu amigo, o cavalheiro, estava viajando com equipamento de mergulho.

Harry Bain olhou para Mitch e sorriu.

— Obrigado, Jonas. Você ajudou muito.

— Sim, foi um prazer servi-los. Agora, poderia me dar mais alguns dólares para a passagem e encerrar nosso negócio?

GRACE FICOU parada na frente de Le Cocon por um longo tempo. Não imaginou que ficaria emocionada. Depois de tudo o que tinha acontecido, acreditava que não era mais capaz disso. Mas ali de pé na ladeira de paralelepípedos, olhando para os grossos muros de pedra que em uma época fizeram com que se sentisse tão protegida, lágrimas brotaram de seus olhos.

Ficou surpresa ao saber que o Sr. Beerens estava na casa. Acreditava que ele tivesse comprado a casa em um ímpeto, assim como Lenny, uma casa de férias dentre várias outras em que ele pensava de vez em quando, mas raramente visitava. Ela disse que seu nome era Charlotte Le Clerc e ficou ainda mais surpresa quando Beerens concordou em vê-la.

— Aceita um drinque, Sra. Le Clerc?

Jan Beerens era um homem de meia-idade, gordo e agradável, com cabelo louro-avermelhado escasso e olhos castanhos que brilhavam quando sorria.

— Obrigada. Adoraria um copo d'água. — Grace estava se esforçando para manter a compostura. Por dentro, a casa não tinha mudado nada. Não tinha se tocado de que Beerens a comprara com tudo dentro, incluindo os móveis e objetos de arte dela e de Lenny. Ela até reconheceu os copos de cristal que mandara trazer especialmente de Paris.

O cabelo de Grace tinha crescido um pouco desde que saíra de Dillwyn e nas semanas que sucederam sua fuga. Em Mombasa, cortara na altura do queixo e pintara de castanho. Olhando-se no espelho da biblioteca, ela pensou: *A única coisa que não reconheço na casa é a mim mesma.*

— O que a traz a Le Cocon? Ou melhor, a Madagascar? Está de férias?

— Mais ou menos. Estive aqui uma vez, com um amigo. Anos atrás.

— Foi hóspede dos Brookstein?

— Meu amigo foi. Na verdade, é um pouco estranho, esse meu amigo está passando por um momento bem difícil.

Jen Beerens se mostrou solidário.

— Sinto muito.

— Obrigada. Ele sumiu há algumas semanas e ninguém sabe dele. Sei que ele está aqui em Madagascar, então me perguntei se, talvez, por nostalgia ou qualquer outra coisa, ele não tenha passado por aqui. — Ela pegou uma foto. — O senhor não o teria visto?

Beerens analisou a fotografia por um longo tempo. As esperanças de Grace cresceram, mas depois desmoronaram quando ele lhe devolveu a foto.

— Sinto muito. Acho que eu o conheço de algum lugar. Mas ele não esteve aqui.

— Tem certeza?

— Infelizmente, tenho. Você é a minha primeira visita em um ano. Esse foi um dos motivos que me fizeram decidir vender. Adoro a casa e a ilha, mas é muito isolado. Só estou aqui agora para assinar os papéis e me despedir. Teve sorte de me encontrar.

— Ah. — Sem saber por que, Grace ficou com pena de aquele generoso e atencioso homem deixar Le Cocon. — Desculpe perguntar, mas quem é o novo proprietário?

— Na verdade, é um mistério. Um advogado de Nova York me procurou e foi ele quem cuidou de tudo, mas não divulgou o nome de seu cliente. Quem quer que seja conhece a casa muito bem. O advogado fez várias exigências de móveis em particular, tapetes, esse tipo de coisas. Acho que ele vai se mudar na segunda-feira.

A respiração de Grace acelerou. Sentiu os pelos de seu braço ficarem arrepiados. *Quem quer que seja conhece a casa muito bem.*

Jan Beerens a acompanhou até a porta.

— Posso lhe dizer uma coisa sobre Lenny Brookstein: ele podia ser um ladrão, mas fez um trabalho e tanto nesta casa. Vou sentir saudades daqui. Quanto ao seu amigo, uma pena não ter podido ajudar mais.

Grace apertou a mão dele.

— Na verdade, o senhor ajudou muito. Adeus, Sr. Beerens. Boa sorte.

Harry Bain e Mitch Connors decidiram se separar. Madagascar era do tamanho do Texas, e como pista só tinham o que Jonas Ndiaye falara.

Harry disse:

— Vou ficar em Antananarivo. Posso interrogar o pessoal do aeroporto, motoristas de táxi, corretores de imóveis. Falarei com os gerentes dos bons hotéis locais. Se ele esteve aqui, alguém vai se lembrar, principalmente da gagueira.

Mitch pegou um avião pequeno para o norte da ilha. Nosy Tanikely era um pequenino atol em um extenso arquipélago a noroeste da costa de Madagascar. Para ter um teto sobre suas cabeças, mergulhadores e turistas tinham de ir para a vizinha Nosy Be. Mitch achou curioso o fato de a capital de Nosy Be se chamar "Hellville".* Se existia algum lugar parecido com o paraíso, com praias de areia branca e águas turquesa e calmas, era ali. Se alguém quisesse passar o resto da vida fugindo das autoridades americanas, aquele era o lugar. John Merrivale não era nem um pouco bobo.

Mitch foi a todos os hotéis cinco estrelas do lugar. Todos os supermercados, bares e agências de aluguel de carro.

— Viu este homem? Tem certeza? Olhe de novo, estamos oferecendo uma recompensa substancial.

Em Mombasa, essa técnica surtia algum efeito, mesmo que não fosse a verdade. Ali, nada. Os habitantes não tinham visto John Merrivale. Quanto aos mergulhadores, Mitch ficou com a impressão de que eles se viam como uma comunidade e que protegeriam da polícia um dos seus mesmo se soubessem de alguma coisa. De qualquer forma, depois de três dias, o bronzeado de Mitch já tinha ido do

---

*Hellville: "cidade do inferno". (N. da T.)

dourado para o marrom, mas não estava nem um pouco mais perto de encontrar John, nem Grace.

Harry Bain ligou.

— Alguma coisa?

— Não. E você?

— Pouco. Jonas não estava mentindo. Duas testemunhas no aeroporto confirmaram terem visto John. Parece que ele passou duas noites no hotel Sakamanga, depois saiu. Falou em ir mergulhar. E disse que ia "encontrar um amigo".

— Ficarei aqui até segunda — disse Mitch.

Harry Bain não fez a pergunta óbvia: *E depois?*

Logo os dois teriam de voltar para Nova York. Era um milagre que nem a fuga de Grace nem o desaparecimento de John Merrivale tivessem sido noticiados na mídia. Mas, em algum momento, teriam de dar alguma declaração. Tinham a realidade para enfrentar: enquanto Mitch tinha esperanças de ser reincorporado à polícia de Nova York, Harry Bain sabia que se voltasse para casa de mãos vazias, seria o fim de sua carreira.

— Mitch, me mantenha informado. — E desligou.

O CORAÇÃO de Grace parou.

Saindo do mercado, ela o viu do outro lado da rua. *O cara do FBI! O chefe de Gavin Williams, aquele que trabalhava com John.* Voltou para dentro do mercado.

— *Vous avez oublié quelque chose, madame?*

Ele está procurando por John ou por mim?

— Madame?

— Eu? Ah, *non, j'ai toutes mes affaires.* Estou bem, obrigada.

Ela olhou pela janela.

O homem tinha ido embora.

Preciso ficar escondida. Só preciso sobreviver ao fim de semana. Depois de segunda-feira, não me importo mais. Ele pode me levar de volta para uma penitenciária de segurança máxima acorrentada.

HARRY BAIN RECEBEU uma pista anônima. Deixaram um recado em seu hotel.

O homem por quem está procurando não está mais nesta província. Ele está em Toliara. Fale com os guardas-florestais no Parque Nacional Isalo.

Harry tentou falar com Mitch pelo celular, mas não conseguiu. *Vou para lá amanhã.*

QUANDO MITCH acordou na segunda-feira de manhã achou que sua cabeça fosse explodir. Não sabia se a culpa era do uísque ou do fato de alguém, durante a noite, ter implantado cirurgicamente um sino de igreja dentro de seu crânio e que agora tocava a 100 decibéis.

Levantou-se, foi tropeçando até o banheiro, vomitou, se sentiu melhor. Ao abrir um pouco a persiana de madeira do quarto, encheu o ambiente de luz. *Deve ser mais tarde do que imaginei.* Ele piscou, fechou a persiana e voltou para a cama.

Aquele seria seu último dia no arquipélago. Precisava ter levantado cedo, procurado embaixo de todas as pedras na esperança de encontrar John Merrivale. Mas sabia que seria inútil.

Voltou a dormir, mas seus sonhos foram perturbadores e entrecortados.

Sinos de igreja tocavam. Ele estava se casando com Helen.

— *Você aceita esta mulher?*

— *Aceito.*

Ele levantava o véu de Helen, mas não era Helen; era Grace Brookstein:

— *Detetive, me esqueça.*

Ele estava em uma praia correndo atrás de John Merrivale. John dobrava em uma esquina e desaparecia. Quando Mitch chegava na esquina, o lugar se tornava a sala do detetive-tenente Dubray. A voz de Dubray:

— *Este caso não é seu, Mitch. Se não fosse por Celeste e por Helen...*

Então, Harry Bain entrava:

— *Ele passou duas noites no Sakamanga. Disse que ia encontrar um amigo.*

Mitch acordou sobressaltado.

Ele disse que ia encontrar um amigo.

Seria possível?

Pegou o telefone.

— Harry Bain, por favor. Quarto 16.

Houve uma pausa do outro lado da linha.

— O Sr. Bain deixou o hotel esta manhã. Volta na terça-feira para o mesmo quarto. Deseja deixar um recado?

Os sinos ainda estavam tocando na cabeça de Mitch, mas em outro volume. Não eram mais sinos de igreja. Era um alarme.

Preciso voltar para a cidade.

GRACE JÁ ESTAVA acordada quando o despertador tocou.

Quatro da manhã.

Abriu as cortinas do seu quarto de hotel barato e olhou para a rua deserta. De acordo com o weather.com, o dia amanheceria em menos de dez minutos. Naquele momento, ainda estava escuro do lado de fora, os prédios brilhantes na negritude da noite, como se tivessem sido cobertos de piche.

Vestiu-se com pressa. A mochila estava leve, mas tinha tudo de que precisava. Olhou-se no espelho.

Por você, Lenny, meu amor.
Tem sido tudo por você.

Em silêncio, ela saiu do hotel e entrou nas sombras.

Capítulo 36

As RUAS ESTAVAM DESERTAS. Antananarivo dormia. Em uma semana, a estação seca começaria e ventos frios vindos das montanhas tomariam a cidade. Naquela noite, porém, o ar estava pesado, com a ameaça de trovões. Grace se movia como um fantasma na cidade vazia, tão silenciosa e letal quanto um vírus.

No dia anterior ela tinha entrado em pânico. *E se ele não estiver lá? Se não for ele o comprador misterioso? E se não for John?*

Mas agora, enquanto subia a ladeira para Le Cocon e os primeiros raios do dia atravessavam o céu cheio de nuvens de abril, suas dúvidas se dissiparam. Ele estava ali. John Merrivale estava ali. Seu corpo todo sentia a presença dele, como um xamã pressentindo um espírito do mal.

Grace colocou a mão dentro do casaco. Sentiu a arma.

Tinha chegado a hora.

— DESCULPE, senhor. O voo da manhã para Antananarivo foi cancelado.

A moça do balcão deu de ombros, como se dissesse: *O que se pode fazer?* Mitch se esforçou para não se debruçar por cima do balcão e estrangulá-la. Com os dentes cerrados, ele perguntou:

— Quando é o próximo?
Ela olhou na tela do computador.
— Às 9 horas. Mas tudo vai depender do tempo. Se essas tempestades continuarem, talvez o aeroporto seja fechado.
E você precisa parecer tão feliz com isso?
Por que John Merrivale tinha ido para Madagascar? Mitch e Harry supunham que era porque a ilha não tinha tratado de extradição com os Estados Unidos e, assim, ele não estaria ao alcance dos compridos braços da lei federal. Mas e se essa não fosse a única razão? Ele dissera ao gerente do hotel que ia encontrar um "amigo". Talvez John tivesse alguma ligação pessoal com a ilha. E quem era esse amigo? A primeira coisa que Mitch pensou é que poderia ser a própria Grace. Será que ela entrara em contato com ele e o convencera a marcar um encontro? Talvez, agora que os dois eram criminosos procurados pela justiça dos Estados Unidos, ela tivesse convencido John de que estava pronta para esquecer tudo. Se fosse isso, Mitch tinha certeza de que ela o estava atraindo para uma armadilha mortal.
Mitch ligou para Caroline Merrivale. Acordou-a.
— John já esteve em Madagascar? Ele conhece alguém na ilha?
A resposta de Caroline transformou a dúvida de Mitch em certeza. Sabia onde John estava. Sabia para onde Grace estava indo. Mas conseguiria chegar lá a tempo de evitar o inevitável?
— Quero uma passagem para esse voo, o das 9 horas, por favor.
Ela olhou para a tela de novo.
— Sinto muito, mas já está lotado. Quer entrar na fila caso haja alguma desistência?
Respire fundo. Conte até 5.
— Claro.
Depois tentou ligar para Harry de novo.

No chão, perto do saco de dormir de Harry Bain, seu celular vibrava em silêncio. Eram 5 horas no Parque Nacional Isalo. Do lado de fora, andarilhos já estavam esquentando suas canecas de café na mesa do acampamento e verificando as configurações de suas câmeras. A atração de Isalo eram os pássaros. Nunca era cedo demais para observá-los.

Diferentemente de seus companheiros de acampamento, Harry não estava interessado em encontrar uma ave exótica dando comida para o filhote. Fora até Toliara à procura de John Merrivale, mas tinha sido outra pista sem fundamento. Quem quer que tivesse deixado o bilhete para ele estava querendo brincar ou mandá-lo para o lugar errado. Os guardas-florestais de Isalo, juntos, tinham o QI de um besouro. Nenhum deles tinha visto John.

Harry Bain queria ter voltado para Antananarivo na noite anterior, mas saíra tarde demais. Com relutância, montara acampamento no parque.

O telefone dele vibrou umas cinco ou seis vezes, como uma vespa morrendo, depois ficou em silêncio. Graças aos tampões no ouvido, Harry Bain continuou dormindo, sem escutar nada.

Grace pegou sua mochila. Dentro havia uma corda, um alicate, um pedaço de giz, um pedaço de pano preto e um gravador.

Fazendo um nó corrediço simples em uma extremidade da corda, ela arremessou-a na parte mais baixa do muro externo de Le Cocon, mirando em uma haste de metal que ficava embaixo de uma das janelas do banheiro. Acertar o laço era mais difícil do que parecia. Grace levou mais de dez minutos para acertar a haste, durante os quais olhava por cima dos ombros ansiosa para ver se algum pedestre matinal estava se aproximando. O dia começara a amanhecer devagar primeiro, mas agora a luz parecia iluminar toda a rua, revelando Grace de forma tão agressiva quanto a lanterna de um policial. Passando giz na mão, ela segurou a corda e começou a se içar para cima. O muro era tão liso quanto pele recém-barbeada, além de escorregadio, por causa da umidade do ar. Mesmo com seus tênis para escalada, era difícil se manter firme. Cada vez que escorregava, que pisava em falso, a força que colocava no tríceps aumentava cinco vezes, até seus braços começarem a tremer. No meio do caminho, ela pensou, desesperada: *Não vou conseguir! Não consigo me segurar!* Podia sentir a corda deslizando pelas palmas das mãos, o suor tirando o giz. Começou a escorregar, imperceptivelmente primeiro, depois mais rápido, direto rua abaixo.

Vozes. Vozes de meninas ou moças. Elas estavam rindo, cochichando umas com as outras em francês. Grace não conseguia entender o que diziam, mas isso não importava. A conversa ficou mais alta. *Elas vão aparecer a qualquer segundo! Vão me ver!*

Grace olhou para cima. Tinha mais uns 4 metros até o topo do muro. Suas mãos ainda estavam escorregando, os pés procuravam apoio. As vozes estavam ainda mais altas agora. Agarrando a corda, Grace fez força para subir. Não tinha mais energia, mas continuava tentando, buscando forças em sua determinação. O que precisava não era se salvar. Era destruir John Merrivale.

Do outro lado do muro está o homem que matou Lenny. O homem que tirou tudo de você. Ele está morando na SUA casa, escondido no SEU santuário, gastando o SEU dinheiro.

O ódio funcionou como combustível no peito de Grace, ajudando-a a subir, puxando-a para cima. Suas mãos estavam sangrando agora, o sangue se misturando ao suor nas palmas das mãos enquanto a corda dilacerava sua pele, mas Grace não sentia nada. Conseguia ver o topo agora. Conseguia tocá-lo. Jogando as pernas para o outro lado do muro, puxou a corda. As meninas estavam exatamente embaixo dela agora, eram três. Vestindo uniformes de um supermercado, estavam indo para o trabalho. Grace ficou esperando que elas parassem e apontassem. A corda estava a meio metro delas. Mas elas continuaram andando, rindo e brincando. *Felizes.* Grace sentiu uma pontada de inveja misturada com alívio ao vê-las desaparecendo.

Então, acabou de puxar a corda, virou-se e desceu para o jardim dos fundos de Le Cocon.

MITCH OLHOU pela janela do avião. Não havia nada para ver exceto nuvens, grossas, cinza e impenetráveis. Ao seu lado, uma jovem chorava de medo enquanto a aeronave sacudia como um búfalo enlouquecido, abrindo caminho pelo céu turbulento.

Mitch tentou não pensar em Grace, nem em John Merrivale, nem no que podia já ter acontecido em Antananarivo. Se ali fosse Nova York, ele pediria reforços pelo rádio, mandaria que fossem resolver o problema. Mas a última coisa que queria era um bando de madasgascarenses doidos para atirar em Le Cocon.

Onde estava Harry Bain quando mais precisava dele?

GRACE DEU a volta no jardim com as costas grudadas no muro. Le Cocon era uma casa grande, um labirinto de corredores e quartos e poucos jardins e varandas escondidos. Começaria sua busca dentro da casa, mas primeiramente precisava desarmar o alarme de segurança, as câmeras e a linha de telefone.

Lenny costumava reclamar dos sistemas arcaicos de Le Cocon. "Já viu aqueles fios? Parece que foram tirados de um filme de ficção científica ruim da década de 1970." Mas nunca mandara trocá-los. Grace estava contando com que Jan Beerens também não tivesse feito isso.

Ao se aproximar da porta dos fundos da cozinha, ficou aliviada ao ver que ele realmente não o fizera. Uma câmera de circuito interno artrítica apontava para a mesma caixa de fusíveis de sua época. Aproximando-se da câmera por trás, cobriu-a com o pano preto que trouxera. Então, pegando o alicate, dirigiu-se para a caixa de fusíveis.

O AVIÃO DE MITCH atingiu o solo violentamente. A mulher ao seu lado fez o sinal da cruz e uma oração de agradecimento.

Mitch não era um homem religioso, mas também já tinha começado a rezar.

Não me deixe chegar tarde demais.

HARRY BAIN esfregou os olhos. Por um momento, se esqueceu de onde se encontrava. Em seu sono, estava no meio de um sonho maravilhoso. Estava em Nova York, no Sweetiepie, um de seus restaurantes preferidos, na Greenwich Avenue, salivando em cima de um sundae de chocolate, quando algum idiota começou a sacudi-lo pelos ombros.

— Levantando acampamento. Se quer uma carona para o aeroporto, é melhor levantar agora.

Madagascar. Isalo. Maldito John Merrivale.

De mau humor, pegou seu telefone celular. Uma luz vermelha piscava, repreendendo-o. Abriu o aparelho e apertou o botão de mensagem de voz.

— Você tem... sete novas mensagens.
Sete?
Sentou-se e escutou.

GRACE SE APOIOU na porta da cozinha, que abriu imediatamente. *John deve se sentir seguro aqui. Assim como nós nos sentíamos.* Só havia dois lugares no mundo onde ela e Lenny deixavam as portas destrancadas: Madagascar e Nantucket. John tinha arruinado a lembrança de ambos, como se ele envenenasse tudo em que tocava.

Abraçando-se ao seu ódio como a um cobertor de segurança, ela atravessou o cômodo escuro. Era sinistro. Sobre a sua cabeça, estavam penduradas panelas e frigideiras, imóveis como um conjunto de fantoches que ninguém queria. À sua frente, brilhava o enorme fogão triplo, intacto. Ao lado dele, em cima do balcão, Grace viu que alguém tinha comprado um forno de micro-ondas. A caixa ainda estava em cima da lata do lixo.

Típico. Um homem solteiro se muda para uma casa com uma cozinha gourmet totalmente equipada e a primeira coisa que faz é comprar um micro-ondas.

Grace se pegou imaginando se John já o usara, e se usara, o que havia preparado. Esperava que estivesse uma delícia, o que quer que fosse. Não era certo ter uma última refeição horrível.

A porta de dentro da cozinha abria para uma despensa que, por sua vez, levava às escadas. Originalmente, essas eram as escadas de serviço que subiam do porão ao sótão pelo lado oeste da casa. Grace pegou sua arma — era a arma de Gavin Williams, mas a via como sua agora — e começou a subir.

A casa não estava apenas quieta. Estava silenciosa. Grace podia ouvir a própria respiração, o farfalhar de suas roupas enquanto se movia, o estalo de um cano. Fazia apenas alguns dias que tinha estado ali e se sentado na biblioteca com o gentil Jan Beerens, mas alguma coisa sísmica parecia ter acontecido nesse meio-tempo. Era mais do que apenas a ausência de móveis e pessoas. Os empregados de Beerens tinham ido embora, e era óbvio que John tinha se mudado sozinho. Era como se a casa tivesse morrido. Como se a presença de John tivesse tirado toda a vida e alegria dela, como um ovo quebrado do qual só resta a casca.

De repente, uma porta bateu. O barulho foi tão alto e inesperado que Grace abriu a boca para gritar, mas conseguiu se conter, abafando o som com as mãos. Estava quase no segundo andar, mas o barulho viera de baixo, do térreo. O mais silenciosamente possível, ela se virou.

No térreo, a porta de serviço dava para um grande átrio com piso de mármore. Tinha a forma de um pentágono, com cinco arcos que iam do chão ao teto e abriam espaço para cinco cômodos. A biblioteca e o escritório davam em um pequeno jardim interno central, mas as portas francesas das salas de estar e de jantar se abriam para o jardim principal. Grace entrou com cuidado no átrio, olhando à sua volta, esperando escutar um segundo som, algum sinal para guiá-la. Sentiu uma leve brisa no rosto. As portas da sala de estar estavam abertas para o jardim. Ela deu um passo naquela direção, e então parou.

Lá estava ele.

Ela o viu por trás, indo para o jardim ainda de pijama. Estava com uma caneca de café em uma das mãos e um livro na outra, como um turista de férias. O cabelo vermelho estava despenteado, formando ângulos estranhos onde ele tinha se deitado. Grace ficou surpresa em ver como ele parecia pequeno. Fraco. *Normal.* Se alguém quisesse formar uma imagem mental de um assassino frio, não seria aquele homem de meia-idade, cambaleante e inofensivo.

Não via John em carne e osso desde o julgamento. Sua última lembrança era a expressão sofredora dele quando ela fora levada do tribunal. *Não se preocupe,* dissera ele. Grace se lembrou daqueles primeiros dias presa, a viagem para Bedford Hills, ser espancada quase até a morte por Cora Budds. Naquela época, ainda acreditava que John Merrivale a salvaria. Ele era seu amigo, seu único amigo.

Ela soltou a trava de segurança da arma.

— John.

Ele não escutou. Ela se aproximou mais, primeiro andando, depois correndo.

— John!

Ele se virou. Ao ver a arma, perdeu a cor. A caneca de café caiu de sua mão, se estilhaçando no piso de pedra da varanda. Instintivamente, ele deu um passo para o lado e cobriu a cabeça com as mãos. Ao fazer isso, Grace viu que ele não estava sozinho.

Atrás dele, havia outro homem estendido em uma espreguiçadeira, que estava na diagonal, virada para o jardim, não para a casa. Primeiro, ela só conseguia ver o topo de sua cabeça e os pés em chinelos na sua frente; ainda assim, sentiu uma familiaridade. Alguma coisa na postura dele, na linguagem corporal... *Eu conheço você.*

Ela ficou parada, petrificada, enquanto o homem lentamente se virava. Mesmo antes de ver seu rosto, já sabia. A forma lânguida e despreocupada de se mexer, como se a comoção atrás dele e o terror de John Merrivale não o perturbassem nem um pouco. Grace só conhecera um homem com essa autoconfiança. Com aquele sangue-frio total e inabalável.

— Olá, Gracie. — Lenny Brookstein sorriu. — Eu estava esperando por você.

Capítulo 37

GRACE VIU SUA VIDA PASSAR diante de seus olhos. Isso era um sonho? Ou um pesadelo? Parte dela queria tocar Lenny, passar as mãos nele como São Tomé para provar que era real. Mas algo fez com que hesitasse.

— Eu vi você! Vi seu corpo. — Ela estava tremendo. — Fui ao necrotério, pelo amor de Deus.

— Por que você não abaixa a arma? — A voz de Lenny era suave. Hipnótica. — Podemos conversar.

Grace estava prestes a fazer o que ele tinha pedido quando John deu um passo na sua direção. Instintivamente, ela virou a arma na direção dele e deu um passo para trás, o dedo sobre o gatilho.

— Não se mexa! — gritou ela.

John deu um passo para trás.

— Sente-se naquela cadeira. Coloque as mãos onde eu possa vê-las.

John fez o que ela mandou, sentando-se em uma espreguiçadeira ao lado de Lenny.

Grace olhou para Lenny.

— Você também.

Lenny levantou uma sobrancelha, tanto de admiração quanto de surpresa. Também colocou as mãos no colo. Mantendo a arma apontada para os dois, Grace tirou a mochila das costas e pegou o gravador. Apertou o botão de gravar e o colocou no chão entre eles.

— Pode falar — mandou ela.

Lenny não conseguia tirar os olhos do rosto de Grace. *Tão linda. Mas ela mudou. Ela teve que mudar, eu imagino. Está mais forte. Aquela menina doce e crédula não conseguiria sobreviver.*

— O que você quer saber?

— Tudo. Quero saber tudo, Lenny. Quero saber a verdade.

Lenny Brookstein começou a falar.

Capítulo 38

— O QUE VOCÊ DEVE LEMBRAR, Grace, é que isso tudo começou muito tempo atrás. Você era uma menininha quando fundei o Quorum. Tinha talvez 5 anos. Eu tive alguns investimentos antes, fiz um pouco de dinheiro, mas sempre soube que com o Quorum seria diferente. Eu queria dominar o mundo e consegui.

Lenny olhou para John Merrivale e sorriu. John retribuiu o sorriso, um olhar de adoração no rosto. Grace lembrou-se desse olhar dos velhos tempos. *Ele o ama. John sempre amou Lenny. Como pude me esquecer disso?*

Lenny continuou:

— No início do fundo, foi uma luta. Era o começo dos anos 1990, a economia estava mal, pessoas estavam perdendo seus empregos e casas. Ninguém queria investir. Lembra, eu tinha investido cada centavo meu no Quorum; se ele afundasse, me levaria junto. Pobre de novo, com mais de 40 anos. Sem um centavo. — O rosto de Lenny ficou sombrio. — Você não pode imaginar o medo que senti, Grace. Como isso era assustador para uma pessoa que veio de onde eu vim. A ideia de voltar para a imundície, para a violência, para a fome. Não. Isso não ia acontecer comigo. — Ele disse isso com fúria, quase como se Grace tivesse tentado tirar tudo dele. — E graças a John aqui isso não aconteceu.

John Merrivale corou de prazer, como uma adolescente que recebe um elogio do garoto mais popular da escola. Grace escutava em silêncio.

— Eu tinha um grande modelo. Infalível, na verdade. Mas naquela época, um cara como eu, sem educação formal, era visto como um risco. Eu não conseguia vender 1 dólar por 90 centavos, mas *este* cara — ele apontou para John —, *este* cara conseguiu fazer com que todos os diretores daqueles bancos suíços comessem na sua mão, como carneirinhos. Foi graças a esses investidores institucionais que conseguimos atravessar a tempestade. Mas foram os pequenos investidores que nos tornaram quem fomos. As lojas de família, as pequenas instituições de caridade que nos davam seu dinheiro. Sabe, Madoff e Sanford e todos aqueles caras, eles eram um bando de esnobes. Se você não fizesse parte do clube de golfe certo ou viesse da família certa, aqueles cretinos não aceitavam seu dinheiro. Não aceitavam! Isso me enojava. Quem eram eles para dizer para pessoas simples que elas não podiam experimentar o lado bom da vida? Que o Sonho Americano era exclusividade deles? O Quorum não era assim. Nós adorávamos o cara simples, e nós o deixamos rico, e ele *nos* deixou ricos, por muito, muito tempo. As pessoas sempre esquecem essa parte.

A raiva de Lenny tinha voltado e estava aumentando. Grace tinha escutado o suficiente de falsa moral.

— Aquelas pessoas, aqueles "caras simples". — Ela cuspiu as palavras de volta, ainda sentindo como se estivesse falando com um fantasma, mas não conseguindo se segurar mais. — Eles perderam tudo por causa do Quorum. *Tudo.* Famílias ficaram na miséria por causa do que você fez. Instituições de caridade fecharam as portas. Pessoas, homens com famílias, se mataram por causa...

— Covardes. — Lenny balançou a cabeça enojado. — Imagine se matar porque perdeu dinheiro? Isso não é trágico. É patético. Sinto muito, Grace, mas é. Quando você faz um investimento, assume um risco. Ninguém forçou ninguém a me dar aquele maldito dinheiro.

Grace estava assustada com o tamanho da sua vontade de atirar nele. Era só puxar o gatilho, ele pararia de falar e pronto. Acabaria com essa aparição grosseira e cruel, com esse fantasma que estava destruindo o Lenny de quem se lembrava, o Lenny que amara, o Lenny em quem acreditara, em quem *precisara* acreditar, durante toda a sua vida adulta. Mas por mais que as palavras dele a ferissem, ela queria escutar mais. Queria saber a verdade.

— De qualquer forma — continuou ele —, durante anos, foi bom. Todo mundo estava feliz. Então, por volta do ano 2000, as coisas começaram a dar errado. Foi o boom da tecnologia, a ascensão da internet, e foi uma época louca. Muito louca. Da noite para o dia, todos os modelos de negócios, todas as estratégias de investimento conhecidas viraram de cabeça para baixo. Rapazes, alguns ainda na faculdade, estavam fundando negócios que não faturavam um centavo, recuperando-os e vendendo-os por bilhões de dólares em 18 meses. Para onde se olhava, havia foguetes, e todo mundo queria agarrar um. Todos os dinossauros velhos como eu. Era só escolher o certo e segurar firme na subida. — Os olhos de Lenny brilhavam de entusiasmo com a lembrança. — Isso foi na época que conheci você, amor. A época mais feliz da minha vida. Sabe, eu sempre amei você. — Ele olhou para Grace, os olhos marejados de lágrimas.

Grace pensou: *Ele está falando sério. É louco. Depois de tudo que me fez, acha que pode falar de amor?* Em voz alta, ela disse:

— Continue.

Lenny deu de ombros.

— Depois disso foi bem simples. Fiz vários investimentos na internet, comprei um monte de negócios especulativos e afundei. Entre 2001 e 2003, devo ter perdido... — ele olhou para John Merrivale para que o amigo confirmasse — ... não sei. Muito. Uns 10 bilhões.

— Pelo menos — disse John.

— Como isso é possível? — interrompeu Grace.

— Como é possível? Você faz uma aposta e perde, é assim. Mas as nossas apostas eram altas.

— Eu quero dizer... como ninguém sabia disso?

— Porque eu não contei — disse Lenny. — O que você acha que sou, burro? Eu fui cauteloso, Grace. Não deixei rastros. Éramos criativos em nossas demonstrações financeiras. Em um negócio tão complexo e diversificado como o Quorum, é mais fácil do que parece fazer seus ativos parecerem maiores do que são e esconder seus passivos. Paramos de contabilizar os negócios, destruímos muitos papéis e memórias de computador. Mudávamos os fundos que tínhamos constantemente, de uma jurisdição para outra. A Comissão de Valores Mobiliários xeretou um pouco em 2003 e 2005, mas nunca começou uma investigação oficial.

— Então você mentiu. Mentiu para os investidores, para os "caras simples" que confiavam em você. Da mesma forma que mentiu para mim.

— Eu estava protegendo todos eles! Você também! — gritou Lenny.

— Protegendo a *mim*? — Se não estivesse acontecendo tudo aquilo com ela, Grace teria rido.

— Claro. Você não vê? Se ninguém tivesse entrado em pânico, se todos tivessem ficado comigo, eu teria recuperado o dinheiro. Já tinha começado a fazer isso, Grace. Essa é que é a maldita ironia. Todas aquelas famílias miseráveis das quais você quer que eu tenha pena, *foram eles* que nos colocaram nessa enrascada, não eu! Se eles não tivessem tentado, todos ao mesmo tempo, sacar o dinheiro, pegar o dinheiro de volta como um bando de covardes, um atrás do outro se jogando do penhasco... — Ele levantou as mãos em desespero. — Eu poderia ter consertado as coisas. Eu poderia. Mas não tive a chance. Depois da falência do Bear, depois do Lehman, foi um caos. Aqueles cretinos destruíram tudo pelo que trabalhei a minha vida inteira. Eles afundaram o meu navio e eu não podia fazer nada para impedir. A única coisa que eu podia fazer era garantir que não afundaria junto com eles. Eu precisava sobreviver, Grace. Precisava sobreviver.

"John teve a ideia do barco. Faríamos em Nantucket e teria que parecer um suicídio. No início, achamos que eu poderia simplesmente desaparecer, e acabariam achando que eu estava morto. Mas eu não podia dar chance ao azar. Sabendo da tempestade que varreria o Quorum, eu não queria ninguém me procurando. Precisávamos de um corpo.

Grace começou a tremer. *O tronco no necrotério. As fotos de Davey Buccola. A cabeça mutilada... Ele não podia ter feito isso!*

— Você quer dizer que... matou alguém?

— Ele era um ninguém. Um vagabundo sem-teto da ilha, um bêbado preguiçoso. Acredite em mim, ele estaria morto em poucos meses da forma como tratava o próprio fígado. Só apressei um pouco as coisas. Eu o levei para dar um passeio de barco, dei uma garrafa de uísque e o deixei lá. Quando desmaiou... eu fiz o que precisava ser feito.

Grace tampou a boca com as mãos. Sentiu o vômito subir por sua garganta.

— É. Não foi bonito. — Lenny fez uma careta. — Mas, como eu disse, precisava ser feito. Os policiais teriam que achar que o corpo era meu, então, precisei... mudá-lo. O mais difícil foi enfiar a minha aliança no dedo dele. Ele já estava muito duro e muito gordo. Além disso, claro, houve a tempestade. Não tínhamos imaginado isso. Algumas vezes, eu quase caí do barco. Vou lhe dizer uma coisa, eu nunca fiquei tão feliz de ver o Graydon na minha vida.

Graydon. Graydon Walker. Era um nome de outra vida. O piloto de helicóptero de Lenny e Grace, Graydon Walker, era um homem quieto e taciturno. Grace nunca gostara muito dele. Mas, como muitos dos empregados que trabalhavam para Lenny havia muito tempo, ele era leal ao patrão.

— Graydon me levou para uma pista de pouso tranquilamente no continente. Des estava me esperando com o jatinho pronto e me trouxe direto para cá. — Desmond Montalbano era o piloto do G5 deles, um ex-piloto ambicioso que gostava de manobras perigosas. — Eu sabia que Graydon guardaria o segredo, mas não tinha tanta certeza sobre Des.

Grace prendeu a respiração.

— Você não matou Des, matou?

— Matá-lo? Claro que não. — Lenny pareceu ofendido pela desconfiança. — Dei-lhe uma compensação para os próximos trinta anos. Fiz com que valesse a pena manter a boca fechada. Ele recebe de um fundo em Jersey. É impossível rastrear esse dinheiro — acrescentou, com uma ponta de orgulho.

— Tudo é impossível de rastrear — disse Grace, com amargura. — Quem escondeu o resto do dinheiro? Você? John?

Lenny sorriu.

— Grace, querida. Você ainda não entendeu? *Não existe* resto do dinheiro. Nunca existiu.

Grace olhou para ele como quem não entende.

— Como assim?

— Estou falando desses 70 bilhões imaginários que todo mundo está procurando. Eles não existem. Nunca existiram.

Grace esperou que ele explicasse.

— Ah, o Quorum estava fazendo dinheiro? Estávamos fazendo negócios. Até os prejuízos com a internet, tudo estava indo bem, talvez 20 bilhões no nosso auge, mas nunca 70. De qualquer forma, em 2004, não havia mais nada.

— Mais *nada*?

— Restavam algumas centenas de milhões. Eu estava usando isso para pagar dividendos e cobrir eventuais resgates. E para bancar o nosso estilo de vida, claro. Sempre quis que você tivesse o melhor, Grace.

Grace pensou no pesadelo dos dois últimos anos de sua vida.

— Você queria que eu tivesse o melhor? — murmurou ela.

— Claro. As pessoas acham que o sucesso é medido em riqueza, mas não é. Não em nosso país. Nos Estados Unidos, é medido em *percepção* de riqueza. Se as pessoas me vissem como rico e bem-sucedido, continuariam investindo em mim. E foi o que fizeram. Até o colapso do Lehman. Depois disso, todo mundo quis pular fora. As pessoas começaram a fazer contas e perceberam que eu tinha que criar uma estratégia de saída.

"Separei um pouco de dinheiro para mim e John. Não precisávamos de muito. Sempre planejamos viver com simplicidade, não é, John? — John assentiu. — Madagascar é uma ilha simples, Grace, você sabe disso. Era por isso que eu e você amávamos tanto este lugar. Estou tão feliz por você estar aqui, querida. — Ele se levantou e abriu os braços, como se esperando que ela o abraçasse. — Será como nos velhos tempos, nós três juntos de novo. Senti saudades de você, Gracie, mais do que imagina. Você não vai abaixar a arma? Deixar o passado para trás?

Grace riu, uma gargalhada alta mas sem alegria. Riu até seu corpo tremer e lágrimas escorrerem de seus olhos. Então se recompôs e apontou a arma entre os olhos de Lenny.

— Deixar o passado para *trás*? Você perdeu o juízo? Você armou para mim! Você roubou e matou e mentiu e traiu e me deixou para pagar. Eu fui ao *necrotério,* Lenny! Eu vi aquele cadáver, aquele monstro inchado do coitado do homem que você matou, e eu chorei. Chorei porque achei que era você. EU AMAVA você!

— E eu amava você, Grace.

— Pare com isso! Pare de dizer isso! Você me deixou para trás para morrer. Pior do que morrer. Você mandou John sabotar o meu julgamento! Eles me prenderam e jogaram a chave fora, e você deixou isso acontecer. Você fez isso acontecer. Meu Deus, eu acreditava em você, Lenny. Eu achava que você era inocente. — Ela balançou a cabeça com amargura. — Todo esse tempo, tudo pelo que passei, tudo foi por você. Pela sua memória. A memória que eu achava que você tinha. Você sabe por que vim aqui hoje?

Lenny balançou a cabeça.

— Para matar John. Isso mesmo. Eu ia atirar nele porque achei que ele tivesse matado você. Achei que ele tivesse roubado o dinheiro e colocado a culpa em você.

— John? Me trair? — Lenny pareceu achar a ideia engraçada. — Minha menina. O mundo inteiro me traiu, e você escolhe o único homem, o *único* homem de quem nunca duvidei? Isso é inestimável.

— E a *minha* lealdade, Lenny? O *meu* amor? Eu teria dado qualquer coisa por você, arriscado qualquer coisa, sofrido qualquer coisa. Por que não confiou em mim? Você poderia ter conversado comigo quando as coisas começaram a ir mal no Quorum.

— Conversado com *você*? Sobre negócios? Até parece, Grace. Você nunca olhou o preço de nada na sua vida.

Era verdade. Grace se lembrou da pessoa ingênua e idiota que fora e sentiu vergonha.

— Olhe, talvez eu devesse ter confiado em você, Grace. Talvez eu devesse. — Pela primeira vez, uma expressão que poderia ser culpa passou rapidamente pelo olhar de Lenny. — Eu amava você. Mas como eu disse, eu precisava sobreviver. As pessoas queriam um bode expiatório para a própria burrice. Os investidores do Quorum, os Estados Unidos, o mundo. Eles queriam sacrificar alguém para reparar a própria ganância. E foi você, querida. — Ele deu de ombros.

— E você me escolheu. — Grace passou o dedo pelo gatilho. — Seu filho da puta sem coração.

John Merrivale choramingou de medo.

— Po-por favor, Grace.

Lenny perguntou:

— O que você quer que eu diga, Grace? Que me arrependo?

Grace pensou.

— É. Eu gostaria que você dissesse que se arrepende, Lenny. Eu queria que dissesse que se arrepende por ter esquartejado um homem. Que se arrepende por ter destruído milhares de vidas. Que se arrepende por mim, do que fez *comigo*. Diga que você se arrepende. DIGA!

Ela estava gritando agora, histérica. Lenny olhou para ela sem a menor piedade, como se olha para um animal no zoológico.

— Não, eu não vou dizer. Por que deveria? Eu não me arrependo, Grace. E se eu tivesse a chance, faria tudo de novo, exatamente da mesma forma.

Grace procurou desesperadamente no rosto dele por algum sinal do homem de quem se lembrava. Um pingo de compaixão ou de remorso. Mas os olhos de Lenny brilhavam de forma desafiadora.

— Sou um sobrevivente, Grace. É isso que eu sou. Meu pai sobreviveu ao Holocausto. Foi para os Estados Unidos só com a roupa do corpo. E sim, ele estragou a própria vida, mas isso só aconteceu porque ele era pobre. Ele sobreviveu, essa é a questão. Ele tinha uma vida, e ele me deu a minha vida, que eu dediquei a fugir da pobreza. Eu não ia cometer os mesmos erros que ele. Eu não ia ser um cidadão de segunda categoria, outro menino judeu implorando para entrar em algum maldito clube de golfe. Eu era dono no meu próprio clube, OK? Eu era dono! Eu tinha todos aqueles mauricinhos protestantes me implorando para serem aceitos. Eu até casei com a filha de um deles.

Grace fez uma careta. *Foi isso que eu sempre fui para você? A filha de Cooper Knowles? Um símbolo de status?*

— Você espera que eu me desculpe por sobreviver? Por brigar até o fim? Nunca! Eu vim do nada, Grace, menos do que nada. Eu construí o Quorum do nada. — Ele tremia de raiva. — O que você sabe sobre trabalho duro? Sobre preconceito? Sobre pobreza? Sobre sofrimento?

Grace se lembrou dos dias de tortura em Bedford Hills. Da vida precária de fugitiva da justiça, sabendo que o mundo inteiro tinha preconceito contra ela, que ninguém no mundo sabia a verdade. Lembrou-se da luta com estupradores, de sangrar quase até a morte depois de induzir um aborto, de cortar os pulsos com o alfinete de um broche. *O que eu sei sobre sofrimento? Você ficaria surpreso.*

Lenny continuou:

— Você era a princesa dos Estados Unidos. A vida lhe deu tudo de bandeja e você aceitou como se fosse seu direito. Você nunca perguntou de onde vinha. Você não se importava! Então não fique aí tentando me dar lição de moral. Sinto muito se você sofreu, Grace. Mas alguém tinha que sofrer. Talvez fosse a sua vez.

Minha vez.

— Isso mesmo. E não fique tão horrorizada, querida. Você conseguiu, não foi? Você aprendeu a sobreviver, sozinha. Estou orgulhoso de você. Você está aqui, está viva, está livre. Todos estamos. Você queria a verdade e agora conseguiu. O que mais você quer?

E foi quando Grace teve certeza.

— Vingança, Lenny. Quero vingança.

O tiro ecoou, soou nos muros altos de pedra. Lenny colocou a mão no peito. Sangue escorreu por entre seus dedos, encharcando a camisa branca de linho. Olhou para Grace, surpreso. John Merrivale gritou:

— NÃO!

Outro tiro. Depois outro.

— Grace!

Ela se virou. Mitch Connors estava correndo pela sala na direção do jardim, o cabelo louro suado grudado na testa, a arma na mão.

— Pare!

Mas ela não podia parar. John Merrivale tinha corrido para dentro da casa. Grace se virou para encarar Lenny, mas ele também tinha sumido. *Não!* Então ela o viu, engatinhando para a casa de hóspedes, deixando uma trilha de sangue para trás. Grace levantou a arma. Apontou para atirar de novo, mas Mitch passou correndo por ela, abriu os braços formando uma parede humana entre ela e Lenny.

— Acabou, querida. Pare, por favor. Abaixe a arma.

Grace gritou:

— Saia da minha frente, Mitch. *SAIA!*

— Não, isso não é certo, Grace. Sei que você quer justiça, mas não vai ser assim.

Lenny estava fugindo. Ela não podia suportar isso.

— Saia, Mitch. Juro por Deus, eu vou atirar.

Ela escutou uma comoção dentro da casa. Portas batendo. Homens correndo. Por baixo das pernas de Mitch, viu que Lenny estava quase na casa de hóspedes. Pelo canto do olho, viu John Merrivale correndo pela casa gritando, sacudindo uma arma. Os passos atrás ficaram mais altos.

— Polícia! Soltem suas armas!

Era agora ou nunca.

Grace disparou sua arma pela última vez. Observou horrorizada enquanto Mitch rolava pelo gramado, a bala rasgando sua carne. *Mitch!* Ela gritou mas não saiu nenhum som. Sentia sua pele, seus braços, suas pernas também alvejados, a dor como lâminas a cortando. Ela estava na grama, sangrando. O som sumiu. Grace abriu o olho e só viu um balé silencioso de pés correndo. Mitch estava imóvel, caído na relva. Procurou Lenny mas não conseguiu vê-lo, apenas a neblina vermelha de seu próprio sangue apagando o sol, o céu e as árvores, caindo sobre ela como um veludo pesado no palco de um teatro: sua última cortina.

Capítulo 39

NOVA YORK, UM MÊS DEPOIS

A MULHER NA SALA de espera do hospital sussurrou para a filha:
— É ela?
A filha balançou a cabeça.
— Acho que não. — Normalmente não teria hesitado tanto. Estava sempre atenta a todas as fofocas que saíam nas revistas e se orgulhava de conseguir detectar uma celebridade a 50 metros de distância. Óculos escuros e cachecóis cobrindo a cabeça não a enganavam. Mas naquele caso... A mulher se parecia um pouco com ela. Parecia muito com ela, se olhasse cada traço. Os lábios de cupido, a covinha no queixo, os olhos grandes e a delicada linha do nariz. Ainda assim, de alguma forma, quando juntava tudo, o rosto parecia... *menos*. Menos bonito. Menos impressionante. Menos especial. Combinado a isso, havia as roupas desmazeladas, a saia de lã cinza e a camisa branca simples e... não. Não era ela.
— Sra. Richards?
A mãe da menina olhou.

— Pode entrar agora. Seu marido está acordado.

Mãe e filha saíram da sala de espera. Ao passarem pela mulher parecida, ambas olharam sorrateiramente. De perto, ela parecia ainda menor. Era quase como se ela tivesse projetado o anonimato, da mesma forma que outras pessoas, estrelas, emitem carisma ou sensualidade.

— Pobrezinha — disse a mãe. — Parece um ratinho. Quem será que ela está visitando?

GRACE FICOU FELIZ quando as mulheres foram embora. Ainda eram 7 horas. Tivera esperanças de encontrar a sala de espera vazia. Estava cada vez mais difícil ficar perto de outras pessoas. De qualquer pessoa. Logo deixaria os Estados Unidos para sempre. Encontraria algum lugar tranquilo, um refúgio onde ninguém a conhecesse nem se importasse com seu passado. Um mosteiro, talvez, na Espanha ou na Grécia, se a aceitassem. *Eles vão me aceitar. É isso que fazem, não é? Oferecem um santuário aos pecadores, aos criminosos e aos pobres. Eu me qualifico nas três opções.* Segundo seu novo advogado, ela logo teria direito a uma compensação federal.

— Será uma boa quantia em dinheiro. Não tanto quanto você estava acostumada, mas certamente na casa dos sete dígitos.

Grace não estava interessada. O que quer que o governo lhe desse, mandaria diretamente para Karen Willis e Cora Budds. Devia a elas sua liberdade, uma dívida que não tinha preço. Além disso, Grace não tinha com que gastar o dinheiro. Tudo que queria era ir embora. Mas não podia ainda. Não antes de saber se ele estava bem. Não antes que tivesse uma chance de se explicar.

Tocou a cicatriz em seu braço, onde a bala entrara. Ela mesma tinha quatro cicatrizes parecidas, na perna, no quadril e no ombro. *Você tem sorte de estar viva,* o médico dissera. E Grace sorrira e se perguntara: *Tenho sorte mesmo?* Era incrível como o corpo conseguia se recuperar rápido. Mas o espírito não era assim tão resiliente.

Sem Lenny, Grace Brookstein não sabia mais qual era a razão de sua vida.

A HISTÓRIA DO tiroteio em Le Cocon, da morte sensacional de John Merrivale e a prisão de Lenny Brookstein tinha sido noticiada no mundo inteiro. As autoridades de Madagascar fizeram um esforço simbólico para impedir que levassem Lenny de volta para os Estados Unidos, mas uma ligação do próprio presidente americano, além de algumas promessas de investimento substancial em vários projetos de infraestrutura da ilha, logo fizeram com que mudassem de ideia.

Harry Bain avisou a polícia local.

— O Sr. Brookstein está voltando para seu país de livre e espontânea vontade para receber tratamento médico urgente. Assim que se recuperar, se isso acontecer, o futuro dele será decidido pela Justiça dos Estados Unidos.

Foi Bain quem conseguiu entrar em contato com a polícia local e mandar reforços para Le Cocon naquele dia. Assim que escutou as mensagens de Mitch, ligou na mesma hora para o chefe de polícia de Antananarivo e o colocou a par de tudo.

— Teria sido mais fácil se vocês tivessem sido honestos conosco sobre sua presença em Madagascar — disse o chefe de polícia, sendo rígido. Harry Bain precisara bajular o homem até que ele concordasse em mandar reforços para a mansão. Mas, graças a Deus, ele mandara. Quando chegaram lá, Lenny Brookstein já tinha levado um tiro no estômago e um na virilha. Se Grace tivesse apontado um pouco mais para cima, teria atingido a artéria coronária e poupado os Estados Unidos de seu julgamento mais sensacionalista e chocante desde... bem, desde o dela mesma. Após uma cara cirurgia, Lenny sobreviveu. Antes que ele soubesse onde estava, o FBI mandou que o mantivessem fortemente sedado e o levou de volta para o país em um avião militar. Estava tudo terminado antes que alguém pudesse dizer "violação dos direitos humanos", muito menos "denegação de justiça".

Por duas semanas, ninguém sabia se Mitch Connors teria a mesma sorte. A vida dele estava por um fio. Grace ficou aterrorizada quando soube que uma bala sua tinha se alojado na espinha dele, mas os policiais lhe asseguraram que havia sido John Merrivale quem quase o matara. Quando a polícia apareceu, eles gritaram para John soltar a arma, mas ele continuou atirando indiscriminadamente, em Grace e neles. Não tiveram alternativa a não ser atirar também.

Primeiro, Grace ficou feliz ao saber que John estava morto. Mas conforme as semanas foram passando, sua felicidade foi desaparecendo. O que isso importava? O que tudo isso importava: a morte de John, o julgamento de Lenny (por fraude e assassinato) e sentença de morte por injeção letal, e o perdão presidencial a ela própria? Nada disso lhe traria sua antiga vida de volta, ou ajudaria as pessoas cujas vidas foram arruinadas pelo Quorum. Nada disso faria Mitch Connors ficar bom, ou traria Maria Preston, ou Andrew, ou aquela alma infeliz de Nantucket de volta. Tudo era completamente inútil. Justiça tinha se tornado uma mera palavra, letras em uma página, destituída de significado. Não haveria justiça, encerramento, nem final satisfatório. A coisa toda era uma farsa, um jogo. Grace mesmo tinha sido perdoada, não porque fosse inocente, mas porque era um constrangimento para as autoridades admitir que ela tinha fugido duas vezes e que havia sido ela, não eles, que encontrara Lenny e descobrira a verdade sobre a fraude do Quorum.

— Estou convencido de que Grace Brookstein foi uma vítima da falsidade de seu marido tanto quanto as milhares de outras pessoas que sofreram nas mãos dele — disse o presidente.

E o país aplaudiu.

— É claro que ela foi. Pobrezinha.

Agora, tinham o seu vilão, seu pedaço de carne. Lenny Brookstein seria mandado para a prisão de segurança máxima do Colorado, a mais rígida do continente, casa dos mais perigosos terroristas islâmicos e assassinos de crianças. A peça estava em seu terceiro ato, e não havia uma heroína trágica convincente. Quem melhor para assumir o papel de Grace? Afinal, o show tem de continuar.

Uma enfermeira bateu no ombro de Grace.

— Boas notícias. Ele está acordado. Gostaria de entrar?

MITCH ESTAVA pálido e magro. Grace tentou não parecer chocada. *Ele deve ter perdido uns 20 quilos.* Quando ele a viu, sorriu.

— Olá, estranha.

— Olá.

Havia tanto para ser dito, mas, naquele momento, Grace não conseguia pensar em uma única palavra. Então, pegou as mãos de Mitch e as acariciou.

— Fiquei sabendo que você testemunhou contra Lenny no julgamento.

— Verdade. Não precisei ir pessoalmente. Deixaram que fizesse uma declaração.

— Ele foi condenado à morte?

Ela assentiu.

— Então, seu testemunho deve ter ajudado.

— Duvido. Ele admitiu tudo. Depois que souberam do assassinato, a farsa chegou ao fim. Mas acho que ele queria que todos soubessem como tinha sido esperto. Ele não parecia chateado no julgamento. Era quase como se estivesse se divertindo.

Mitch balançou a cabeça, incrédulo.

— Ele ainda não se considera culpado, não é?

— Nem um pouco. — Ela fez uma pausa. — Vai ser executado hoje. Abriu mão de entrar com qualquer apelação.

Por alguns minutos, ambos ficaram em silêncio. Então, Mitch disse:

— Sei que vai parecer uma pergunta ridícula. Mas você ainda sente alguma coisa por ele? Saber que ele vai morrer. Isso não a deixa triste?

— Não. — Grace ficou pensativa. — Não é que eu não tenha sentimentos por ele. O mais certo seria dizer que não tenho sentimentos, ponto. Estou entorpecida.

Mitch apertou a mão dela.

— Leva tempo, só isso. Você passou por muita coisa.

— Para ser franca, eu não sei se quero voltar a sentir alguma coisa. Quero paz.

Ela olhou pela janela. Era final de maio, e a primavera se espalhava pelas árvores na calçada, explodindo em flores, o céu azul vivo com pássaros e alegria. Grace pensou: *Fico feliz que a vida continue, que seja linda. Mas não posso mais fazer parte dela.*

— Sabe quem me ligou um dia desses?

Mitch balançou a cabeça.

— Quem?

— Honor. O FBI contou a ela sobre Jack e Jasmine. Ele decidiu não concorrer de novo ao Senado. Eles vão se divorciar.

— Ela ligou para você para contar isso?

Grace riu.

— Eu sei. Como se nós pudéssemos continuar de onde paramos. Na verdade, foi exatamente o que ela disse: "Não podemos ser irmãs de novo?" Connie e Mike se mudaram para a Europa, então acho que ela está se sentindo sozinha. Lenny disse algo parecido em Le Cocon. Ele achou que eu fosse ficar lá com ele e John. Que nós três podíamos ficar escondidos em Madagascar juntos e viver felizes para sempre. "Como nos velhos tempos", foi o que ele disse.

— Está brincando? — Mitch arregalou os olhos. — O que você disse?

— Eu não disse nada. Atirei nele. — Grace sorriu, e Mitch se lembrou de tudo que amava nela. *Ela acha que está morta por dentro, mas não está. Só está hibernando.*

Grace se levantou e foi até a janela. Mitch observou-a, seus passos graciosos e fluidos de bailarina. Enquanto ele era o policial e ela a fugitiva, ele se forçara a esconder seus sentimentos. Agora que estava tudo terminado, não podia mais se segurar. Sentiu o desejo atingir-lhe como um soco no estômago.

Eu a amo.

Eu a desejo.

Eu posso fazê-la feliz.

— O quê? — Grace se virou, como que o acusando.

Mitch corou. Será que tinha falado em voz alta? Devia ter falado. Ele se levantou um pouco nos travesseiros.

— Estou apaixonado por você, Grace. Sinto muito se isso complica as coisas. Mas eu estou.

O rosto de Grace amoleceu. Gostava de Mitch, no fim das contas. E ele arriscara a própria vida para tentar salvar a dela. Não havia motivo para ficar com raiva dele. Mas amor? Não. Não poderia amar de novo. Não depois de Lenny. Amor era uma fantasia. Não existia.

Mitch disse:

— Acho que podíamos nos casar.

Grace soltou uma gargalhada.

— Casar?

— Isso. Por que não?

Por que não? Grace pensou em Lenny. Em seu lindo casamento em Nantucket, sua felicidade como uma jovem noiva, suas esperanças e sonhos. Eles não tinham sido apenas destruídos, mas também incinerados, aniquilados, virado cinzas junto com a garota feliz e crédula que ela fora um dia.

Quando a noite caísse, Lenny já estaria morto.

As chances de Grace se casar de novo eram as mesmas de ir para a Lua.

— Nunca mais vou me casar, Mitch. Nunca.

Ao escutá-la dizer as palavras, Mitch soube que ela falava sério.

— Vou embora.

Mitch sentiu um aperto no peito. O pânico tomou conta dele.

— Embora? Como assim? Para onde? Vai embora do hospital?

— Vou embora do país.

— Não, não vai. Você não pode!

— Eu preciso.

— Mas por quê? Para onde você iria?

Inclinando-se, Grace lhe deu um beijo, somente um, na boca. Foi um beijo curto, não sexual, mas carinhoso, quase maternal. Fez com que Mitch tivesse vontade de chorar.

— Não sei para onde eu vou. Algum lugar tranquilo e afastado. Algum lugar onde eu possa viver de forma simples e em paz.

— Isso é ridículo. Você pode viver de forma simples comigo. — Ele pegou o rosto dela nas mãos, desejando que ela o escutasse, o amasse, que acreditasse que ele a amava. — Posso viver de forma simples. Você quer uma coisa simples, precisa ver meu apartamento. É tão simples que confiscaram meus móveis.

Apesar de tudo, Grace sorriu. Foi uma pequena fresta na armadura dela. Mitch mergulhou nela.

— Gostou? Meu Deus, se você quer simplicidade, eu sou a pessoa certa. Posso até pedir falência. Pizza fria para o café da manhã? Tenho. Com um pouco mais de esforço, posso até fazer com que cortem a eletricidade em meu apartamento. Podemos ficar no escuro, embaixo das cobertas e cantarolar.

— Pare. — Grace riu.

Mitch levou a mão dela até seus lábios, beijando um dedo de cada vez.

— Vou lhe dizer uma coisa. Esqueço essa história de casamento se você esquecer essa de ir embora. Apenas... diga que vai jantar comigo quando me derem alta daqui.

Grace hesitou.

— Por favor! Um jantar apenas! Você me deve pelo menos isso.

Era verdade. Ela devia isso a ele.

— Tudo bem. Um jantar. Mas não posso prometer mais nada.

Capítulo 40

Lenny Brookstein olhou as correias na cama e sentiu o medo tomar conta dele. Disse a si mesmo que não era a morte que o assustava. Era morrer assim, segundo a vontade de outra pessoa. Mas agora que estava ali, percebeu que estava enganando a si mesmo. *Eu não quero morrer. Quero viver.*

— Não! — Ele entrou em pânico, tentando sair correndo do quarto. — Eu... eu não posso! Alguém me ajude!

Mãos fortes e másculas o seguraram.

— Calma.

Esforçou-se para se acalmar. O quarto era limpo, branco e higienizado, como um hospital. Os três homens que estavam ali dentro pareciam médicos, com seus uniformes azuis e suas máscaras e luvas de plástico. Mas não estavam ali para cuidar dele.

Após todos os anos de luta, no final, tinha chegado a isso. Teria entrado com um recurso se houvesse a mais remota chance de sucesso, mas Lenny era inteligente o suficiente para saber que não havia, e orgulhoso demais para jogar um jogo que não podia vencer. Além do mais, para que lhe serviriam mais dez anos de vida na cadeia? Já tinha perdido uns 5 quilos e só estava ali fazia algumas semanas. Ele não daria a comida da prisão nem para um cachorro.

Dois dos médicos se aproximaram para ajudá-lo a subir na maca, mas ele os afastou, furioso.

— Faço isso sozinho.

Ele se deitou na maca. Os médicos amarraram as correias. Lenny ficou constrangido ao perceber que suas pernas estavam tremendo. Um dia, controlara um império que valia mais do que o produto interno bruto de alguns países. Agora não conseguia nem controlar o próprio corpo.

Virou-se para o lado e viu o rabino da penitenciária de pé em um canto do quarto, constrangido.

— O que ele está fazendo aqui? Eu disse que não queria ninguém.

O rabino deu um passo à frente.

— Eles vão sedá-lo logo, Lenny. Queria lhe dar a chance de rezar comigo antes. Ou saber se há algo que você gostaria de dizer.

— Não.

— Não é tarde demais para se arrepender de seus pecados. A misericórdia do Senhor é infinita.

Lenny fechou os olhos.

— Não tenho nada a dizer.

Sentiu a agulha entrar em seu braço. Por um momento, o terror tomou conta dele de novo. Queria vomitar, mas seu estômago estava vazio. Seus intestinos também, graças a Deus. Poucos segundos depois, os sedativos começaram a fazer efeito. Lenny sentiu sua frequência cardíaca diminuir, e uma sensação de sonolência o envolveu.

Pensou na mãe. Ela estava usando um bonito vestido floral, e dançava pela cozinha, e seu pai estava bêbado de novo e gritando com ela:

— Rachel! Venha aqui! — E então ele se aproximou dela, cambaleante, e lhe deu um tapa, e Lenny quis matá-lo...

Pensou no Baile do Quorum. Era 1998 e ele era intocável, um deus, assistindo aos meros mortais de Wall Street competirem para ver quem conseguiria chegar perto dele, tocar sua roupa ou ouvi-lo falar. Gostaria que sua mãe tivesse visto isso...

Pensou em Grace, no seu rosto inocente e crédulo, seu lindo corpo nu, que já fora sua fonte de prazer. Ela estava falando com ele, cantando com sua vozinha infantil. *Não quero filhos, Lenny. Estou tão feliz como estamos. Não há nada faltando*, e ele abriu a boca para falar que a amava, que também não lhe faltava nada, mas, então, o rosto dela mudou e ela ficou velha, triste e furiosa, e estava apontando uma arma para ele, não apenas apontando, mas atirando, uma vez, e outra e outra, *bang, bang, bang*, e John Merrivale estava gritando, *NÃO!*, mas os tiros continuavam vindo.

Estava no barco, exausto, a machadinha ainda na sua mão. Tentava se levantar, mas não conseguia; estava escorregando. O deque estava escorregadio de sangue e água da tempestade, e o barco estava sacudindo, balançando violentamente, e ele teve certeza de que seria jogado no mar. Então escutou o helicóptero lutando contra o vento como um inseto gigantesco, e Graydon abaixou a corda e ele estava subindo, agarrando-se à própria vida, subindo para o céu, e Graydon desapareceu, e sua mãe apareceu de novo. *Venha, Lenny, querido. Você pode fazer o que quiser...* E ele gritou:

— Estou indo, mãe! Estou indo. Espere por mim! — E os braços dela o envolveram e ele nunca se sentiu mais feliz na vida.

O RABINO OLHOU para os médicos.

— É isso?

— É isso — disse um. — Ele morreu.

— Isso não é justo — disse outro. — Um açougueiro cruel como ele morrer com um sorriso nos lábios. Ele deveria ter sofrido.

O rabino não respondeu, apenas saiu, triste.

EPÍLOGO

Grace saiu do hospital e desceu a rua. Era um maravilhoso dia de primavera em Nova York, o sol brilhando, mais vibrante e vivo do que ela se lembrava. As ruas estavam cheias de gente, correndo para resolver os problemas de suas vidas como se fossem muito importantes. Era ao mesmo tempo familiar e estranho, como andar em um sonho que já tivera muitas vezes.

Estava viva. Estava livre. Sabia que essas coisas deveriam deixá-la feliz. Será que algum dia se sentiria feliz de novo?

Olhando para trás, na direção do hospital, pensou com carinho em Mitch Connors. Mitch era um bom homem. Generoso. Grace sentira isso desde o início. *Em uma outra vida, em um outro sonho, eu poderia tê-lo amado.* Mas a chance tinha passado, como uma pena ao vento. Ela sabia que nunca mais voltaria.

Será que realmente sairia do país? Provavelmente. Ou, talvez, simplesmente sumiria nele, como já fizera antes, desaparecendo no reconfortante anonimato da cidade.

Virando a esquina, Grace Brookstein foi na direção da estação de metrô. A multidão se abriu para deixá-la passar, depois envolveu-a como um útero.

Ela desapareceu.

AGRADECIMENTOS

Mais uma vez, agradeço imensamente à família Sheldon por confiar em mim, por me apoiar e por sua generosidade. Também agradeço aos meus editores, May Chen, Wayne Brookes e Sarah Ritherdon, e a todos na HarperCollins que trabalharam tanto neste livro. Agradeço aos meus agentes, Luke e Mort Janklow e Tif Loehnis, e a todos da Janklow & Nesbit: vocês são os melhores. E por último, mas não menos importante, agradeço à minha família, principalmente meus filhos, Sefi, Zac e Theo, e ao meu marido, Robin, que me apoia em tudo o que faço. Amo vocês.

— TB, 2010

Este livro foi composto na tipografia
Minion, em corpo 11,5/15, e impresso em
papel off-set no Sistema Digital Instant Duplex
da Divisão Gráfica da Distribuidora Record.